Klaus Scherer
Wahnsinn Amerika

PIPER

Zu diesem Buch

Klaus Scherer trifft nicht nur, wie es seine Chronistenpflicht ist, US-Politiker und ihre Berater, sondern nimmt das ganze Riesenland unter die Lupe. Er begleitet Armenhelfer in Arizona und Kentucky ebenso wie Immobilien-Zocker in Kalifornien. FBI-Fahnder erklären ihm, wie das Land in seine tiefste Krise rutschte, und langjährige US-Sicherheitsberater, was sie als nächste Herausforderungen fürchten. Detail- und pointenreich schildert er den Richtungskampf, der seit Obamas historischem Wahlsieg 2008 nie aufgehört hat. Seinen eigenen, oft kuriosen Alltag als Fernsehreporter, Familienvater und Vielreisender in den USA klammert Scherer – zum Gewinn des Lesers – dabei nicht aus.

»*Wahnsinn Amerika* ist ein gelungener Beitrag, um bei der Beantwortung der immer wieder aufkeimenden Frage zu helfen: Wie ticken die eigentlich, die Amerikaner?«
NDR

Klaus Scherer, geboren 1961 in Pirmasens, ist Reise- und Sonderreporter beim NDR. Er studierte Soziologie, Geografie und Publizistik, arbeitete als Berlin-Reporter für Tagesschau und Tagesthemen und war Fernost-Korrespondent der ARD in Tokio. Zudem produzierte er hochkarätige Dokumentationen und Reisereportagen. Von 2007 bis 2012 berichtete er als ARD-Korrespondent aus Washington. Für seine Arbeit erhielt er u.a. den Adolf-Grimme-Preis und den Deutschen Fernsehpreis »TeleStar«.

Klaus Scherer

WAHNSINN AMERIKA

Innenansichten einer Weltmacht

Mit 28 Abbildungen

Piper München Zürich

Mehr über unsere Autoren und Bücher:
www.piper.de

Von Klaus Scherer liegt bei Piper vor:
Am Ende der Eiszeit

MIX
Papier aus verantwortungsvollen Quellen
FSC® C014496

Ungekürzte Taschenbuchausgabe
November 2013

Umschlaggestaltung: semper smile, München, nach einem Entwurf von www.buero-jorge-schmidt.de
Umschlagabbildung: Thomas Wegner
Satz: seitenweise, Tübingen
Gesetzt aus der Swift
Papier: Munken Print von Arctic Paper Munkedals AB, Schweden
Druck und Bindung: GGP Media GmbH, Pößneck
Printed in Germany ISBN 978-3-492-30428-3

Inhalt

Fragen an Amerika: »End of the Game?«

Glaubt man den Rivalen, geht es um den wichtigsten Richtungsstreit im Leben ihrer Wähler. Um den Grundkonsens Amerikas. Um die Laufrichtung der Weltmacht. »Wir werden eine neue, konservative Ära in Amerika beginnen«, feiert sich Multimillionär Mitt Romney nach seinen Vorwahlsiegen, angefeuert von den »We-want-Mitt«-Sprechchören seiner Anhänger. Er geißelt »die bankrotte Ideologie Europas«, der Amerika nicht länger folgen dürfe. Dann setzt er zum finalen Satz an: »Wir werden beweisen, dass Barack Obama die letzte Zuckung des Liberalismus in unserem Land war.«

Dabei ist Romney vielen noch gar nicht konservativ genug, wie die Abstimmungserfolge des Ultrareligiösen Rick Santorum zeigten. Die Parteirechte hätte lieber ihn als Kandidaten gekürt, als Hardcore-Republikaner, der die Trennung von Kirche und Staat aufheben will, seine sieben Sprösslinge zu Hause unterrichtet – aus Sorge, sie könnten der Evolutionslehre verfallen – und der Obama einen »Snob« nennt, nur weil der in den amerikanischen Traum miteinschließt, dass Eltern ihre Kinder auf ein College schicken können. »Ein ehrenwerter Mann, nur leider lebt er im falschen Jahrhundert«, verabschiedete ihn die *Washington Post* am Ende des Vorwahlkampfs.

Seitdem muss Romney selber die Parteirechte bei

Laune halten, bis hin zu den Staatsgegnern der Tea Party. Den Armen zu helfen, poltern deren Frontleute, sei nicht Sache der Regierung, sondern der Kirchen. Derweil lassen mächtige Geldgeber an neuen Hasskampagnen gegen den Präsidenten feilen, die ihn wieder einmal als »unamerikanisch« angreifen, als sozialistischen Eiferer, wenn nicht als schwarzen Verschwörer. Dazu fragen die Konservativen angesichts der Konjunkturflaute fast schadenfroh: »Wo sind die Jobs?«

Doch auch Obama attackiert den Gegner längst mit Negativkampagnen, die dessen Glaubwürdigkeit gerade dort erschüttern sollen, wo er sie am lautesten reklamiert: in der Wirtschaftspolitik. Romneys vielzitierte Kompetenz als erfolgreicher Geschäftsmann beschränke sich darauf, kühlen Kapitalanlegern den Profit zu maximieren, trommelt das Obama-Lager. Ein Präsident aber müsse an das Wohl aller denken, an den Mittelstand, die sozial Schwachen, daran, dass auch die Reichen sich an Regeln halten. Nicht einmal in seiner Zeit als Gouverneur von Massachusetts habe Romney Jobs geschaffen. »In Wahrheit werfen uns die Republikaner vor«, heißt es in Rundmails demokratischer Strategen, »dass wir ihren eigenen Schlamassel nicht schnell genug aufräumen.«

Einen Weg zurück aber werde Obama nicht zulassen. »Forward«, nach vorn, erklärten sie zum Wahlkampfmotto, heraus aus der Krise, wenn auch langsam – statt sehenden Auges mit den lernunwilligen Republikanern in die nächste, samt Bankenkollaps und neuer Rezession. Auch der Amtsinhaber beschwört so landauf, landab jubelnde Wählermassen. »Ich habe auf euch gesetzt, die amerikanischen Arbeiter«, ruft er in volle Säle, »und ich tue es weiter, jeden Tag.« Nicht er, die Regierung oder das Management hätten die kriselnden US-Autokonzerne an die Weltspitze zurückgeführt, sondern Teamgeist, Verzichtbereitschaft und Leistungswille der Beschäftigten. »General Motors erzielt die höchsten Gewinne seiner Geschichte«, hält er fest – und erinnert daran, dass Kontrahent Romney damals in der *New York Times* empfohlen hatte: »Lasst Detroit pleitegehen!«

So wankt Amerika durch einen Schlagabtausch, der den Wahlkampf des Jahres 2008 verblassen lässt. Noch mehr als um die Wirklichkeit geht es um die Wahrnehmung derselben, um »Spin«, wie man hier sagt. Goldene Zeiten für Blogger, Twitter und die überhitzten News-Networks, die das Wortgemetzel schon seit Beginn der Vorwahlen ganztägig weitertreiben und deren eigene Mitarbeiter sie schon zynisch »24-Stunden-Monster« nennen, die nun einmal gefüttert werden müssten.

Dabei hätte Amerika weit Wichtigeres zu tun. Politik-Vordenker Zbigniew Brzezinski hält das Land für verwundbarer denn je, durch seine Schuldenlast, das unzulängliche Finanzsystem, die brüchige Infrastruktur, die wachsende soziale Ungerechtigkeit und den politischen Stillstand im Kongress. Zudem trübe der Konflikt zwischen Israel und dem Iran Obamas Aussichten auf eine Wiederwahl. Andere fügen die hohen Spritpreise hinzu, die Eurokrise, den konservativen Obersten Gerichtshof – oder gar Obamas Bekenntnis, dass er auch gleichgeschlechtliche Ehen für verfassungsgemäß halte. Hatte mir nicht derselbe Brzezinski einmal erklärt, dass Obama ein politisches Jahrhunderttalent sei? Da rühmte er dessen Überzeugungskraft und sein Gespür für den historischen Moment.

Hoffnung, Sorge, Skepsis – all das prägte Obamas Amtszeit. Doch Amerikas Politik regte die Welt schon immer auf. Als ich mit meiner Familie nach Washington zog, das Korrespondentenvisum druckfrisch im Reisepass, da neigte sich gerade die Amtszeit George W. Bushs dem

Ende zu. Der junge Wahlkämpfer Barack Obama erschien da wie ein Erlöser. Doch kaum begann er zu regieren, schlug ihm der Unmut aufgebrachter Bürger wild entgegen. Der US-Kongress fuhr seitdem Achterbahn, die Wirtschaftsprognosen wechselten. Dennoch drückte Obama Reform um Reform durch. Und nun, da seine mögliche Wiederwahl näher rückt, malt ein so überzeugter Wegbegleiter wie Brzezinski erneut Amerikas Niedergang an die Wand? Wer soll das noch verstehen?

Aber der Reihe nach.

»Amerika begreifen«

»Sie müssen ziehen, Sir«, sagt die freundliche Stimme am Telefon nach der Ankunft im Hotel in Washington. Dabei glaubte ich bereits, so ziemlich alle Wasserhahnvarianten dieser Welt zu kennen. Das Badetuch schon umgebunden, bereit für die ersehnte Dusche, bedanke ich mich. Obwohl ich auch ziehen längst probiert habe, so sehr, dass mir schon fast die Wand entgegenkam.

Die Folgetage erscheinen ähnlich befremdlich, samt der Fragen, die man nun wiederum mir stellt. »Beabsichtigen Sie, hier terroristische Aktivitäten durchzuführen?«, will die Einreisebehörde wissen. »Was verursacht mehr Verkehrsunfälle? A: das Auto? B: der Fahrer? C: die Straße?«, lese ich bei der Führerscheinprüfung. »Wir haben über Lichtschalter und Steckdosen gestrichen. Das war hier vorher auch schon so. Stört Sie das?«, höre ich von Handwerkern.

Willkommen in Amerika. Dem Land, das zu begreifen von nun an meine Hauptaufgabe ist.

»Wie sind die eigentlich so, die Amerikaner?«, werde ich von Deutschen seitdem oft gefragt. Nett, sage ich dann. Supermarktkassiererinnen nennen dich »Darling«, obwohl du ihnen zuvor nie begegnet bist. Und wenn dein Auto streikt, kommen sie schon mit dem Starthilfekabel an, bevor du danach fragen konntest. Kellner loben noch deine gewöhnlichste Bestellung als »exzellente Wahl« oder, noch besser, als »cool«. Nur die Servicezentralen von Firmen und Behörden sind weniger freundlich. Die geben dir schnell zu verstehen, dass dein Anruf eher stört.

Zudem ist ihr Land unfassbar groß. In jeder Linienmaschine sitzt ein Passagier mit Pelzmütze und einer mit Flipflops. Vom Heck ihrer Feuerwehrautos weht das Sternenbanner, als hätten sie gerade erst den Staat gegründet – dessen monströse Machtfülle sie wiederum beklagen, sobald das Feuer gelöscht ist. Denn sie fürchten nichts mehr als den Sozialismus.

Dabei sind sie ihm näher, als sie ahnen: Sie nennen ihr Land das freieste der Welt, aber nirgendwo stehen mehr Stoppschilder, manche sogar vor simplen Kurven. Einmal ertappte ich mich schon dabei, dass ich vor einem wartete, als würde es noch grün.

Die Staubsauger, die sie benutzen – lärmende, sperrige Monster –, möchte man ihnen schon vor die Füße werfen, bevor man sich damit über einen Treppenbelag hat quälen müssen. Ihr wahres Leibgericht, der Hot Dog, erinnert fatal an die geschmacksneutrale, wässrige Ketwurst der späten DDR. Der einzige Ausgehkomplex am Wasser, den die Potomac-Stadt Washington zu bieten hat, ein hilfloser Murks aus Plattenbau, Erkerchen und Springbrunnen, hätte auch Erich Honecker gefallen. Und wer in der Weltmacht-Kapitale nach neun Uhr abends ein Taxi für Gäste braucht, kann zwar eines bestellen, aber kommen wird es nie.

Trotzdem sollte man sie nicht unterschätzen. Denn zwischendurch erfinden sie immer mal wieder Kleinigkeiten wie das Internet. Und auch wenn sie tausendmal den Klimawandel leugnen: Ein nationales Tempolimit haben sie hinbekommen. Wir nicht.

Ja, Fragen an Amerika gibt es genug, sobald man es betreten und sich eingerichtet hat. Die meisten wären mit einem Augenzwinkern zu ertragen. Wer als Fremder nach Deutschland kommt, wird ähnliche Widersprüche und Merkwürdigkeiten finden.

Nun ist fragen aber mein Beruf. Und die Rätsel, die Amerika uns derzeit stellt, reichen über Banalitäten weit hinaus. Die Welt sorgt sich um die Amerikaner, denn viele verstehen von außen kaum noch, was sie treibt – und wohin es sie treibt. Die häufigste Reaktion in Telefonaten mit der Heimat, privat wie beruflich, lautete zuletzt: »Was ist denn mit denen los? Knallen die jetzt völlig durch?«

Da wählten sie mit historischer Mehrheit einen schwungvollen, jungen Präsidenten, um den sie die ganze Welt beneidete. Aber sobald er zu regieren anfing, beschimpften sie ihn als Kommunisten und Ersatz-Hitler, warfen ihm vor, er sei nicht einmal Amerikaner, und wünschten ihn zum Teufel.

Ausgerechnet er, der mit so viel Rückhalt angetreten war, um das übliche Washingtoner »Game Playing«, wie er sagte, nicht etwa besser zu spielen, sondern es durch kluge, nachvollziehbare Innen- und Außenpolitik zu ersetzen, könnte schon nach vier Jahren dessen Opfer werden – auch weil die offenen Hasskampagnen der Unterlegenen bald überhaupt keine Spielregeln mehr kannten.

Dabei hatte Obama vom ersten Tag an eine Problemliste auf dem Tisch, die selbst Politprofis bis heute den Schweiß auf die Stirn treibt: die Wirtschaft im freien Fall, die Wall Street vor der Pleite, ebenso die Auto-Giganten in Detroit, die Arbeitslosenzahlen auf Rekordkurs. Sieglose Kriege, Gesundheitsmisere, Folter- und Vertuschungsskandale, die Schande Guantanamos. Wer hätte mit Obama tauschen wollen?

Zu links, zu rechts, zu mittig

Dass ihm erfahrene Washington-Kenner wie Politikveteran Stephen Hess von der Brookings Institution bescheinigten, er gehe die Dinge nicht nur in schwindelerregendem Tempo, sondern auch erfolgreicher an als nahezu alle seiner Vorgänger, half ihm nichts. Er wurde gallig kritisiert, wofür auch immer: Dass er zu viel versprochen habe. Dass er das Land zu wenig führe oder zu sehr. Dass er zu links sei, zu rechts oder zu unentschlossen in der Mitte. Zu wenig versöhnend oder zu wenig kämpferisch. Zu abgehoben, zu klug und zugleich leider nicht klug genug. Die Opposition, auf die zuzugehen er versprochen hatte, radikalisierte sich derweil – und verständigte sich darauf, im Volk »möglichst viele negative Emotionen« gegen ihn zu wecken. Drei Jahre sollte er benötigen, um sich darauf einzustellen.

Den Kollegen von den US-Nachrichtenkanälen war das immer recht: Statt die Kritiker auf Substanz abzuklopfen, konnten sie den täglichen Showdown zwischen Obama und seinen Rivalen weiter zelebrieren, als hätte der Wahlkampf von 2008 nie aufgehört. Selbst offenkundig durchgeknallte Zeitgenossen hievten sie auf Augenhöhe Washingtons: einen Pastor aus Florida, der ankündigte, Korane zu verbrennen; Tea-Party-Schreihälse, die sich zum Hexenkult bekannten oder die Berliner Mauer priesen; das jeweils unvermeidliche Twitter-Zitat von Sarah Palin; Präsidentschaftsanwärter, die – nur halb im

Scherz – von Erdbeben und Hurrikans als Fingerzeig Gottes gegen eine falsche Regierung sprachen. Selbst das ging noch als »Denkzettel für Obama« durch. Sind sie zu stark, ist er zu schwach.

Und nun? Als das Wahljahr 2012 ausbricht, entdecken sie ihn plötzlich neu, sehen in Umfragen seine Sympathiewerte wieder nach oben klettern, fast als wäre nichts gewesen. Obama ist zurück, er schafft es wieder, wir haben es ja immer gewusst?

»Ja, was denn nun«, fragen die Deutschen erneut uns Korrespondenten, »wissen die Amerikaner denn noch, was sie wollen?«

Nein, viele wissen es nicht. Nicht was – denn die Gebrauchsanleitung für den amerikanischen Traum taugt seit der Immobilienkrise nicht mehr viel. Und nicht wen – denn wer alle zwei Jahre die Machtverhältnisse in Washington derart auf den Kopf stellt, weil er auf Wandel hofft, dem ist mit Wahlen womöglich nicht zu helfen.

Vieles spricht dafür, dass die Probleme sogar noch tiefer liegen, als es die Amerikaner wahrhaben wollen – auch wenn die Krise manchen schon überwunden scheint. Tatsächlich ist der Industrie- und Gewerbesektor veraltet, die Infrastruktur brüchig. Bisherige Konjunkturprogramme verhinderten zwar Schlimmeres, doch neue schlägt der Präsident gar nicht mehr vor, aus Sorge um das Haushaltsdefizit. Was wächst, ist die dunkle Ahnung, dass schon die letzten Aufschwünge nicht echt, sondern geborgt waren: finanziert durch Luftbuchungen auf Hypotheken – und geduldige Kreditkarten.

»Wenn Obama Erfolg hat, wird er wiedergewählt. Wenn nicht, nicht«, prophezeite uns der konservative Kolumnist George Will, als Obama zu straucheln begann. Doch wer drückt aus einer Krise heraus schon mal zugleich sowohl die Staatsschulden als auch die Arbeitslosigkeit nach unten, wie es seine Gegner clever von ihm forderten?

Bald glaubten sie, der einstige Hoffnungsträger säße schon sicher in ihrer Falle: All seine Initiativen bremsten die Republikaner um John Boehner aus, den neuen Chef des Repräsentantenhauses, zuversichtlich, dass für die Folgen allein Obama büßen würde. Warum sollten sie ihn stützen, wo doch ihr erstes Ziel stets war, ihm eine zweite Amtszeit zu verbauen? Wo immer er ihnen entgegenkam, erhielt er kaum etwas zurück. Stattdessen verlor er im eigenen Lager immer mehr an Rückhalt.

»Der Weltenretter schon am Ende?«, fragten die Deutschen uns Korrespondenten da, wenn sie es nicht selbst bereits zu wissen glaubten – oder ohnehin schon immer wussten.

Obama als Opfer seiner eigenen Maßstäbe, die er vor seiner Wahl setzte? Oder musste er, trotz allen Talents, einfach an historischen Sachzwängen scheitern, die der Supermacht lange schon zusetzten, nun aber ihren Preis verlangten?

Andererseits, wer sollte ihn strahlend ablösen? Das Bewerberfeld der Opposition für das Präsidentenamt blamierte sich schon in ersten TV-Debatten bis auf die Knochen, sodass sich selbst Stammwähler und Großspender kopfschüttelnd abwendeten. Kandidaten wussten kaum, wo Libyen liegt, oder drohten die US-Botschaft im Iran zu schließen, die es seit 30 Jahren nicht mehr gibt.

Doch reicht das dem Amtsinhaber, um noch einmal Amerikas politische Mitte zu begeistern, die schon immer jede Wahl entschieden hat, aber nun mehr zaudert denn je? Kaum einer weiß noch, was diese Mitte möchte. Will sie nach der verheerenden Finanzkrise, in der die Steuerzahler das Bankensystem retten mussten, nun die Regierung stärken oder lieber ihren Einfluss mäßigen?

Im Machtvakuum zwischen dem Präsidenten und den sperrigen Kongresskammern haben Neu-Parlamentarier Einfluss gewonnen, die offenbar nicht davor zurückschrecken, das Land ganz lahmzulegen: populistische Staats- und Steuergegner, Klimawandel- und Evolutions-Verleugner, außenpolitische Isolationisten, ultrareligiöse Radikale – denen keiner der Altvorderen wirksam entgegentritt. Zu groß ist die Sorge, er könnte im Wahlkreis zu Hause deren nächstes Opfer werden.

Wohin also taumelt die Weltmacht, mit oder ohne Obama? Viele Amerikaner, auf die ich täglich treffe – als Berichterstatter, Kollege, Nachbar, Vater von Schulkindern oder Reisender –, machen kein Geheimnis mehr daraus, dass sie selber ratlos sind.

»Was ist mit diesem Land passiert, das ich zu kennen glaubte?«, fragt NBC-Urgestein Tom Brokaw, einer der renommiertesten Reporter Amerikas, der bisher nie verlegen war, seinem Publikum Zusammenhänge zu erklären. »Sind wir nur kurz vom Weg abgekommen oder sind wir so gespalten, dass wir uns schon fast von jedem Richtung Abgrund treiben lassen?«

Als der Sommer ausbricht, verabschieden sich die Umfrageinstitute von ihrer Erwartung, dass der Zustand der US-Wirtschaft den Wahlausgang vorherbestimme.

Zwar schreibe man Wachstum, aber nur zögerlich. Monatlich entstünden neue Jobs, aber eben nicht überzeugend viele. Manche Blätter wie *USA TODAY* berichten von steigender Zuversicht im Lande. Andere verweisen auf anhaltende Skepsis. Tatsächlich sind da über 70 Prozent der Bürger mit der Lage unzufrieden. Zugleich aber geben 60 Prozent an, sie rechneten mit einer Besserung. Als ABC und Washington Post ermitteln, von wem die Wähler die erfolgreichere Wirtschaftspolitik erwarten, erreichen beide Kandidaten exakt den gleichen Wert: jeweils 47 Prozent. Beste Voraussetzungen für einen erbitterten Wahlkampf.

Wie sehr Amerika seine Zweiteilung zelebriert, fällt mir schon auf, als ich nach meiner Ankunft das Radio einschalte. Um ihre Diskussionsrunde zu beleben, in der in akkurater Folge linke und rechte Experten um die beste Weltsicht streiten, gibt die Moderatorin das Mikrofon für Hörermeinungen frei – bittet aber nun auch sie, wie gewohnt entweder über die »demokratische« oder die »republikanische« Leitung anzurufen. Wie soll einer da versöhnen, wenn die Spaltung immer schon vorab feststeht? Wie soll einer Dinge richten, wenn der Richtungsstreit nie endet?

Dabei waren wir gewohnt, dass gerade Amerika der Welt die Richtung vorgab. Deshalb werden zugleich Rufe von außen lauter, Obama möge sein Riesenreich endlich auf Kurs bringen. Mal hoffend, weil er tatsächlich diese Erwartung geweckt hatte. Mal hämisch, als habe er der Welt versprochen, übers Wasser zu laufen. Dabei ist der angeblich mächtigste Mann der Welt im täglichen Washingtoner Wahnsinn derart von Untiefen, Machtstrudeln und Medienwirbeln umgeben, dass ihm kaum Raum zum Schwimmen bleibt.

Worauf dieses Buch baut, sind Eindrücke und Erfahrungen eines Korrespondenten seit dem Ende der letzten Amtszeit George W. Bushs. Es verarbeitet Gespräche und Reiseerlebnisse, Analysen und Alltagsepisoden aus fünf Reporterjahren in und vor allem jenseits von Washington. Darunter sind großartige Momente und amüsante, schockierende und schicksalhafte. Oft dachte ich in diesen Jahren, ich habe es mit Symptomen – im Wortsinn: vorübergehenden Eigentümlichkeiten – einer kränkelnden Supermacht zu tun. Wobei nicht immer klar ist, was dem amerikanischen Patienten womöglich angeboren ist, wie etwa der Hang zu Kapitalismus in Reinkultur und zur ewigen Superlative einer Ausnahme-Nation, und was tatsächlich nur zu befristeten Auffälligkeiten zählt, wie das zeitweilige Übermaß an Tea-Party-Einfluss. Dennoch: Das Bild, das sich mir als Berichterstatter bot, mag das einer zunehmend verunsicherten und aufgeregten Supermacht sein. Aber auch stets das eines, in jeder Hinsicht, aufregenden Landes.

1 Weite Welt

Im Riesenreich

Es ist ein Tag im Herbst, an dem Amerika mich endlich packt. Sonnig, windig, schnelle Wolken über zitterndem Präriegras. Wir haben den Bundesstaat Montana durchkreuzt, zwischen schneegekrönten Höhenzügen der Rocky Mountains, entlang wilder Flüsse, Seen und Felsen. Dann, plötzlich, bricht die Landschaft weg. Wie ein riesiges Tuch, das sich von den Kanten eingemummten Mobiliars zu Boden neigt, sinkt das Land ostwärts in die Tiefe, hinunter zu den Great Plains, den Großen Ebenen.

»Big Sky Country« – Land des großen Himmels – steht auf den Nummernschildern der Pick-up-Trucks, denen wir hier gelegentlich begegnen. Jetzt erst verstehe ich, was es bedeutet.

Noch bevor uns die Landstraße windungsreich auf das Prärie-Plateau hinabführt, um fortan nur noch schnurgerade Richtung Horizont zu weisen, gesäumt von schiefen Telegrafenmasten, halte ich den Wagen an und lasse meine Blicke wandern. Was für eine weite Welt.

Wie habe ich auf diesen Moment gewartet. Mich gesorgt, er könne ausbleiben oder dem Vergleich mit der Vergangenheit nie standhalten. Denn hinter mir liegen aufregende Reporterjahre in Fernost, die Exotik Asiens, paradiesische Südseeatolle, die schillernden Eiswüsten der Arktis.

Im Sommer des Jahres bin ich in Washington angekommen, um wie meine Vorgänger den Deutschen Amerika nahezubringen. »Rechne damit, dass dich kein Land erwartet«, hatte mir mein Kollege und Vorgänger Tom Buhrow mit auf den Weg gegeben, »sondern ein Kontinent.« Aber so sichtbar wie hier, zwischen den Großlandschaften Nordamerikas, hatte ich das nie erleben können. Als Schüler hatte ich New York bestaunt und später die Küste Kaliforniens, den Grand Canyon und Las Vegas. Und als junger Journalist bald im Land recherchiert, ob für Großstadtgeschichten aus Los Angeles oder über neue Waffen des Pentagon. Ich war beeindruckt, jedes Mal. Aber begeistert?

Zudem wurde ich bisher ziemlich verwöhnt. Als Fernost-Korrespondent bereiste ich Japan, Süd- und Nordkorea, die Philippinen und den Pazifik, von Fidschi bis Tahiti – Weltgegenden voller Gegensätze, deren Menschen und Natur wahre Steinbrüche an Reportagestoff bereithielten. Danach habe ich mich für die ARD in Abenteuer stürzen dürfen, die an Augenfutter kaum zu überbieten waren: Reisen auf der Datumsgrenze und dem Polarkreis oder zu den Vulkanketten Kamtschatkas und der Kurilen-Inseln. Allesamt voller Begegnungen jenseits unserer Zeit und Zivilisation. Kurzum: Ich konnte berichten von fremden Welten, die daheim kaum einer kannte.

Nun also Amerika. Washington. Einschätzungen vorm Weißen Haus. Wahlnächte, Macht und Politik. Mehr noch: Weltmacht, Weltpolitik. Natürlich galt das als höchstes Ziel für einen Journalisten. Aber was würde das Eigentümliche sein, das es von hier aus zu vermitteln galt, außer der politischen Gewichtsklasse des Landes? Verschwammen für uns Europäer, die ohnehin seit meiner Kindheit, seit Kaugummi und Hollywood, auf Annäherungskurs zur Supermacht waren, die Unterschiede nicht ohnehin immer mehr? Auf den ersten Blick stimmte das. Aber ich sollte bald lernen, dass der zweite Blick mehr Unerwartetes, Faszinierendes und Rätselhaftes entdecken würde, als ich erwartet hatte.

Die Arbeit sollte das nicht einfacher machen. Denn von Amerika hat in Deutschland fast jeder ein festes Bild. Von den überzeugten Transatlantikern, die Kritik an Washington reflexartig verurteilen, weil der Marshallplan nun einmal Dankbarkeit gebiete, Loyalität und Bündnistreue, bis zu den selbst ernannten Antiimperialisten am anderen Ende der Skala, die jeder US-Politik vorab unlautere, falsche Motive unterstellen.

Als die Sonne fahl hinter Montanas Bergketten versunken ist, im Rückspiegel getrübt vom Staub der Schotterstraße, blinken uns an einer einsamen Kreuzung die Leuchtlettern der »Derrick Bar« an. Ein schlichter, wenig einladender Würfelbau. Der Ort heißt Kevin und scheint bessere Tage hinter sich zu haben. An den Häusern sind Fenster vernagelt. Lagertanks verrosten reihenweise, Ölpumpen stehen still wie stählerne Gespenster.

Die Wirtin scheint Tonnen zu wiegen. Ihr Reich riecht nach Frittenfett. Sie erzählt von den Förderfirmen, die vor Jahren weiterzogen, von Kevins Söhnen im Irak-Krieg, vom nie abreißenden Westwind. »Hier zappelt schon mittags die Morgenzeitung aus Seattle im Zaun«, scherzt der einzige Gast am Tresen. Ein dürrer Latzhosen-Lulatsch.

Woher wir seien? Germany? Er wolle mir mal was sagen, stützt er sich bierselig auf meine Schulter und fasst, ohne es zu wissen, meinen Tag zusammen: »Was für euch Europäer 100 Jahre Geschichte sind«, hebt er den Zeigefinger, »das sind für uns 100 Meilen Land.«

Kamerataulich ist der Mann längst nicht mehr. Ich notiere den Satz und trinke ein Bier mit ihm. Der Tag wird kommen, denke ich, an dem ich ihn zitieren werde.

Obama, aus Spaß

Wann immer ich in den Folgejahren in meinem Berichtsgebiet unterwegs bin, oft quer über den Kontinent und bevorzugt am Flugzeugfenster, begleitet mich die Tresenweisheit des Mannes aus Montana. Über Stunden lässt sich dieses Land betrachten, ohne dass sich auch nur die Landschaft ändert. Schon das macht altkluge Vergleiche mit der Heimat unfair. Schon in manchen US-Bundesstaaten würde Deutschland verschwinden. Selbst Europa wirkt als Gegenpart beschaulich.

Für einen Film über die Wahlthemen des Jahres 2008, der an einer Reihe von Drehorten zwischen San Francisco und New York spielt und in den auch die »Derrick Bar« passt, frage ich die Wirtin, ob die Familien der Soldaten uns Deutschen übel nähmen, dass wir nicht mit in den Irak-Krieg zogen. Nachdem Kanzler Schröder zwar den Afghanistan-Feldzug unterstützt hatte, nicht aber das »Abenteuer« eines neuerlichen Irak-Kriegs, waren zu Hause manche alarmiert. Der amtierende US-Verteidigungsminister, Donald Rumsfeld, hatte ihre Skepsis noch geschürt, indem er Kuba und Deutschland in einem Atemzug als »Unwillige« aufzählte. Ich bin also auf enttäuschte bis wütende Kommentare gefasst.

»Über den Irak-Krieg wird hier oft diskutiert«, antwortet sie. »Aber weniger darüber, was das Ausland dazu meint.«

Wie die Meinungen denn seien, frage ich.

»Na, dass es verschwendete Zeit ist. Auch wenn man gegen den Terror sicher etwas unternehmen muss. Aber es dauert einfach viel zu lange.«

Dann erscheint in der Tür ein älteres Paar. Der Mann, mit kantigem Gesicht unter der Baseballmütze, die er auf dem Kopf behält, geht gebeugt. Die zierliche, dunkel gelockte Frau neben ihm trägt einen quietschblauen Mantel. Sie stellen sich als George und Ellsie vor. Es ist ihr Hochzeitstag, und sie gehen aus zum Essen. Fertigpüree mit Steak und Soße wird die Wirtin reichen. Dazu bestellt er eine Dose Cola, sie eine Tasse Beuteltee.

»Ellsie«, wendet sich George seiner Frau zu, »sag ihnen etwas auf Deutsch.« Da schwelgt sie mit heller Stimme und kindlichen Augen in Erinnerungen an ihre alten Eltern, die einst ausgewandert seien und ihr ans Herz gelegt hätten, »das Muttersprach« nie zu vergessen. Bald kommen auch wir auf die Politik, den Krieg, die deutsche Absage. Enttäuschung oder nicht?

»Wieso?«, sagt George. »Das war doch sehr klug, Nein zu sagen. Wir hätten das auch machen sollen.«

Ob sie zur Wahl gehen werden, frage ich.

»Ach, wir ändern doch sowieso nichts«, seufzt Ellsie.

»Mir ist das ziemlich egal«, pflichtet ihr George bei, »ich weiß noch nicht. Aber so oder so, meine Frau wählt am Ende immer den, den ich nicht wähle.«

Später, als sie zahlen, winkt seine Gattin, die noch immer im Mantel dasitzt, dann noch einmal mich und die Kamera zu sich. »Vielleicht wähle ich ja den Schwarzen«, flüstert sie verschmitzt. »Nur so aus Spaß.«

Jahre später, vor den ersten Midterm-Parlamentswahlen zur Hälfte der begonnenen Amtszeit des Präsidenten, besuchen wir die beiden noch einmal. Und erfahren, dass sich George getäuscht hat: Denn auch sie haben beide Obama zum Präsidenten gewählt. Er nach einigem Hadern. Sie mit so viel Wohlwollen, wie sie dann sagt, dass sie ihm in so schwieriger Zeit auch eine zweite Amtszeit gönnen würde.

Und auch ich hatte falsch gelegen. Den erwarteten Missmut Deutschland gegenüber habe ich unter Durchschnittsamerikanern nirgends vorgefunden. Im Gegenteil: Das Ausmaß ihrer Verbundenheit mit uns überrascht mich bis heute. Die Zahl derer, die mit Respekt und Wehmut von ihrer Soldatenzeit, von eigenen Reisen oder deutschen Besuchern berichten, wenn nicht von deutschen Vorfahren, ist größer, als ich je erwartet hatte. Nie schienen sie bereit, diese Nähe wegen eines strittigen Feldzugs zu opfern. Lieber opferten sie Bush und Rumsfeld.

Meeting George W. Bush

Die Deutschen haben sich damals an George W. Bush nicht nur gewöhnt, sondern sich längst mit ihm abgefunden. Die Schröder-Regierung hat ihm, mit dem Rückhalt der Wählermehrheit, die Gefolgschaft offen aufgekündigt, Marshall-Fund und Bündnistreue hin oder her. Der brave Nachkriegs-Neffe des großen, reichen Onkels Amerika, so schreiben Leitartikler, sei erwachsen geworden. Es sei ja eigentlich auch an der Zeit gewesen.

Die Nachrichtenredaktionen bestellen kaum noch Berichte zur Tagespolitik aus Washington. Sie ist nicht neu. Bald würde es ohnehin anders werden. Dann würde in Amerika gewählt und das Bush-Gefolge samt seinen Kriegstreibern den Laufpass bekommen, denken die meisten. Es gilt als sicher, dass der nächste Amtswechsel das Weiße Haus den Demokraten wieder öffnen wird – und erstmals einer Frau: Hillary Clinton.

Schon die Vorwahlen dürften dann erfahrungsgemäß wieder reichlich Sendezeit auffressen. Bis dahin könne man warten. Um noch mit Bush-Geschichten ins Programm zu kommen, ist mithin Kreativität gefragt. Oder mindestens ein Exklusivtermin an seiner Seite. Wir bieten gleich drei davon an, in North Dakota, Ohio und Florida. Wir treffen George W. Bush.

Als wir durch kaum besiedeltes Flachland den Stadtrand von Minot erreichen, protzt sein weißer Sattelschlepper raumgreifend vor einem Motel. Geladen hat er Bühnentechnik, denn in North Dakota steht der kulturelle Höhepunkt des Jahres an: die »Country Fair«, eine in Amerikas Flächenstaaten beliebte Mischung aus Landwirtschaftsmesse, Technikshow und prallbuntem Jahrmarkt. Es gibt Ferkel-Wettrennen, die neuesten John-Deere-Trecker, deren Räder höher ragen als ein Haus, Achterbahn, Kettenkarussels und andere Menschenschleudern. Man kann mit einem gelungenen Zielscheibenwurf einen schrillen Clown ins Wasser plumpsen lassen und sich für ein Erinnerungsfoto als Wildwest-Bankräuber verkleiden. Und es spielen Countrybands.

Der Mann, der uns vom Motel aus in seinem Riesentruck mitnimmt, liebt diese Welt. Schon seit 20 Jahren stattet er die Bühnen solcher Open-Air-Events aus. Er ist 42 Jahre alt und Chefbeleuchter. Und er ist cool. Sonnenbrille, Vollbart und Pferdeschwanz, Tattoos, Whiskeystimme, Bierbauch. Dass er das Quartier nicht telefonisch reservierte, hat gute Gründe. Seine Anrufe nimmt Hotelpersonal nur ernst, solange er nicht seinen Namen nennt: Er heißt George Walter Bush. Vom Präsidenten unterscheidet ihn lediglich das kleine »t« im Mittelnamen, denn der heißt »Walker«. Genannt wird aber ohnehin meist nur das große »W.«.

»Die Probleme fangen schon an, wenn ich ein Taxi bestelle oder eine Pizza«, erzählt er mir, während sein Fahrersitz wippt. »Da höre ich am anderen Ende nur: ›Klar, und ich bin Donald Duck‹, und dann legen die auf.« Meist lasse er das dann andere erledigen. Einmal seien sogar FBI-Leute hinter ihm her gewesen, als er auf der

Stabliste einer Wahlkampfshow auftauchte. Es habe ihn Tage gekostet, ihnen klarzumachen, dass das kein dummer Scherz gewesen sei.

Ob er sich für Politik interessiere, frage ich.

»Ja und nein«, sagt er. »Ich gehe selten wählen. Aber wenn du so heißt wie ich, kommst du an der Politik kaum noch vorbei.«

»Wir sind amtsmüde«

Wir waren nicht nur auf Pointen aus, als wir nach Bushs Namensvettern suchten. Sie sollten auch ein wenig widerspiegeln, wann und warum der Sympathiewert des Originals sich derart wandelte. Kaum jemand dürfte schließlich mehr über die Popularität George W. Bushs nachdenken als ein George W. Bush selbst. Landesweit hatte die Producerin rund 50 Personen ausgemacht, die einschließlich der Mittelinitiale mit dem Amtsinhaber übereinstimmten. Drei sagten den Dreh zu. Die allermeisten anderen legten so schnell auf wie der Pizzadienst unseres Truckers.

»Morgens ist nicht meine beste Zeit«, entschuldigt sich George W., als er zwischen den Bühnenpfeilern vergeblich nach seinem Werkzeug in den übergroßen Kisten kramt. »Ja, anfangs, als Bush ins Weiße Haus einzog, da war ich mächtig stolz auf den Namen. Und meine Mutter noch mehr«, sagt er und dirigiert die Teamkollegen zum Scheinwerfermontieren. »Aber ein großer Präsident wird er wohl nicht mehr werden. Reagan war so einer, Clinton, was die Wirtschaft angeht, und Lincoln sowieso. Bis Afghanistan war ich noch loyal. Alles andere war mir zu viel.«

Die Kommentare derer, die auf seinen Namen reagierten, hätten sich auch gewandelt. Längst werde da mehr gefrotzelt als geklatscht. Aber da bleibe er gelassen, so sei sein Naturell. Er wundere sich eher darüber, wie naiv doch manche seien. »Neulich sagte wieder eine Stewardess zu mir: ›Nein, Sie sind doch nicht George Bush‹. Und meinte, jeder an Bord sei jetzt enttäuscht, weil der Präsident nun doch nicht mitfliege. Ich sage dann gewöhnlich: ›Habt ihr noch nie etwas von Airforce One gehört? Das ist der große Flieger, den sie immer in den Nachrichten zeigen. Denkt ihr wirklich, der echte Bush steigt in so eine Linienkiste?‹«

»Wir alle sind wohl irgendwie amtsmüde«, gesteht uns der nächste George W.B., nunmehr ein korrekt gescheitelter, graumelierter Rechtsanwalt, den wir vor der Küste Floridas beim Sportfischen begleiten. Schmucke Strandvillen im Hintergrund, glatte See. Herr Bush trägt Shorts und Marken-Polohemd. Die Wähler hier sind durch und durch konservativ. Auch er kreuzte zweimal den namensgleichen Republikaner an. Doch nun beklagt er offen, dass er da wohl dem Falschen an den Haken ging. »Für mich drehten sich die Dinge«, erklärt er uns, »als mir Außenminister Colin Powell im Fernsehen die Schaubilder zeigte von Saddam Husseins angeblichen Chemiewaffen-Labors. Wir wissen heute, wie falsch das war. Aber als er in die Kameras blickte und mir versicherte, das sei die Wahrheit, da dachte ich, okay, dann ist das ein guter Grund, Krieg anzufangen.«

Konservativ hin oder her, als Jurist, noch dazu für internationales Recht, habe er das seiner Regierung nicht verziehen. Zu viel Machtgetöse sei ihm das gewesen, zu wenig Diplomatie. In der Kanzlei treffen wir tags darauf auf seine leidgeprüfte Assistentin. Fast jeder Erstanruf neuer Klienten ende noch immer in seltsamen Pausen, klagt sie. Oft müsse sie zurückrufen. »Kein Wunder«, zeigt sie Verständnis, »denn es geht um Vertrauensbeziehungen. Und der Name Bush polarisiert nun mal. Dann musst du wieder und wieder erklären: ›Nein, es ist nicht der Präsident, und nein, sie sind auch nicht verwandt.‹«

Der dritte Namensvetter kurvt auf einem selbstfahrenden Rasenmäher um sein Eigenheim im Grünen, als wir zum Interview anrücken. Er ist blass und wirkt etwas bieder. Als gelernter Ingenieur arbeitet er in einem Kugellagerwerk in Cleveland. Sein Garten interessiere ihn weit mehr als Politik, versichert er. Dennoch nimmt er den Mann im Weißen Haus in Schutz und lässt durchblicken, dass zumindest er ihn auch für eine dritte Amtszeit wählen würde. Amerika habe schlechtere Staatschefs hinter sich, findet er – auch wenn ihm dann nur Nixon einfällt.

Hätte er einen Wunsch frei, würde er nach all den Jahren aber gern einmal die Führungsrolle tauschen, wie er sagt, wenigstens für einen Tag. »Ich wünsche ihm nämlich, dass ihn auf einer Pressekonferenz mal einer fragt: ›Herr Präsident, wie ist das eigentlich, genauso zu heißen wie jener Mann in Cleveland?‹«

Die Schlusspointe meines Berichts behalte ich dennoch dem Bühnentechniker aus North Dakota vor. Ganz so neu sei ihm der Namensrummel im Grunde nicht gewesen, hatte er uns verabschiedet. Er kenne das seit seiner Schulzeit. »Mein engster Kumpel, der damals neben mir saß«, schmunzelte er, »hieß Jimmy Carter.«

Zweifel am Kurs

Der Schatten des Irak-Kriegs, den der Kandidat Obama schon früh zum »dummen Krieg« erklärt hat, hängt über der zweiten Amtszeit Bushs. Als ich für meine Wahlkampfreportage ein Trainings-Fort in Kansas besuche, macht selbst Oberst John Nagl aus seinen Zweifeln an Strategie und Taktik der Befehlshaber kaum mehr ein Geheimnis. Sie führten Kriege, klagt er, als stünde noch immer Armee gegen Armee. Eine Denkschrift, die er über den Irak-Krieg mit verfasst hat, trägt den Titel: »Vom Versuch, mit Messern Suppe zu essen.«

Doch nicht alle, die wir für unseren Film befragen, schwanken zwischen etablierten Konservativen und Demokraten. »Auch Obama ist mir noch zu kriegerisch«, schimpft ein Bahnreisender neben uns. »Er hat gesagt, er würde auch Pakistan angreifen, auch ohne Verbündete.« Das mache ihm Angst. »Vielleicht nicht so sehr wie unter Bush. Aber ich bin gegen Militäreinsätze«, sagt er, »egal wo.«

Seine Frau findet, Amerika habe sich isoliert, und hofft, der nächste Präsident könne dies ändern. »Wir denken immer, wir seien die Besten, könnten jeden herumkommandieren und tun, was immer wir gerade wollen. Es ist gefährlich, so sehr den Bezug zur Welt zu verlieren.«

Auch die Innenpolitik weckt vielerorts Unbehagen. Wir sprechen mit Farmern in Iowa, wo sich Maisfeld an Maisfeld reiht, zugleich aber Scheunen und Ställe verfallen, über den Niedergang der Familienbetriebe, die Arroganz der Städter und die Immobilienkrise. »Wie hätte es denn gut gehen sollen, dass Leute sich auf einmal Häuser für Hunderttausende von Dollars leisten, ohne einen einzigen gesparten Cent?«, zucken sie mit den Schultern – und geben die Schuld sowohl den Banken als auch den blauäugigen Käufern.

Das Bedrückendste aber, das wir während der Recherche miterleben, ist die stille Not von Millionen Amerikanern, die durch die Maschen der Krankenversicherer fallen – vor allem in ländlichen Bundesstaaten, wo sie allenfalls nach stundenlanger Autofahrt noch einen Arzt erreichen. Wenn sie denn überhaupt noch Geld haben, um ihn zu bezahlen.

Täglicher Hurrikan

Zwischen den tiefgrünen Hügeln des Cumberland Plateaus hängt der Frühnebel wie Watte, als wir uns dem Treck der Freiwilligenorganisation »Remote Medical« anschließen. Ihr Ziel ist das ausgedünnte Grenzland zwischen Knoxville, Tennessee, und Lexington, Kentucky. Ihr Gründer, Stan Brock, trägt Khaki-Uniform wie auf einer Safari. Eine ausladende graue Haartolle beschattet seine Stirn. Lange hat er als Entwicklungshelfer in Drittweltländern gearbeitet. Im Amazonasdelta versorgte er aus Propellermaschinen Hungernde.

»So weit müssen wir heute nicht mehr fliegen«, sagt er uns. »Die Not haben wir längst vor unserer Haustür. Und das Flugbenzin ist ohnehin zu teuer.« Dabei ist er kein Zyniker, sondern ein auffallend ruhiger, besonnener Mann, den die Teamkollegen schätzen und dem die Patienten, wie wir am nächsten Morgen sehen werden, dankbar sind wie einem Engel.

In den Fahrzeugen transportiert Brock medizinisches Gerät, um in einer Sporthalle ein Allzwecklazarett einzurichten, von der Buchstabentafel für den Sehtest bis zur Zahnarztzange. Getragen wird die Organisation von Spenden und vom Idealismus ihrer Mitarbeiter: Zahn- und Augenärzte aus Chicago oder New York, die ein Wochenende opfern, um hier den Kranken beizustehen; Studenten, Helfer, Handlanger.

»Sie könnten vorm Fernseher sitzen wie andere auch, Golf spielen, das Leben genießen. Was treibt Sie hierher?«, fragen wir Ron, der kurzfristig für einen erkrankten Fahrer eingesprungen ist.

»Uns liegt etwas an unseren Landsleuten«, antwortet er.

Am Zielort angekommen, einer Sporthalle im südlichen Kentucky, schleppt er als erstes Kisten mit Gratisbrillen zur »Optik-Station«.

»Heißt das, Sie machen die Hausaufgaben der Regierung?«, frage ich nur halb im Scherz.

»Dazu sage ich besser nichts«, lacht er in unsere Kamera. »Letztes Jahr versorgten wir hier an zwei Tagen fast 1000 Patienten. Damit rechnen wir wieder.«

Es ist Freitagnachmittag. Am nächsten Morgen, noch vor Sonnenaufgang, werden sich die Tore öffnen. Auf einem Rasenstück nahe des Eingangs warten schon die ersten Angereisten auf Klappstühlen im Schatten. Denn wer zuerst da ist, steht später in der Schlange vorn und kann sicher sein, dass die Anfahrt nicht vergeblich war.

Einer von ihnen ist Brian Halse, ein kräftiger Kerl Anfang 30, der leidend blickt, während ihm seine Frau die Hand hält. Drei Autostunden entfernt bewohnen sie mit ihren beiden Kindern einen Trailer – die landestypische Billighausvariante zwischen Hütte und Wohnwagen. Frau Vickie fuhr den Wagen. Die Kinder blieben bei den Großeltern. Brian arbeitet in einer Kalkmine. Seine dicke Wange lässt ahnen, warum er hier ist. Sein Gesicht ist gerötet. Er presst die Lippen zusammen und spricht nur mühsam.

»Mein Arbeitgeber bezahlt mir keine Krankenversicherung mehr«, nuschelt er. »Und selbst wenn ich noch eine hätte, würde sie keine Zahnbehandlung abdecken.«

Um seinen Schmerz zu lindern, benutzt er Allzweck-Betäubungssalbe aus dem Supermarkt. Für viele in Amerikas Unterschicht ein geschätztes Wundermittel – obwohl es auf Dauer weder hilft noch heilt.

Was er sich vom nächsten Tag erhoffe, frage ich ihn.

»Dass ich hier die kranken Zähne loswerde«, sagt er, »zumindest die, die wehtun.«

Wie viele sind das?

»Einige. Am besten gleich auch alle, die mir später wehtun könnten.«

Drinnen werden derweil Stromkabel gezogen, Computer vernetzt, Wasserschläuche an Dutzende Zahnarztsesseln angeschlossen. Nach Mitternacht kommen die ersten Zubringerbusse von umliegenden Sammelpunkten an. Der Parkplatz füllt sich wie zu einer Großkundgebung. Männer, Frauen, Kinder rücken in der Dunkelheit zusammen. Die meisten sind unauffällige Durchschnittsbürger.

Was sie drücke, fragen wir reihum.

»Zahnschmerzen«, ist ihre häufigste Antwort.

Die sich hier versammeln, sind zu jung für die staatliche Altersversorgung »Medicare«, noch nicht verarmt genug für die Wohlfahrtskasse »Medicaid« und noch zu gesund für die Notaufnahme einer Klinik. Das Heer der solcherart Unversicherten stieg in den USA zuletzt auf annähernd 50 Millionen.

»Für jemanden, der den Mund voller kranker Zähne hat oder dessen Augen zu schlecht sind, um noch einen Job zu bekommen«, erklärt uns Brock, »für den ist das eine Katastrophe. Diese Leute brauchen keine Hurrikan-Katastrophen wie ›Katrina‹, um Not zu leiden.«

Für jeden hier hat er ein offenes Ohr, erklärt die Regeln, mahnt schon jetzt, die Gelegenheit zu nutzen, sich auch den Blutdruck messen zu lassen, mit einem Allgemeinarzt zu reden, über eine Mammografie nachzudenken. Medizin sei auch Vorsorge.

Die Menschen sind müde, aber gelassen. Wir blicken auf Armut, nicht auf Elend. Alltägliche Armut – im reichsten Land und in der größten Volkswirtschaft der Welt.

Reinigen, plombieren, ziehen

Sechs Uhr früh. Brock ruft die Startnummern auf. »Patientin Nummer eins«, begrüßt er die Frau gleich neben der Eingangstür. »Sie waren ja schon gestern Mittag hier.« Die Menge klatscht.

»Danke«, ruft sie Brock zu, »Sie sind ja meine einzige Chance. Die wollte ich nicht verpassen.«

Im Eingangsflur reihen sich provisorische Anmeldeschalter auf. Brian gibt seine Daten zu Protokoll. Danach geht er zum Sehtest. In Nebenräumen sammeln sich die Mediziner und warten auf den Schichtbeginn. Der Älteste unter ihnen ist Howard Teitelbaum, Professor für Präventivmedizin, mit Arztlizenz für Tennessee, Michigan, New York und Iowa. »Die Einsicht unter den Politikern wächst, dass eine breitere Versorgung der Bevölkerung nötig ist«, glaubt er. »Umso mehr, weil viele Menschen arbeitslos geworden sind und damit auch ihre Krankenversicherung verloren haben.«

Brian und Vickie haben zwischen Hunderten von Leidensgenossen in der Wartezone Platz genommen. Was unsere Kamera abschwenkt, ist grotesk: Die Hälfte der Sporthalle samt der Tribünen hält volle Sitzreihen bereit, als beginne gleich eine Bürgerversammlung oder ein Konzert. Nur unterscheiden die Platzanweiser nicht nach Parkett, Rang und Balkon, sondert nach den Kategorien »Reinigen«, »Plombieren« und »Ziehen«. Bei »Ziehen« herrscht der größte Andrang.

In der zweiten Hallenhälfte drängen sich die Behandlungssessel, umstellt von weiß und grün bekitteltem Personal. Kopfleuchten strahlen in aufgerissene Münder, Spritzen leeren sich, silbern glitzernde Zangen packen zu, Blut fließt in Wattetupfer.

Manche Ärzte, wie Jim Jenkins, unterstützen die Hilfsorganisation seit vielen Jahren – und erfahren dennoch immer wieder Neues. »Ich habe einer Frau gerade 16 Zähne gezogen«, sagt er uns fassungslos in seiner Pause. »Sie hatte die Spitze eines Drahtkleiderbügels über einer Kerze zum Glühen gebracht und sich damit selbst die Nerven abgetötet. Natürlich hatte sie weiter Infektionen, aber sie hatte den Schmerz gestoppt, wenigstens vorübergehend.« In seiner ganzen Berufslaufbahn habe er so etwas noch nicht erlebt. »Nun malen Sie sich einmal den Leidensdruck aus«, sagt er, »der jemanden zu so etwas treibt.«

Auch Brian gesteht seinem Behandler, dass er schon erfinderisch war, und zeigt auf den Stummel eines vergilbten Schneidezahns. Den habe er sich mit einer Drahtschlinge selbst ziehen wollen. Aber dann sei nur ein Stück abgesplittert, und er habe aufgegeben. Der Arzt bricht gleich drei kaputte Zähne aus dem Kiefer. Schon kurz darauf kommt Brian wie ein neuer Mensch daher. Er geht wieder aufrecht. Seine Augen glänzen. Auch Gattin Vickie ist erleichtert. Sie sei froh, dass seine Schmerzen vorbei seien, bedankt sie sich bei Brock, während Brian zustimmend nickt. Er selbst verabschiedet sich beidhändig von ihm.

»Passen Sie gut auf den Jungen auf«, sagt der zu Vickie. Wieder hat er einem Menschen geholfen. So war es am Amazonas auch. Nur der Dschungel fehlt.

2 Abenteuer Alltag

Leben in der Warteschleife

Als der Kinofilm »Lost in Translation« anlief, der die Nöte eines hilflosen Asien-Touristen schildert, war ich als Japan-Freund etwas verärgert über eine Badezimmerszene. Denn da passte Hauptdarsteller Bill Murray dank westlicher Körpermaße im teuersten Tokioter Edelhotel angeblich nicht unter die Dusche. Was für eine billige Pointe, dachte ich damals. Jetzt, da ich Amerika bereise, wo Duschköpfe gemeinhin starr in die Wand gemörtelt sind und sich baugleich auch auf Blechgießkannen finden könnten, fällt mir die Szene immer wieder ein. Seitdem finde ich sie noch dreister.

Auch die Erfindung der Türklinke hat sich hier bis heute nicht durchgesetzt. Nationalstandard sind Drehknöpfe. »Wie öffnet ihr Türen, wenn ihr mal keine Hand frei habt?«, fragte ich anfangs noch. »Bei uns ging das auch mit dem Ellbogen.« Wer eine Stehleuchte einschalten möchte, wie antik oder modern auch immer, sucht sie erst vom Fuß bis in den Lampenschirm hinein nach jenem winzigen, gezackten Rädchen ab, dreht es zuerst folgenlos einmal in die eine, dann in die andere Richtung, prüft danach Stecker und Glühbirne auf korrekten Sitz, um sie schließlich verwundert mit einer weiteren Rädchendrehung aufzuhellen. Es sind jene Alltäglichkeiten, die einen mitunter fragen lassen, woher dieses Land das Selbstbewusstsein nimmt, sich stets als Nummer eins der Welt zu sehen.

Der Zeitungskolumnist und Schriftsteller Bill Bryson notierte einmal, dass in den Fünfzigerjahren nahezu alle Haushaltsgeräte der Welt in amerikanischen Küchen standen. Was er nicht schrieb, war, dass die meisten heute noch dort stehen – und dass die US-Hersteller sie noch immer unverändert anpreisen.

Die Waschmaschine, die nicht wirklich wäscht; der Geschirrspüler, dessen Drahtkorb sich in der Laufschiene verkantet; der letzte Blizzard, der den Wunsch nach einem eigenen Notstromgenerator weiter wachsen ließ – das vor allem sind die Themen, die deutsche Zuzügler in Washingtons Community im ersten Jahr beschäftigen. Noch weit vor den transatlantischen Beziehungen rangiert da die Frage nach dem wirksamsten Fleckenlöser.

Als der erste schneereiche Winter anbricht, schrecken Explosionen vor unserem Haus um vier Uhr nachts die Kinder aus dem Schlaf. Alle paar Minuten erleuchtet ein taghheller Blitz die Dunkelheit. Die Kleinen schauen bang, als würden wir beschossen. Als ich aus dem Fenster sehe, erkenne ich, dass das ganze Viertel im Dunkeln liegt. Dann fliegt am nächsten Strommast funkensprühend der blecherne Generator in die Luft. »Das kommt hier öfter vor«, sagen am Morgen unsere Nachbarn, »die reparieren das wieder.«

Mit ähnlichem Gleichmut registriert das Land dann auch schon mal, wie eine achtspurige Mississippi-Brücke in Minneapolis einstürzt. Oder wie New York minutenlang in Terrorangst erstarrt, weil mit ohrenbetäubendem Getöse ein 100 Jahre altes Fernheizungsrohr geborsten ist. Als der nächste Wirbelsturm mal wieder US-Häuser durch die Weltnachrichten fegt, als wären sie aus dünnstem Sperrholz, wird mir klar, dass dies der Wahrheit näher kommt, als ich es je für möglich hielt.

Null drücken oder schreien

Doch auch wo Amerika technologisch führt, kommt es den Bürgern nicht immer zugute. So haben nahezu alle Firmen und Behörden ihre Außenkommunikation derart ihren Computern anvertraut, dass sie Problem-Anrufer nach Belieben aushungern können – in Warteschleifen, die jeden Unentschlossenen rasch aufgeben lassen.

Als ich meine überteure Autoversicherung wechseln will, weil sie offensichtlich mehr in Kundenwerbung als in Kundenhilfe investiert, teilt mir der Konkurrenzanbieter mit, er könne den versprochenen Tarif nicht halten, weil ich laut Strafregister gerade eine rote Ampel ignoriert hätte. Ich bestreite das. Wir vereinbaren, dass ich es bei der Behörde kläre. Derlei Anrufe laufen immer gleich ab, auch wenn sie einer Bank, dem Strom- oder Gasversorger oder einer Airline gelten. Man hört einer Computerstimme zu, die man anfangs noch für echt hält, weil sie sogar mehrstufige Dialoge führen kann und immer wieder nett »Okay« sagt, bevor sie einen mit neuen Hinweisen versorgt, welche Ziffern zu welchen Anliegen die Antwort bieten sollen – bis man alles erfahren hat, was man nie wissen wollte, aber nicht das, weshalb man anrief.

Kollegen raten mir, in solchen Fällen entweder die Null zu drücken, auch wenn die Stimme sie gar nicht erwähnt habe, oder laut »Kundendienst« zu schreien. So würde ich zu einem echten Menschen durchdringen. Gelegentlich funktioniert das tatsächlich. Doch meist quäle ich mich durch solche Härtetests wie Tennisprofis durch ein Fünfsatzspiel: mit Bananen, reichlich Mineralwasser und geordnetem Geist. Denn wer sich ungeduldig zeigt oder gar nervenschwach, hat schon verloren.

Als ich so endlich eine Sachbearbeiterin erreiche, räumt sie ein, dass mir der Ampel-Tatbestand durch einen Zahlendreher auf einer fremden Überweisung zugeordnet wurde, und verspricht, dies binnen drei Tagen zu korrigieren. Ich notiere eine Vorgangsnummer. Doch der Versicherer winkt danach wieder ab, nichts habe sich geändert. Nach erneutem Telefonmarathon erfahre ich von der Behörde, die Vorgangsnummer sei nicht relevant. Ohne den Namen der Kollegin, mit der ich gesprochen hätte, könne man nichts tun.

»Entschuldigung …«, hebe ich an. Da ist die Leitung bereits unterbrochen: »Für allgemeine Informationen drücken Sie eins …«

Mag sein, dass Amerika vielen noch immer als Serviceparadies gilt, weil hier auch nachts eine Drogerie geöffnet hat oder ein Kassierer das Gekaufte gleich in Tüten packt. Und Bürokratie treibt sicherlich auch sonstwo ihre Blüten. Doch vom Wunderland ist der US-Dienstleistungssektor weit entfernt. Man kann hier reichlich Lebenszeit damit verbringen, Formulare auszufüllen, in denen Ärzte auch bei einem simplen Schnupfen nach den Nierenleiden der Verwandtschaft fragen oder ein Online-Möbellieferant nach dem Geburtsnamen der Mutter, als schnitze er Stühle aus Stammbäumen.

Als wir den ersten Sommerurlaub hinter uns haben, frage ich vergeblich beim Gasversorger nach, warum der abgelesene Verbrauch genauso hoch sei wie in den Monaten zuvor. »Das musst du herunterhandeln«, belehren mich die Nachbarn. Doch der Betreiber weigert sich, den Fehler zu suchen. Stattdessen spult sein Kundencomputer eine Reparaturanleitung ab, mit Details über das Innenleben des Verteilerkastens und nötige Schraubenziehertypen. Auch das Sicherheitsunternehmen, dessen Haus-Service wir von den Vormietern geerbt haben, erweist sich bald als wenig kundenfreundlich. Nach einer Serie von Fehlalarmen kündige ich den Auftrag. Monate später mahnt ein Anrufer weitere Monatsraten an, zahlbar am Telefon, und droht meiner Frau mit der Finte: »Wir haben auf Band aufgenommen, dass Ihr Mann das überweisen wollte.«

Unerreicht aber bleibt das Finanzamt, das einen längst abgebuchten Scheckbetrag erneut einfordert mit dem Hinweis, es habe die errechnete Steuerlast gerade »korrigiert«. Die Strafandrohung folgt schon in der nächsten Zeile. »Zahlen Sie nicht«, reagiert mein Steuerberater, »vermutlich haben die das nur verschlampt.« Er sollte recht behalten.

Das sei die Endstufe von Bürokratie und Kapitalismus, erklären mir Zyniker. Generationen von Consultants hätten hier jedem, der mit Kunden oder Publikum zu tun habe, geraten, jeglichen Problemfall abzuwimmeln. Es sei doch viel bequemer, mit den restlichen Klienten auszukommen.

Mitunter male ich mir aus, wer wohl alles in diesem Willkür- und Warteschleifendickicht auf der Strecke bleibt; wie viele Kunden und Patienten Rechnungen mehrfach bezahlen, ohne es zu bemerken; kurzum, wie ein weltführendes Land sich solch eine schludrige Buchhaltung erlauben kann. Je länger ich den Alltag dieses Landes teile, desto mehr kann ich Obamas Bemühen um mehr Verbraucherschutz verstehen. Und die Motive der gegnerischen Lobbyisten, ihn zu verhindern. Der neuen Behörde aber, die künftig für Kunden kämpfen soll, müsste er wohl als Erstes den Telefoncomputer streichen.

Dabei muss es nicht immer um Geld gehen. Als ich in Kalifornien erstmals über die sommerlichen Buschbrände berichte, läuft im Lokalradio eine Realsatire über einen Anrufer, dem es trotz zahlloser Versuche nicht gelingt, den Behörden ein Feuer zu melden.

Zurück in Washington, schildert uns ein langjähriger ZDF-Kollege – ein bekennender Amerikafreund zudem – auf seiner Abschiedsfeier, dass ihn seine gesamte Korrespondentenzeit hindurch ein ganz anderes Problem begleitete. Über Jahre hin habe er ein nicht unwesentliches amtliches Kürzel ändern wollen – einen Behördeneintrag, wonach er eine Frau sei. Er schaffte es nicht.

3 Kaufe jetzt, zahle nie
Zwischen Cash und Crash

»Ich höre euch!« war der Satz, der George W. Bush als Präsident die meiste Anerkennung einbrachte. Da stand er auf den Trümmern des ehemaligen World Trade Centers in New York, und das verunsicherte Volk hing an seinen Lippen. Hoffend, jemand möge es nun führen.

»Ich verstehe eure Sorgen«, gibt sich der Noch-Amtsinhaber Jahre später, im Sommer 2007, erneut als väterlicher Schutzherr – um Amerikas Familien, die zu Beginn der Immobilienkrise unter ihrer Hypothekenlast verzweifeln, Steuernachlässe und Bürgschaften zuzusagen.

»So gewährleisten wir, dass möglichst viele in ihren Häusern bleiben können«, spricht er zur Nation. Die Wirtschaft sei stark genug, um zu verhindern, dass die Turbulenzen vom Häusermarkt auf andere Branchen übergriffen. Allerdings sei es nicht Aufgabe Washingtons, Spekulanten aus der Patsche zu helfen, die sich blindlings oder bewusst auf hochriskante Geschäfte eingelassen hätten. Noch klingt es so, als müsse sich nichts wirklich ändern. Doch bald wird klar, dass sich nicht nur ein paar kühne Draufgänger verkalkuliert haben, sondern nahezu der ganze Finanzsektor, wenn nicht das ganze Land.

Amerika zockte. Dass Häuserpreise ewig steigen würden, hielten nicht nur die Käufer für garantiert, sondern auch Makler, Banker und Politiker. Auch wer sich eigentlich keine Immobilie leisten konnte, durfte sich zum Hausbesitzer aufschwingen. Bezahlt wurde die Rechnung quasi aus dem Wertzuwachs. Es gab nicht einmal einen Grund, noch mit dem Bau des Pools zu warten. »Buy now, pay later« – alles sollte möglich sein.

Investmentbanker berauschten sich an schwindelerregenden Gehältern, selbst wenn sie gerade erst die Uni hinter sich gelassen hatten, und Washington wähnte sich auf bestem Wege, jedem Amerikaner zu seinen eigenen vier Wänden zu verhelfen. Zwar ahnten manche, dass mit Luftbuchungen allein dem Markt irgendwann die Substanz ausgehen würde. Aber bis dahin lohnte es sich mitzumachen. Und damit es nicht so auffiel, mischten die Geldhäuser kranke Kredite unter gesunde und designten daraus Finanzportfolios, die sich weltweit verkauften. US-»Subprime«-Kredite, Finanzprodukte »minderer Güte« also, waren gefragt.

Als der damalige Bundesfinanzminister Peer Steinbrück die halbjährlichen Weltbank-Tagungen besucht, empört er sich anfangs noch vor unserer Kamera über eine Krise, »die uns die Amerikaner vor die Füße kippten«. Doch bald wird er verhaltener – als feststeht, dass auch und gerade deutsche Landesbanken mit zwielichtigen US-Anteilen spekulierten, als habe sie zuallererst die Sorge umgetrieben, etwas zu verpassen. Tagtäglich erfahren nun auch sie aus Presse und Fernsehnachrichten, auf welch sumpfigem Untergrund sie bauten.

Sieben Häuser, null Dollar

Wenn Jacob Swodeck, den wir in diesen Tagen nahe Los Angeles begleiten, an einer Haustür klingelt, ist für seine Klienten das meiste schon verloren. Seine Firma ist spezialisiert auf Immobiliennotverkäufe. Im lichtoffenen Patio-Neubau am Rand der Megacity erwartet ihn heute eine junge Frau. Sie ist im achten Monat schwanger, eine kleine Tochter umklammert ihre Beine, der Lebensgefährte hält sich eher im Hintergrund. Ihren Job in der Werbebranche hat sie vor Monaten verloren. Das Schuldenbarometer zeigt 320 000 Dollar an, Tendenz steigend. In fünf Tagen ist die Pfändung anberaumt. Sie ist bankrott. »Lange habe ich es nicht wahrhaben wollen«, gesteht sie. »Aber jetzt habe ich es akzeptiert.«

Swodecks Team wird nun mit den Banken verhandeln, um die Zwangsversteigerung noch abzuwenden. Die Firma hat viel zu tun, seit aus Kaliforniens Hypothekenblase die Luft entweicht wie aus einem schnurrenden Ballon. Das Gott- und Marktvertrauen schlägt nun fast überall in Angst um. Den Banken dämmert, wie viele Bomben in ihren Bilanzen ticken.

»Immerhin kann ich den Leuten sagen, dass sie nicht die Einzigen sind, die mit dem Problem kämpfen«, tröstet Swodeck seine Klientin. »Es erwischt jeden Tag mehr Käufer, auch solche, die eine gute Ausbildung und einen soliden Job haben.«

Sie fühle sich wie in einem dunklen Loch, wischt sich die Schuldnerin die Tränen. »Ich werde lange klettern müssen, bis da wieder Licht ist.«

Im Firmenbüro sichten Swodecks Mitarbeiter derweil die Kreditverträge derer, die das Kleingedruckte besser gleich gelesen hätten. Und raufen sich die Haare über vieles, was da üblich war. »Du konntest Kaufgeschäfte abschließen, ohne dass irgendwer nach Sicherheiten fragte«, schüttelt Partner Pete Gliniak den Kopf. »Da wurden einfach fiktive Vermögen als Sicherheiten eingetragen. Und das bei Kaufpreisen bis zu 700 000 Dollar.«

Das Erste, was er und Swodeck von neuen Kunden

wissen müssen, ist der wahre Kontostand. Doch auch da erlebten sie schon Überraschungen. »Der Letzte, den wir hier nach seinen Bankauszügen fragten, um Spielraum auszuloten«, erzählt Gliniak, »gab am Ende offen zu, dass er nie ein Bankkonto besessen habe. Er hatte auch nie Geld und nie einen Job.« Er sei schließlich erst vor Kurzem aus dem Knast entlassen worden, nach fünf Jahren Haft, habe er ihnen gebeichtet. »Trotzdem hat er es hinbekommen, sich sieben Häuser zu kaufen. Alle auf Pump.«

»Den Leuten wurde vorgegaukelt, es gebe keine Grenzen für ihre Wünsche mehr«, sagt Swodeck, als sein Arbeitstag endet. Mit nur einem Prozent Anfangszins wurden die Käufer in Verträge gelockt. In den Fußnoten fanden sie später, was sie endgültig in den Ruin trieb, sobald die Wertzuwächse ausblieben: Zinsraten, die schon nach kurzer Zeit auf 16 Prozent nach oben schossen.

Nahe Washington treffen wir später Spezialermittler der Bundespolizei. Auf den Termin haben wir lange gewartet. Sie wollen uns darlegen, wer sich auf dem Hypothekenmarkt noch alles herumtreibt – auch ohne je zu zahlen. Und wie das funktioniert. Der Dienstsitz ihrer Sondereinheit ist ein klotziger Plattenbau jenseits der Grenze zum Bundesstaat Virginia. Hinter der Sicherheitsschleuse erwarten uns Fahndungsleiter Michael Mines und sein Kollege Jason Pack, beide im dunklen Anzug, eher aufgeräumte Powerpoint-Presenter als Schlapphut-Detektive. Aus ihren Fotodateien zeigen sie mir Mittelklasse-Einfamilienhäuser. In Pastellfarben gestrichene Holzfassaden, Frontgiebel, Veranda mit Schaukelstuhl.

»Damit fing vor Jahren alles an«, sagen sie. Der Markt sei attraktiv gewesen. Das sei auch Gangstern aufgefallen.

»Nehmen wir an, die kauften so ein Haus für 100 000 Dollar«, erklärt mir Pack. »Danach schmierten sie einen Gutachter, damit er den Wert auf das Doppelte schätzte, und besorgten sich damit von der Bank einen Hypo-Kredit von 200 000 Dollar. Damit machten sie sich aus dem Staub. Der Bank blieb die Immobilie zur Zwangsversteigerung. Und 100 000 Dollar Verlust.«

Es sei denn, das FBI fange die Betrüger, wende ich ein.

»Wenn denn die Bank es meldet«, erwidert Pack trocken. »Die Immobilienpreise stiegen ja so schnell, dass sie auch Betrugsschäden bald ausglichen. Die Banken riefen gar nicht mehr nach uns, weil sie gar keine Verluste hatten.«

Umgekehrt habe sich Kreditbetrug für organisierte Kriminelle derart gelohnt, dass diese sogar ihre angestammten Milieus wie Drogenhandel oder Zuhälterei dafür verlassen hätten. Nun stapeln sich beim FBI einerseits die alten Gangsterakten und andererseits neue, die eher hinter die Glitzerfassaden der Finanzwelt führen. »Wir erhalten von unseren Undercover-Quellen, auch an der Wall Street, immer mehr Hinweise auf die windigen Kreditpakete, die im Umlauf sind«, sagt mir Mines. »Da wird es um bewusste Falschaussagen des Managements gehen, was den Zustand ihrer Bank angeht. Etwa wenn sie noch lange nach Beginn der Krise öffentlich beteuerten, ihr Unternehmen sei gesund, obwohl sie wussten, wie viele Problemkredite intern schon identifiziert waren.«

Auch wegen Insiderhandels werde ermittelt, weil manche Manager vor dem Kurssturz ihre eigenen Bankanteile noch verkauft hätten. »Es ist nicht immer leicht, das nachzuweisen«, räumt Pack ein. »Je öfter ein Betrugskredit weitergereicht wird, desto mehr werden Delikte wie Urkundenfälschung, Datendiebstahl oder Betrug verschleiert.«

Trotzdem, man komme überall voran. Auf einer Amerika-Karte hatten sie anfangs die auffälligsten Bundesstaaten rot markiert: Kalifornien, Nevada, Florida. Inzwischen ist der halbe Kontinent gefärbt. »Wissen Sie«, sagt Mines, »so mancher, der sich zunächst sicher fühlte, fand es bald klüger, offen mit uns zu reden. Auch darüber, was er über Geschäftspartner wusste. Und siehe da, schon hatten sich unsere Ermittlungen erweitert.«

Andererseits, so erfahren wir beim Gehen, schauten nun auch die Syndikate nach vorn. »Immer dorthin, wo viel Geld im Umlauf ist«, sagen die Fahnder. »Also nun auf die Milliardenhilfen für Hauskäufer und Wirtschaft.«

Auf den Kameraschwenk durch das Großraumbüro der Finanzfahnder müssen wir verzichten. Mitarbeiter protestieren dezent gegen den Wunsch. Sie seien als verdeckte Ermittler eingesetzt und müssten Kameras meiden. Mein Hinweis, dass wir allein für die Nachrichten in Deutschland berichten würden, hilft nichts. Natürlich, so verblüffen sie uns, seien sie auch dort unterwegs.

Ob mit oder ohne ihr Zutun: Im Spätsommer 2011 klagt die US-Regierung 18 internationale Großbanken wegen betrügerischer Kreditgeschäfte im Milliardenumfang an. Darunter ist auch die Deutsche Bank. Zudem sorgt ein New Yorker Gericht für einen Paukenschlag in der Finanzrechtsprechung: Es verurteilt einen Hedgefonds-Manager zu elf Jahren Haft, der höchsten Strafe, die in den USA je wegen Insiderhandels verhängt wurde. Zwei Jahre lang hatten die Strafverfolger ermittelt und in über 50 Fällen Vorwürfe erhoben. Fast alle endeten mit Verurteilungen. »Diese Delikte sind die Folge eines Virus in unserer Wirtschaftskultur, das ausgemerzt werden muss«, begründet der Richter das Urteil. »Sie sind ein Angriff auf den freien Markt.«

Monate später erzielt die Obama-Regierung mit fünf Großbanken einen Vergleich. Demnach willigen sie ein, an Opfer der Immobilienkrise 25 Milliarden Dollar auszuzahlen. Es ist die umfassendste Entschädigung, die eine

US-Regierung gemeinsam mit den Bundesstaaten je ausgehandelt hat.

Bei Anruf Kreditkarten

Im Schatten riesiger Redwood-Bäume winden wir uns bald darauf am anderen Ende Amerikas eine kurvige Landstraße hoch. Immer wenn sie kurze Blicke über die sonnenwarmen Hänge freigibt, lugen Schindeldächer durch die Wipfel, Kamine, Terrassen mit Aussicht. An Abzweigungen weisen lange Briefkastenreihen darauf hin, dass der Wald dichter bewohnt ist, als es von der Hauptstraße aus scheint. Doch die Adresse, die wir ins Navigationssystem getippt haben, kann es lange nicht orten.

Etwa eine Autostunde südlich von San Francisco suchen wir einen kranken Mann, der wieder bei seiner Mutter wohnt. Den Kampf gegen die Leukämie hat er bisher gewonnen, den gegen seinen zweiten Feind noch nicht: Amerikas Kreditkarten- und Bankenbranche. Ausgerechnet er jedoch könnte der Erste sein, dem dieser Sieg gelingt.

Eric Drew, ein freundlicher, hünenhafter Mann um die 40, dem nach der Chemotherapie das dunkle Haar gerade nachwächst, humpelt noch auf Krücken. Doch er ist ein Kämpfer. Er lag schwer krank auf der Krebsstation, als ein Unbekannter seine Bankdaten aus dem Klinikcomputer stahl. Erst als eine Kreditkartenfirma ihm schrieb, um ein erhöhtes Dispo-Limit zu bestätigen, fiel Eric auf, dass etwas nicht stimmte.

»Ich hielt das für ein Versehen, rief dort an und sagte: ›Ich habe nichts beantragt, löschen Sie das bitte!‹ Ich dachte, damit sei es erledigt, denn ich hatte andere Sorgen«, blickt er zurück. Doch die Banken häuften weiter Schulden an, am Ende Abertausende von Dollar, auf Konten, die er nie eröffnet hatte. Längst hatte ihm da der Betrüger, der sich als sein Schattenmann ausgab, die Identität geraubt. Und Eric musste fortan nachweisen, dass nur er wirklich er selbst war. »Ich wandte mich an die Polizei, an die Postaufsicht, an den Geheimdienst, an alle, die sich um Finanzbetrügereien kümmern. Und alle sagten: ›Wie wollen Sie denn das belegen, was Sie da behaupten?‹ Keiner glaubte mir.«

In seinem Notebook klickt er Fotos an, auf denen er kahlköpfig im Klinikbett liegt, seine tapfere Mutter steht neben ihm. Ein anderes zeigt ihn mit einer Tropfflasche, die er gerade in einen Rucksack packt, damit die Medizin von dort durch einen Schlauch in seine Venen läuft. So konnte er erstmals das Krankenhaus verlassen. Auf dem letzten Foto posiert er vor einem unscheinbaren Haus, den Rucksack noch immer umgeschnallt, und zeigt auf Eingangstür und Briefkasten.

Mithilfe eines Lokalreporters und viel Glück hat er den Betrüger selbst ausfindig gemacht. Eine auffällige Buchung auf den Kreditauszügen führte Eric zu einem Supermarkt, der Videoaufnahmen vom Kassenbereich aufbewahrte. Der Abgleich von Kaufdatum und Uhrzeit wies auf einen Kunden hin, unter dessen Jacke ein grüner Krankenhauskittel sichtbar war. Ein Pfleger, der gehofft hatte, dass sein Opfer nicht mehr lange leben würde und sich deshalb nicht mehr wehren könne.

Danach nahm sich Eric einen Anwalt, um den Banken nachzuweisen, wie leichtfertig sie den Betrug hinnahmen – und sogar noch daran verdienten. Denn an jedem Dollar Umsatz, auch dem illegalen, ist die Bank beteiligt. Erste Verfahren gaben ihm recht. Im Anwaltsbüro türmen sich inzwischen Umzugskisten voller Beweismaterial im Musterverfahren Drew gegen die Finanzwelt. Auf den Aktendeckeln stehen die namhaftesten Geldinstitute Amerikas. »Was die Kredithäuser hier vorantreiben, ist die komplette Automatisierung des Geldgeschäfts«, schimpft Eric. »Kreditlimits, Bewertung von Kunden, Kartenausgabe, alles per Computer und Telefon, ohne dass damit noch Menschen betraut sind. Der Täter musste nur anrufen und sagen: ›Hi, ich bin Eric Drew, hier ist meine neue Adresse, senden Sie mir eine Kreditkarte.‹ Und sie schickten ihm fünf davon. Und boten ihm danach noch weitere an.«

Tatsächlich gerät im Zuge der Finanzkrise vor allem die führende Bank of America öffentlich unter Druck, weil sie unzählige Zwangsräumungen allein von Bankcomputern auf den Weg bringen ließ, ohne Nachfragen, Kundengespräche und Einzelprüfungen. Die Software arbeitete tadellos.

Armen-Lotto

Die »Turbulenzen«, die Präsident George W. Bush von seiner Wirtschaft fernhalten wollte, brechen sich schon wenig später Bahn. Am Ende werden sie Amerika acht Millionen Arbeitsplätze kosten. Um einen noch tieferen Einbruch zu verhindern, beschließt Bush mit Stimmen aus beiden politischen Lagern und gegen Widerstand aus seiner eigenen Partei ein 700-Milliarden-Dollar-Rettungspaket. »Es gab Momente, in denen manche dachten, die Regierung schaffe es nicht«, gibt er sich nach dem Votum demütig. »Aber dank der Arbeit des Kongresses und dem Geist der Zusammenarbeit zwischen Regierung und Parteien haben wir zügig reagiert.«

Die Staatsskeptiker der Republikaner, geführt vom schneidigen Fraktionsvize Eric Cantor aus Virginia, hielten lange dagegen. Sein Fraktionschef John Boehner hofiert danach die Kritiker. Auch sie hätten geholfen, das Mega-Gesetz besser zu machen. »Ich werde weiterhin mit allen reden«, verspricht er. »Aber zuerst mussten wir handeln.«

Jahre später, als Chef des republikanisch dominierten Repräsentantenhauses und noch immer mit dem ehrgeizigen Cantor im Nacken, wird Boehner nicht mehr so viel Wert auf Nähe zum Präsidenten legen. Denn dann werden die Wähler nicht George W. Bush den Stillstand übel nehmen, sondern dem strauchelnden Nachfolger Barack Obama, dessen Wiederwahl die Republikaner um jeden Preis verhindern wollen – und dem sie der Einfachheit halber das milliardenschwere Wirtschaftspaket gleich mit anlasten, als hätte es Bushs Anteil daran nie gegeben.

Wie alle Amerika-Chronisten bemühen wir uns in diesen Monaten, die Wirtschaftskrise vor allem dort auszuleuchten, wo Menschen sie erleiden. Wir berichten von Farmern in Iowa, die ihre Steaks nicht mehr am Markt loswerden, und von kirchlichen Armen-Helfern, deren Spendenaufkommen nicht mehr reicht, um den Bedürftigen mit Lebensmitteln und Heizkostenzuschüssen zu helfen. Damit sie die stundenlang Anstehenden nicht mehr mit leeren Händen abweisen müssen, gehen die Initiatoren dazu über, jeden Montagmorgen Lose auszugeben. Die glücklichen Gewinner erhalten dann ein paar Dollar, die anderen hoffen auf die nächste Ziehung. Immerhin, sagen die Helfer, hätten so alle gleiche Chancen.

Am Beispiel der Hafenstadt Annapolis, von der aus Washingtons Nachbarbundesstaat Maryland regiert wird, zeichnen wir nach, wie die Krise der Wall Street die »Mainstreet« erreicht, sprich: Amerikas Mittelschicht.

In der ersten Ladenzeile erklärt uns die Betreiberin der Käsetheke, dass sie Zwischenhändler nunmehr ausspart und nur noch bei Erzeugern kauft. Im Weinladen kostet der Merlot nun keine 20 Dollar mehr, sondern zehn. Eine Lehrerin ist froh um jede Stunde, die sie zusätzlich arbeiten darf, zumal Lehrer in den langen US-Sommerferien gar kein Gehalt beziehen. Ein Bootsbauer erzählt von seiner 75-jährigen Mutter, die wieder zu arbeiten begonnen habe, weil ihre Altersvorsorge mit den Aktienkursen weggebrochen sei.

»Hört uns jemand?«

Und wir treffen eine Schulklasse in der Pleite-Stadt Pomona in Südkalifornien, die Bushs Megafonzitat wörtlich genommen hat. In einem Videofilm schildern die Schüler eindringlich die Not ihrer Familien. Nacheinander setzen sie sich einfach auf einen Stuhl und erzählen in die Kamera, was sie bewegt.

»Mein Vater hat einen seiner Jobs verloren, jetzt ist es noch schwerer, das Haus abzuzahlen«, sagt ein Junge leise. »Er kam früher immer lachend nach Hause, jetzt ist er nur noch bedrückt. Ich sehe es in seinen Augen.«

Sie berichten von übervollen Schlafzimmern und leeren Kühlschränken – abgesehen von Milch und Haferflocken von der Fürsorge. Von Eltern auf aussichtsloser Suche nach Tagelöhnerjobs. So vermitteln sie authentisch, was Statistiken nicht zeigen können. »Wir wohnten in einem einfachen Haus, drei Jahre lang«, kämpft ein Mädchen gegen seine Tränen an. »Es war das erste Mal, dass meine Eltern sich einen Traum erfüllen wollten. Aber sie wussten nicht, wie sehr die Zinsen steigen würden und dass sie die Hypothek nicht würden abbezahlen können. Nun leben wir bei einer Tante, zu zwölft in einem Raum. Stellen Sie sich vor, wie das jeden Tag ist.«

Manche erwähnen ihre stille Sorge um die jüngeren Geschwister. »Ich kann es vielleicht schaffen, da noch herauszukommen«, sagt ein größerer Junge. »Aber meine Brüder? Sie werden vielleicht bald auf der Straße leben.«

Ihre Eltern mögen lange versucht haben, den Kummer von den Kindern fernzuhalten. Aber die wissen längst alles. Fast jeder in der Klasse teilt das gleiche Schicksal. »Ich möchte meiner Mutter helfen«, weint eine Schülerin, »aber sie will, dass ich mich auf die Schule konzentriere. Trotzdem, ich kann es nicht. Weil ich weiß, wie sie wankt.«

Der Filmtitel erscheint auf schwarzem Hintergrund, als Frage: »Hört uns jemand?«

Das Gold der Geisterstadt

Allein in Garnet, einem verfallenen Wildwest-Nest in den Hügeln Süd-Montanas, begegnen wir einem, der dem Himmel für die Krise dankt: Aaron Charlton, Goldgräber.

Am Ortseingang haben wir die windschiefen Hütten bestaunt, den Saloon samt seinem verstaubten Tresen und den leeren Whiskeypullen, den einstigen Laden mit der verrosteten Kasse und ein ehemaliges Hotel, in dem es angeblich spukt.

Im Jahre 1898 lebten hier gut 1000 Menschen. Einem von ihnen kaufte Aarons Vater ein Stück Land ab. Als die Goldadern geplündert schienen und sich das Schürfen nicht mehr lohnte, widmeten Lokalpolitiker Garnet in ein Freilichtmuseum um. Alle folgten der Idee, nur Aaron nicht, denn er war schon immer ein Querkopf. Am Rand der Geistersiedlung lebt er in einer Waldhütte. Das größte Möbelstück ist ein mannshoher Tresor der Marke »Festung«.

Sein Haar fällt bis über die Schultern, Bartstoppeln bedecken das Gesicht. Er spricht langsam, als habe sich in seinem Leben Ruhe stets bewährt. »Alle hier hatten mich für verrückt erklärt, ja totgesagt«, lächelt er. »Trotzdem habe ich 18 Jahre lang gewartet, dass der Goldpreis wieder hochkommt. Nun ist er zurück.«

Bald will er hier Arbeiter ansiedeln. Im Untergrund habe er 500 000 Unzen Gold nachgewiesen, die man nur hervorholen müsse. Als wir Monate später nachsehen, was aus seinen Plänen wurde, hofiert er gerade Investoren. Geologen rollen Karten aus, mit eingetragenen Ergebnissen von über 100 Probebohrungen. Eine rasselnde Goldwaschanlage alten Stils veranschaulicht seine Vision. Anhand der Proben lasse sich der Anteil pro Tonne Gestein nachweisen, erklärt er. Inzwischen geht er sogar von zwei Millionen Unzen aus. Als sie die ersten Nuggets funkeln sehen, glänzen auch die Augen der Besucher.

»In weniger als zwei Jahren produzieren wir hier täglich Goldbarren«, verspricht Charlton, »mit einer Perspektive für zehn bis 15 Jahre.« Alle sind beeindruckt. In jedem steckt ein Goldwäscher.

Wie halb Amerika in jenen Jahren, so hat auch Charlton auf die Zukunft gesetzt. Aber gewonnen. Der Goldpreis steigt auch in den Folgejahren.

4 Bangen, hoffen, bangen
Von Bush zu Obama

»Mein Name ist Hillary Clinton, und ich bin hier, um zu gewinnen«, wendet sich die Favoritin kühl und siegessicher an ihr Publikum. Sie tourt durch die Vorwahl-Bundesstaaten, die ihr einen Start-Ziel-Sieg garantieren sollen. Amerika möchte die Bush-Jahre gern abhaken. Noch sieht es nach einem Spaziergang aus. Die erste Frau im höchsten Staatsamt – und, im Wortsinne, das erste Präsidentenpaar: Das wäre etwas für die Geschichtsbücher.

»Ihre Kampagne will die Restauration der Clinton-Ära«, warnt Washingtons Star-Journalist Carl Bernstein. »Das würde sie zwar nicht gerne hören. Aber es geht nun mal um zwei Leute, sie und Bill, die schon einmal acht Jahre im Weißen Haus gelebt haben und das jetzt wieder wollen.«

Doch eben das, die bloße Rückkehr in die Vor-Bush-Jahre, wollen viele offenbar nicht mehr. Vor allem jungen Amerikanern reicht der Amtswechsel nicht, wenn sie noch dazu den Generationswechsel erreichen können. Ihr Frontmann ist ein schlacksiger Jung-Senator mit einem seltsamen Namen: Barack Obama. Was seine Wahlkampfkassen füllt, sind Kleinspenden. Sein Slogan: Wandel von unten. Jeder könne mitmachen.

Als ich ihn in Washington zum ersten Mal reden höre, auf einem Platz nahe des Hauptbahnhofs, bin ich gespannt auf die Aura, die ihm viele schon zugeschrieben haben. Mit mir warten mehrere Tausend Menschen. Dann erscheint er auf der Bühne, locker und selbstsicher, die weißen Ärmel hochgekrempelt.

»Es gibt Leute, die sagen, Politik ist ein Spiel«, formuliert er jenen Satz, den ich als ersten aufschreibe, »und sie sagen, dass wir die Person wählen sollen, die das Spiel am besten kann.« In Wahrheit aber sei es an der Zeit, dieses Politikspiel zu beenden.

Wahlkampf eben, denke ich da noch. Doch dann begeistert er die Menschen mit Botschaften, die visionär sind. »Unser Gesundheitssystem ist seit Jahrzehnten in der Krise. Da waren Regierungen von Demokraten und Republikanern an der Macht. Und nichts ist seitdem passiert.« Amerika müsse seine Schulen reparieren und seine Kinder endlich aufs College schicken statt in den Knast. Es müsse den Klimawandel stoppen und den Irak-Krieg beenden. Schließlich das Versprechen, Amerikas Moral zu ändern: »Wir werden Guantanamo schließen, weil wir keine Nation sind, die Menschen ohne rechtsstaatliches Verfahren einsperrt«, bricht er mit der Vorgänger-Regierung. »Oder die sie in anderen Ländern nachts foltern lässt. Das sind nicht wir. Wir sind Amerika. Eine leuchtende Fackel in der Weltgemeinschaft.«

Jahrelang haben die Amerikaner das nicht mehr gehört. Sie nehmen es auf wie Verdurstende. Ich bin halb beeindruckt und halb aufgewühlt, weniger davon, was er sagt, sondern mehr noch von der Art, wie er es tut. Ich nehme diesem Mann ab, dass er es ernst meint.

Dabei haben auch wir lange auf Hillary Clinton gesetzt. Doch dann gewinnt Obama überraschend die demokratischen Vorwahlen in Iowa. Clinton kontert in New Hampshire. Alles ist offen. Mit Dutzenden von Drehcassetten reise ich nach New York, um mit meiner Kollegin

Annette Dittert, die bisher Hillary Clinton begleitet hat, schnellstmöglich einen 30-Minuten-Film über die beiden Kontrahenten zu produzieren. Das Interesse, auch in Deutschland, an dem Kopf-an-Kopf-Rennen zwischen Clinton und Obama bleibt beispiellos hoch, egal ob man US-Primaries bisher für albernen Zirkus hielt oder für vorbildliche Bürger-Demokratie.

»Wir haben uns noch nie so sehr für unser Land geschämt wie während der Amtszeit Bushs«, sagen uns vor allem Obamas Anhänger, darunter viele Erstwähler und bisherige Nichtwähler. »Er ist einer, der das Bild, das andere von uns haben, wieder verbessern kann.« Er bringe die unterschiedlichsten Menschen zusammen und könne Amerika vereinen. Sie schwärmen gegenüber Zögernden vom Aufbruch der Kennedy-Zeit, überzeugen skeptische Eltern, sie spenden Geld, bis alle Rekorde fallen. Eine Lehrerin sagt mir, sie habe sich immer um ihre lethargischen Großstadtschüler gesorgt. Jetzt aber erlebe sie, wie begeistert sie seine Poster aufhängten und zu Hause über Politik diskutierten. »Ich bin sicher«, sagt sie, »wenn er nicht gewinnt, würden sie es als verpasste Chance bedauern.«

Brookings-Experte Stephen Hess beschreibt die Stimmung ähnlich. »Es gibt vieles, was Obamas Erfolg ausmacht«, sagt er uns im Interview. »Schon, dass er nicht George W. Bush ist, gehört dazu. Aber das meiste liegt an ihm selbst. Er kann überzeugen. Er ist ein großartiger Redner. Davon gab es unter Amerikas Präsidenten nur wenige, auch wenn man das anders erwarten würde. Ronald Reagan war einer, Franklin Roosevelt. Manchmal Bill Clinton.«

Den klarsten Zuspruch für Obama erhalten wir vom früheren US-Sicherheitsberater Zbigniew Brzezinski, einem der renommiertesten Analysten, den wir im Washingtoner Zentrum für strategische und internationale Studien treffen. »Die Erfahrung der letzten Jahre ruft nach einem drastischen Wandel der Beziehungen Amerikas mit der Welt«, findet er. »Die Clinton-Jahre waren nicht schlecht. Aber auch sie waren Jahre des Eigensinns, der bequemen Optionen. Und ich denke, die Welt hat ein Recht darauf, von Amerika mehr zu erwarten.«

Was er an Obama schätze?

»Seine Intelligenz«, sagt er, »und sein Gespür für den historischen Moment.«

Gegnern, die wie Clinton vor dem zwar brillanten Redner, aber substanzlosen Politiker Obama warnen, erwidert Brzezinski entschieden: »In Diktaturen können Sie Stimmen erzwingen, anderswo kann man sie kaufen. Aber in einer Demokratie ist das die einzige Möglichkeit, Anhänger zu gewinnen. Wenn das, was er sagt, sie mitreißt, weil es historisch gerechtfertigt ist und wichtig, dann ist es genau das, was wir benötigen.«

Als der Juni anbricht, nach einem der längsten und aufreibendsten Vorwahlprozesse in Amerikas Geschichte, gibt Hillary Clinton auf, denn es ist klar, dass sie den Rückstand nicht mehr wird aufholen können.

Vier Jahre später wird sie als Obamas Außenministerin eine seiner wichtigsten Verbündeten im Kampf um seine Wiederwahl sein – vor allem in Schlüsselbundesstaaten wie Ohio, Michigan und Pennsylvania, deren überwiegend weiße Arbeiterschaft auch die Konservativen mit wachsendem Erfolg umwerben.

Tanzende Terroristen

Bei den Republikanern fallen damals die Würfel schneller. Doch geschlossener sind ihre Reihen dadurch nicht. Das bestätigt uns ein Parlamentarier, der die Partei besser kennt als viele andere auf dem Kapitolshügel: Steve King, ein kantiger, lebensfroher Kongressabgeordneter. Sein Wahlkreis liegt in Iowa: Farmland, hohe Abwanderung, konstant konservativ. Seit Jahren vertritt er seinen Bundesstaat in Washington. Er gilt als Hardliner, als bibelfest, als aufrecht. Jeder Auftritt im Mittelwesten ist für ihn ein Heimspiel.

Als die Partei sich auf John McCain als Kandidat verständigt hat, begleite ich King auf einer Wahlkampftour nach Hause. Seine Stammwähler machen dort keinen Hehl daraus, dass sie an McCain den rechten Stallgeruch vermissen. King hilft deshalb mit, zu retten, was sich retten lässt, obwohl McCain auch ihm zu liberal ist. Denn King wettert schon wie einer aus der Tea Party, lange bevor die ultrarechten Hardliner in Washington Furore machen. »McCain wird es schwer haben, unsere Parteibasis zu aktivieren«, erklärt er mir, als wir auf dem Rücksitz hinter seinem Chauffeur plaudern. »Deshalb brauchen wir umso mehr Stimmen aus der Mitte.«

Als wir zuvor in Kings Abgeordnetenbüro nach dem Termin anfragten, hatte er seinem Hauptgegner gerade einen Schlag versetzt: Wenn Barack Obama die Wahl gewinne, verbreitete er medienwirksam, würden weltweit die Terroristen tanzen. »Ich denke strategisch, um die Mitte nach rechts zu holen«, erklärt er mir nun, frei von Selbstzweifeln. »Denn die anderen wollen nach links, weil sie Marxisten sind.«

Vorbei an staubigen Genossenschaftssilos fahren wir

an endlosen Mais- und Sojabohnenfeldern vorbei. King verteidigt das Häftlingslager in Guantanamo, die Folterpraktiken der CIA und den Irak-Krieg. Erster Provinztermin: eine Spendenaktion für die Parteikasse. Unentschlossene im Saal hegen da noch stille Sympathien für die Demokraten. Manche halten McCain auch schlicht für zu alt. »Ich finde Obama okay«, flüstert mir einer der Besucher zu. »Hillary war mir zu negativ.«

Dutzende von Torten tischen die Veranstalter auf. Dann betritt Stargast King die Bühne, um sie zu versteigern. »Verkaufen Sie sie später ruhig mit Gewinn«, scherzt er. Weg gehen sie für je 25 Dollar.

Eine Stamm-Republikanerin sagt mir ins Mikrofon, dass Hillary Clinton die Emanzipation zu weit getrieben habe. »Ich glaube an konservative Werte«, schnaubt sie. »Ich bin gegen Abtreibung und für die Ehe, und zwar zwischen einem Mann und einer Frau. Nie würde ich einen Demokraten wählen.«

King kommt zum Thema des Abends, den hohen Benzinpreisen. »Die Demokraten wollen die Ölkonzerne höher besteuern«, sagt er, noch immer heiter wie zuvor zwischen den Torten. »Aber auch wenn Exxon 40 Milliarden Gewinn macht, sollen wir sie deshalb zur Kasse bitten? Natürlich nicht«, ruft er in den Saal. »Die haben den Markt mit Sprit versorgt. Wenn sie das nicht mehr tun, wird er noch teurer.«

Im nächsten 300-Seelen-Nest holt ihn wieder mal sein Terroristenzitat ein. Ein langes Live-Interview beim Landradio, dem wichtigsten Multiplikator hier. Kings provokante Saat geht auf. »Was den Krieg gegen den Terror angeht, bin ich sicher, dass unsere Feinde bei einem Sieg der Demokraten stärker würden«, bekräftigt er. »Sie würden Geld sammeln und Waffen, um sie weltweit gegen uns zu richten.« Ja, auch an seiner Bemerkung von den tanzenden Terroristen werde er festhalten. Das Echo bestätige ihn.

Später fragen wir den Moderator, ob Iowa wirklich so ticke wie King. »Ich persönlich denke, was er da sagt, ist unverantwortlich«, gesteht er. »Aber es ist seine Meinung. Also soll er sie äußern.«

Letzte Station, das Hinterzimmer eines Elektronikhändlers. King ist eingeladen, einem Veteranen des Koreakriegs einen Verdienstorden zu überreichen. Vom Blutzoll der US-Armee in Asien kommt er auf den Fall der Berliner Mauer und auf die Siegespflicht in Bagdad. Der Geehrte bleibt bescheiden. »Um ehrlich zu sein«, sagt er, »war mir damals nichts wichtiger, als wieder heil zurückzukommen.«

»Haben Sie sich schon entschieden, wen Sie wählen werden?«, frage ich ihn am Rande.

»Ich neige zu Obama«, überrascht er mich, »auch wenn wir langjährige Republikaner sind. Er hat Ausstrahlung und kann einen richtig mitreißen.«

Als ich King darauf anspreche, gibt er ihm sogar recht. Im Parlament erlebe er das auch selbst so: »Obama hat viel Ausstrahlung. Ich kritisiere ja weder seinen Charakter noch seine Fähigkeiten. Ich verstehe, warum Leute ihn mögen.«

Nett eben, wie King stets ist. Als ich ihn nach Obamas Wahlsieg wieder treffe, scheint er ganz aufgeregt, denn für den Abend haben Präsident und First Lady zum Ball ins Weiße Haus geladen. »Heute werde ich mit Michelle tanzen«, grinst er und schaut an seinem Anzug hinab auf blank geputzte Schuhe. Als hätte es seinen bösen Terroristenvorwurf nie gegeben. »Hoffentlich bin ich nicht zu linksfüßig«, kokettiert er.

»Na, Sie stehen doch sicherlich auf zwei rechten«, scherze ich. Da lacht er schallend mit.

Nicht nur jene, die sich mitunter als Demagogen gefallen wie Steve King, lerne ich so kennen. Auch die Zuträger, die für Schmutzkampagnen den Wurfschlamm ausgraben und portionieren. Denn was in US-Wahlkämpfen seit jeher mehr verfängt als alles Positive, sind Kampagnen, die Gegner verunglimpfen, verteufeln und lähmen. Und das möglichst zum perfekten Zeitpunkt.

Auf ihren Visitenkarten steht als Beruf »Politischer Berater«. In der Branche aber heißen sie »Hitmen«: Männer für finale Schläge. Stephen Marks ist so einer, auch wenn er nicht so aussieht. Klein gewachsen, vermummt in Schal und Mütze, obwohl wärmstes Wetter herrscht in Florida, schleicht er in eine Kleinstadtbibliothek, als wir ihn aufsuchen. Im Norden quälten ihn Asthmaattacken, deshalb ist er umgezogen. Gelohnt hat es sich nicht. Dafür sind Schlagmänner zu oft auf Reisen.

Als wir Marks bei seiner Wühlarbeit über die Schulter schauen, haben Negativ-Stories in den US-Nachrichten gerade Konjunktur. Hillary Clintons Glaubwürdigkeitswerte stürzten ab, nachdem sie wahrheitswidrig einen Diplomaten-Trip nach Bosnien zum kühnen Kugelhagelabenteuer hochdramatisiert hatte. Dann holte Obama ein heimlich mitgeschnittener Satz aus einer Spenderrunde ein, mit dem er konservativen Weißen aus dem Mittelwesten unterstellte, sie hielten sich aus ökonomischer Verbitterung an Religion und Waffen fest. Marks hofft nun, dass die Schlacht bald richtig ausbricht. Vom Bibliothekar lässt er sich Stapel von Lokalzeitungen und Vereinsblättchen reichen. Er sucht Quellen unterhalb des Washingtoner Radars. Vielleicht hat der junge Obama hier irgendwann einmal etwas zur schwarzen Minderheit gesagt oder vor einem Schwulenverband, das vor großem Mainstream-Publikum verfänglich klingen könnte.

Als die Bücherei schließt, begleiten wir ihn in sein Haus, ein nahezu unmöblierter Bungalow mit Pool. Eigentlich hatte er sich hier längst einrichten wollen, aber er komme einfach nicht dazu, sagt er. An den Wänden türmen sich Kartons mit fremden Steuerauszügen, Spendenbelegen und Klageschriften gegen alle, die er zuletzt im Visier hatte. »Das sind durchweg öffentlich zugängliche Daten und Dokumente«, sagt er. »Irgendwann findest du immer etwas.«

Sein wirkungsvollster Video-Spot zeigt den einstigen demokratischen Präsidentschaftskandidaten Al Gore neben einem düster inszenierten Mann, den Gore einmal als Rechtsanwalt vertrat. Darüber huschen wohlklingende Zitate über Hitler und üble über US-Präsidenten, die der Mandant verspottet habe. Die Botschaft: Gore paktiert schon mal mit Feinden Amerikas.

Aus Spendengeldern parteinaher Interessenbündnisse stricke er solche Spots, die diese dann im Fernsehen platzierten, sagt er stolz. Da ahnen wir noch nicht, dass im Wahljahr 2012 schon in den Vorwahlen der Republikaner die Etats für Negativ-Kampagnen in neue Höhen schnellen werden.

»Bei wankelmütigen Wählern funktioniert das glänzend«, erklärt er mir. »Es gibt in Amerika 20 Prozent Wechselwähler. Die erreicht man so am besten. Eher Frauen, eher unpolitische, die Klatschblätter lesen und nicht die *New York Times*.«

Ob es auch Politiker gebe, frage ich, über die er und seine Branche einmal nichts Nachteiliges ausgegraben hätten.

»Gewiss«, sagt er, »George Bush senior hat damals Millionen bezahlt, um seinen Widersacher Ross Perot ausforschen zu lassen, einen Milliardär, dem man unendlich viele Angriffsflächen unterstellt hat. Aber sie fanden absolut nichts.«

Und zu Obama? Rechnet er damit, dass er irgendwann durch eine Negativ-Kampagne stürzen könne?

»Bisher war der Wahlkampf langweilig«, meint er. »Das lag vor allem daran, dass Obama einen positiven Politikstil versprochen hat, daran musste er sich selbst auch halten. Zudem perlte vieles erstaunlich an ihm ab.« Bald aber werde er wohl härter angegriffen, und wenn ihm das schade, müsse er auch selber attackieren.

»Warum sollte ich das bedenklich finden?«, rechtfertigt er sich. »Was wir machen, ist Demokratie. Amerikas Wähler kommen so jederzeit zu ihrem Recht auf Schmutz.«

Rufmord als Strategie

Tatsächlich zaudert das Republikaner-Lager im Jahr 2008 noch, heftige Negativ-Kampagnen loszutreten. Dabei hatten sie in den Vorjahren schon den Demokraten John Kerry als Kandidaten ruiniert, als ein TV-Spot seine Verdienste als Soldat, die er George W. Bush voraushatte, als Hochstapelei verunglimpfte. Sogar John McCain selbst hat unter konservativen Rufmordattacken gelitten, als er die parteiinterne Vorauswahl gegen George W. Bush verlor – wegen offen verbreiteter Gerüchte, sein asiatisches Adoptivkind sei in Wahrheit von ihm unehelich gezeugt worden. Es mag diese Erfahrung sein, die McCain im Zweikampf mit Obama vor ähnlichen Methoden zurückschrecken lässt, sehr zum Missfallen von Parteigefährten wie Steve King.

Andererseits erkennt in jenen Monaten auch das McCain-Camp, dass viele Wähler die Schlammschlachten leid sind und Obamas Positiv-Parolen vom Wandel zum Besseren in Washington tatsächlich attraktiver finden. Obama wiederum weiß, dass er als konfrontativer schwarzer Vorkämpfer bei weißen Wählern scheitern würde, wie zuvor der Bürgerrechtler Jesse Jackson.

Die persönlichen Angriffe, denen Obama dennoch ausgesetzt ist, pariert er mit Glück und Geschick. Von seinem Vertrauten, Pastor Jeremiah Wright, der durch militante Sprüche gegen Weiße breite Kritik auslöst, sagt er sich zum rechten Zeitpunkt los. Nicht zu früh, zumal Wright seine Ehe traute und ein langjähriger Freund war, der ein Mindestmaß an Loyalität verdient hat. Aber auch früh genug, um nicht für dessen Ausfälle mit haftbar gemacht zu werden. Zudem kontert Obama die Attacken schon jetzt mit dem, was er am besten beherrscht – mit einer entwaffnend offenen, persönlichen Rede über Rassismus.

Auch seine Frau Michelle gerät kurz unter Rechtfertigungsdruck. Kritiker werfen ihr mangelnde Vaterlandsliebe vor, weil sie in einer Talkshow sagt, seit Baracks Kandidatur sei sie zum ersten Mal in ihrem Erwachsenenleben stolz auf Amerika. Im Prüflicht der Patrioten eine verhängnisvolle Formulierung. Zuletzt halten Obamas Anhänger für einen Tag den Atem an und fürchten, die alte Rufmordstrategie könnte ihrer Hoffnung doch noch ein jähes Ende setzen – als ein ominöser Belastungszeuge anonym behauptet, er habe mit Obama auf einem Autorücksitz unter Drogen »schwulen Sex« gehabt. Doch die Gerüchte verfangen nicht, zu klar ist die Absicht, zu offensichtlich der angerührte Mix aus den bewährten Giftvokabeln. Amerikas Medien lassen die Finger davon.

In Deutschland erobert der Sympathieträger unterdessen unaufhörlich Herzen. Die Redaktionen fragen weiter Kandidatenporträts ab. Wir sollen »das Phänomen Obama« erklären oder gar die »Obamania«. Auch mancher

Leitartikler in der heimischen Presse, der ihn anfangs noch zur Eintagsfliege erklärte, schwenkt nun um. Dennoch klingen die Schlagzeilen zu Hause weiter gegensätzlich: Mal feiern sie Obama schon als »Präsident der Welt«, mal warnen sie vor einem »Menschenfänger«.

Giganten-Stadl

Mit großem Stab reisen wir im Spätsommer 2008 nach Denver und später nach Minneapolis, wo die Parteien die Kampagnenhöhepunkte der Wahlsaison aufführen, mit Menschenmassen, Pathos, Luftballons und Feuerwerk: die Nominierungsparteitage. Ich selbst kannte sie bis dahin nur aus den TV-Nachrichten, ergriffen hatten sie mich selten. Mir schienen sie mit Showeffekten überladen, von billigem Kalkül bestimmt, üppige Jubelkongresse eben, nur um die eigene Basis anzufeuern. Dienstältere Kollegen rieten mir dennoch, sie als ein authentisches Stück Amerika zu betrachten, wenn nicht gar als einmaliges Erlebnis, kurz: mich darauf einzulassen. Am Ende sollte sich beides, Skepsis und Ergriffenheit, die Waage halten.

Fast zu Tränen rührt auch mich der überraschende Auftritt des schwer krebskranken Polit-Granden Edward »Ted« Kennedy, dem Bruder des Expräsidenten John F. und des früheren Kandidaten Robert Kennedy, die beide ermordet wurden. Sichtlich zitternd spricht er zum Parteitag. In seiner Autobiografie lese ich später, dass er gegen den Rat der Ärzte angereist ist, um dem Land eine letzte Botschaft zu hinterlassen: »So viele von euch waren mit mir, in glücklichen wie in schweren Zeiten«, wählt er mit Mühe seine Worte. »Wir haben Siege und Niederlagen erlebt. Aber wir haben nie den Glauben verloren, dass wir aufgerufen sind, das Land und die Welt zu verbessern. Im November wird einmal mehr die Fackel Amerikas einer neuen Generation übergeben. Die Arbeit beginnt von Neuem. Die Hoffnung wächst wieder. Und unser Traum lebt weiter.« Es waren Sätze, die auch John F. Kennedy einst seinen Wählern zugerufen hatte. Ted sieht nun in Obama den gleichen Hoffnungsträger, wieder für eine ganze Generation von Amerikanern.

Michelle Obama gibt sich danach in ihrer Rede erkennbar als treu sorgende Gattin und Mutter. Jeden Anschein einer politisch agierenden künftigen First Lady muss sie offenbar vermeiden. Das hat die Parteitagsregie so vorgesehen. Barack, der da noch in Kansas Wahlkampftermine wahrnimmt und erst später anreist, wird auf übergroßem Monitor hinzugeschaltet, umgeben von einer sorgsam ins Bild gerückten Gastfamilie.

»Ist sie nicht eine wunderbare Frau?«, flötet er von dort Michelle und dem Hallenpublikum zu. »Wir lieben dich, Daddy«, rufen die beiden Töchter zurück. »Ich euch auch. Nun aber ins Bett.« Ach, Amerika. Familientag in Denver, drehbuchgetreu.

Als stillen Star des Parteitags küre ich als Berichterstatter schon vorab die alte Mutter von Vizepräsidentschaftskandidat Joe Biden, die von ihrem Sitzplatz auf der Galerie aus ihren Sohn betrachtet. Einen leidgeprüften, raubeinigen Politiker, der früh seine Frau verlor und allein die beiden Söhne aufzog, lebenserfahren, beliebt in Amerikas Arbeiterschaft. Er spricht von der Würde, die man verliere, wenn man seinen Kindern vor dem Einschlafen nicht mehr glaubhaft sagen könne, »alles wird gut«. Und von den Härten des Lebens, vor denen man nie kapitulieren dürfe. Das habe seine Mutter ihn gelehrt. »Immer wenn mich die größeren Jungs vermöbelt hatten, sagte sie mir: ›Schlag zurück und geh deinen Weg!‹«, zitiert er sie. Da nickt sie feixend ihrer Sitznachbarin zu, und man kann von ihren Lippen lesen: »Ja. Das stimmt.«

Dann naht der Abschlussabend. Schon morgens stehen Abertausende vorm Stadion an, gespannt auf Obamas Nominierungsrede. Das Bühnenbild strotzt nur so vor altgriechischen Säulen, als breche eine neue Weltepoche an. Die Republikaner werden darüber bald Witze reißen. Doch was Obama den Amerikanern als Reformprogramm anbietet, werden die US-Medien weithin als »Meisterstück« beschreiben – weil er es eben nicht bei Emotionen belässt, sondern auch Kritik einbindet, nach Gemeinsamkeiten sucht, der Sache und der Ziele wegen, wo bisher nur Klüfte zwischen Lagern waren.

»Mag sein, dass wir uns nicht einig werden, was die Abtreibungsfrage angeht«, räumt er ein. »Aber vielleicht können wir dennoch erreichen, gemeinsam die Zahl der ungewollten Schwangerschaften zu verringern.« Dann zählt er mögliche Maßnahmen auf, von Hilfen für werdende Mütter bis hin zu erleichterten Adoptionsverfahren. Auch das Waffenrecht spalte das Land, konstatiert er. Doch sei womöglich machbar, dass zumindest halbautomatische, selbstladende Pistolen nicht mehr in den Händen Halbwüchsiger landeten. Gemeinsinn, nicht Spaltung und Konfrontation kennzeichnet Obamas Rede. Und das, was er schließlich »Amerikas Versprechen« nennt. »Unser Land hat mehr Schätze als andere, aber das ist nicht, was uns reich macht«, endet er. »Wir haben die mächtigste Armee, aber das ist nicht, was uns stark macht. Es ist der amerikanische Geist, der uns weitertreibt, der uns zusammenhält, der uns nicht nur sehen lässt, was sichtbar ist, sondern auch, wie es besser sein könnte. Dieser Geist ist unser größtes Erbe.«

Zugegeben, kurz ertappe ich mich danach bei dem Gedanken, dass jener Geist da doch schon mal mit besseren Staubsaugern beginnen könne. Doch tatsächlich hoffen an diesem Abend Millionen Amerikaner nicht nur, dass Obama ihr neuer Präsident wird, sondern auch, dass er die politische Kultur in Washington verändern wird.

Einer der kenntnisreichsten Wahlkampfinsider lehrt damals an der katholischen Pepperdine-Universität nahe Los Angeles. Er findet die Unterschiede so augenfällig, dass er das Lager wechselte – vom anfänglichen Gegner Obamas zu seinem Unterstützer. »Ich glaube, er hat das Talent, nicht wie ein Demokrat oder Republikaner zu regieren, sondern als einer, der die Lager verbinden kann«, sagt uns Douglas Kmiec, als wir ihn in Kalifornien befragen. Er habe es erlebt.

»Obama kann in einem Raum sein, wohl wissend, dass da nicht alle für ihn sind. Dann ermuntert er sie, ihm ihre stärksten Argumente zu nennen und seine schwächsten«, erinnert er sich. »Und am Ende des Treffens hat er einen Weg gefunden, mit dem alle einverstanden sind.«

Als ich nach einem Beispiel frage, nennt auch er die Abtreibungsfrage. »Es war sein Programm, das auch mir als Katholiken mehr Perspektive bot als das simple Pro-Leben-Bekenntnis der Republikaner«, erklärt er. »Da steht mehr über das Problem als in jedem anderen Parteiprogramm bisher. McCain beließ es dabei, dass er gegen Abtreibung sei. Aber immer mehr religiöse Wähler fragen: Was heißt das? Klärt ihr Jugendliche besser auf? Bezahlt ihr Schwangerschaftsbetreuung? Und Mutterschaftsgeld für Arme? Senkt ihr die Kosten, die bisher Adoptionen verhindern? Das greift tatsächlich die Ursachen auf. Sie können nicht mehr einfach ›Ich bin Pro-Life‹ sagen und denken, das reicht. Ich schätze, wir sind in einer Phase des Pragmatismus angekommen. Die Leute sind die Ideologien leid.«

Die Schubkraft, mit der US-Parteitage ihre Kandidaten

gewöhnlich in neue Umfragehöhen katapultieren, hält nach Denver jedoch nicht lange vor. Der Grund ist eine neue, aufsehenerregende Schachfigur, die John McCains Strategen nur Tage später auf das Wahlkampfbrett schieben: Sarah Palin.

Sie wird der strahlende Stern des Konkurrenz-Parteitags der Republikaner in Minneapolis. Mit schriller Stimme weckt sie vor allem Amerikas religiöse Rechte aus ihrer Lethargie. Viel Fahne, kaum Inhalt, wie selbst die eigenen Vordenker beklagen. Doch auch sie feiern die Gouverneurin aus Alaska als Wunderwaffe, als lang ersehntes Obama-Gegengift, noch dazu aus eigener Küche. Dabei hat sie programmatisch nur wenig mehr zu bieten als den volksnahen Slogan »Drill, baby, drill«, mit dem sie zu mehr Ölbohrungen drängt, und jede Menge Häme über den Widersacher und dessen Auftritte. Der Republikanerbasis aber genügt das völlig. Sie feiert ihre neue Heldin, die endlich liefert, was McCain nicht konnte oder wollte – raffinierten, aggressiven Wahlkampf.

»Es dürfte schon etwas mehr sein«, kommentiere ich später in den *Tagesthemen,* »als Obamas Reden als bloße Reden zu verspotten – und sich dafür selbst als Rednerin umjubeln zu lassen.« Doch eben das wird noch über Jahre hin die Linie der Partei bleiben. Statt an neuen, eigenen Antworten auf Amerikas Probleme zu arbeiten, ziehen es die Republikaner vor, künftige Wahlen eher zu Volksabstimmungen gegen Barack Obama zu machen.

Chicago in Tränen

Anfang November 2008 ziehe ich ein begehrtes Reporter-Los. Als beschlossen ist, dass wir die gesamte Wahlnacht nach Deutschland übertragen, mit Moderatoren im Washingtoner Studio und Live-Reportern sowohl bei John McCains Republikanern in Arizona als auch bei den Demokraten in Illinois, fällt mir die Außenposition Chicago zu, wo Obama und seine Familie auf das Wahlergebnis warten werden – zusammen mit 120 000 Anhängern im weitläufigen Stadtpark. Sie seien angereist, versichern sie uns dort immer wieder, »um Geschichte zu erleben«.

Zuvor durchstreifen wir noch Obamas Wohnviertel. Beim Bäcker sind Teigwaren mit Kandidatenkonterfei der Renner. Doch die Verkäuferin mag noch nicht wirklich daran glauben: »Al Gore hat auch mal zehn Punkte in Umfragen vorn gelegen«, sagt sie besorgt, »wir wissen alle, was danach passiert ist.«

Und Obamas Stammfriseur versichert, sein prominenter Kunde sei stets der gleiche Mensch geblieben. Er rede mit jedem, keine Allüren, immer freundlich. Ein Foto hält im Laden fest, wie er ihm einst die Kurzfrisur verpasste: »Er sagte mir: ›Ich muss eine Rede halten. Schau, dass ich gut aussehe.‹ Also tat ich's.«

Um die Reporterplätze auf der Pressetribüne, wo die internationalen TV-Kommentatoren fast Schulter an Schulter nebeneinanderstehen, ein jeder mit Blick in seine Kamera vor sich, gibt es endlose Rangeleien. Am Ende teile ich mir meine Position mit einer Kollegin des italienischen Fernsehens. Zweimal stündlich wechseln wir uns mit Live-Schaltungen ab. Dazwischen reden wir mit den Menschen in der Menge, hören Zwischenergebnisse, telefonieren mit unseren Sendestudios.

Als mehrere vorentscheidende Bundesstaaten an Obama gefallen sind, ist der Bann gebrochen. Keiner wartet mehr auf weitere Zahlen, nur noch auf den neuen Präsidenten. Dann endlich, als der zur Kundgebung durchgeschaltete US-Nachrichtensender CNN auf Großleinwänden das Prognosehäkchen bei Barack Obama setzt, brandet grenzenloser Jubel auf. Nie werde ich den Moment vergessen, als ich in die schwarze Kameralinse vor mir nach Hause berichte, wie Obama mit Frau Michelle und den beiden Töchtern Sasha und Malia Hand in Hand auf der Bühne erscheint, während neben mir Kollegen in allen Sprachen ähnlich reportieren wie ich selbst – und vor mir, gleich neben dem Kameramann, unserer sonst so besonnenen Producerin Valerie Hamilton plötzlich Sturzbäche von Tränen über die Wangen laufen. So sehr sie sich auch bemüht, nichts davon kann sie zurückhalten.

Kickstart in die Dauerkrise

Noch bevor Obama als Präsident vereidigt ist, fordert die anhaltende Wirtschaftskrise auch ihm richtungsweisende Entscheidungen ab. »Wir haben allein in diesem Jahr über eine Million Jobs verloren«, beginnt er seine erste Pressekonferenz, ohne zu wissen, dass sich die Zahlen bald noch um ein Vielfaches verschlimmern werden. Noch während die Monteure auf den Kapitolstreppen die Tribünen für die Übergabefeiern zusammenschrauben, sagt Obama ein weiteres Stimuluspaket von 100 Milliarden Dollar zu, pünktlich zu seinem Amtsantritt. Ein solcher »Kickstart«, der dem Land den Aufschwung bringe, erklärt er den US-Medien, sei nötig.

Auch Amerikas wankenden Autokonzernen General Motors, Ford und Chrysler, die mit in die Krise geschlittert sind, will Obama helfen, wenn auch nur unter strengen Auflagen. Ihre Absatzzahlen sind rapide gesunken, weil Kunden kaum noch an Bankkredite kommen und Großausgaben ohnehin immer mehr scheuen. Zugleich rächt sich der blinde Glaube aller an billiges Benzin. Nun, da auch an Amerikas Tankstellen die Preise steigen, fehlt den Konzernen die Spritspartechnologie, die umweltbewusstere Hersteller in Japan, Deutschland und Südkorea ihnen voraushaben.

Die Autobauer seien das Rückgrat der US-Wirtschaft, steht ihnen Obama dennoch zur Seite, denn jeder Wirtschaftsexperte weiß, dass ein Kollaps des Industriekerns in Detroit auch noch eine Unzahl von Arbeitsplätzen im Zuliefer- und Servicesektor kosten würde. Allerdings verlangt er von den Konzernmanagern einen neuen, grüneren Kurs und von den Arbeitnehmern Verzicht bei Einkommen und Altersbezügen. Tatsächlich wird er vor allem den Branchenriesen General Motors sichtlich verschlanken und so vor dem Zusammenbruch bewahren. Obwohl die Konzerne die Kredite zurückzahlen müssen, unterstützen die Republikaner ihn dabei nicht. »Bald käme hier jede Firma an, damit Uncle Sam ihr aus der Patsche hilft«, spottet ihr Abgeordneter Gresham Barrett und Multimillionär Romney fordert offen, die Konzerne getrost dem Bankrott zu überlassen.

Auch wenn Obama später dafür kritisiert wird, er habe seine Agenda falsch gesetzt: Die Tagespolitik nach seiner Wahl belegt das nicht. »Wir müssen handeln, und das schnell«, beteuert er früh. »Meine erste Aufgabe wird sein, Menschen zurück in Arbeit zu bringen.«

Da kommen von der Wall Street freilich schon die nächsten schockierenden Quartalsbilanzen: Milliardenverluste sowohl bei der Bank of America als auch bei der Citigroup. Um beide Megabanken steht es damit weitaus schlechter, als Fachleute befürchtet haben.

Unterdessen wirft der letzte Pressetermin George W. Bushs noch einmal ein Schlaglicht auf dessen moralische Erbmasse. Dass Amerika in seiner Amtszeit Glaubwürdigkeit verloren habe, sei nur die irrige Ansicht einer elitären Minderheit in Europa, bürstet er das Pressekorps ab.

Ob er vorhabe, etwa mit Blick auf Foltervorwürfe, auf den völkerrechtlich strittigen Irak-Krieg und Guantanamo, noch Wegbegleiter zu amnestieren, fragt ein akkreditierter Reporter. Antwort: »Darüber rede ich hier nicht.«

Einmal noch feiern

Selten berichten wir mehr aus Amerika als in diesen Tagen. Selbst von der Generalprobe der Inauguration liefern wir Reportagen. Sie zeigen Militärangehörige bei Stellproben in eisiger Nacht. Das Pentagon hat sie getreu der Körpermaße ausgesucht, einschließlich zweier Doubles für die Präsidententöchter. Jedes Händeschütteln, jeden Gang, jede Gebetszeile gehen sie durch.

Der hochgewachsene US-Sergeant Derrick Brooks, der den Präsidenten mimt, erzählt mir, er habe den echten Obama schon getroffen. »Er scherzte, meine Ohren seien nicht so groß wie seine«, lacht er breit. »In der Dienstmail hatte aber nach den Ohren keiner gefragt.«

Kurz nach zehn Uhr an einem kalten Januarmorgen 2009 fährt dann das Ehepaar Obama am Weißen Haus vor, um dem scheidenden Vorgängerpaar die Hand zu reichen. Danach nimmt ihr Konvoi Kurs aufs Kapitol. Entlang der Route und auf dem gesamten Grüngürtel drängen sich Hunderttausende. Einmal noch wollen sie gemeinsam die Geschichte feiern. Von der Sklaverei ins Weiße Haus, weiter könne kein Mensch gehen, sagen sie. Das sei Amerika. Bald hallt der Donner der Salutschüsse über dieses Meer von Menschen, die seit Stunden auf Obamas Amtseid warten.

»Wir sind die reichste und mächtigste Nation der Erde«, ruft er ihnen in der Antrittsrede zu. »Von heute an müssen wir aufstehen, den Staub abklopfen und Amerika neu aufbauen.« Statt alter Konfrontationen will er die Diplomatie stärken: »Wir sind Freunde jeder Nation und eines jeden Einzelnen, der Frieden und Würde sucht«, sagt er. Den Vormachtanspruch in der Welt gibt aber auch er nicht auf. »Amerika ist bereit«, kündigt er an, »wieder zu führen.«

Kaum einer registriert damals, in welche Fallhöhe sich Obama damit von Anfang an begibt. Gerade hat das Land dem kühnen Allmachtsanspruch des letzten Präsidenten abgeschworen, da verspricht der neue seinem in Superlative verliebten Volk, dass es von nun an beides zugleich sein könne: zuhörender Partner auf Augenhöhe einer aufgeklärten Weltgemeinschaft – und alleinige, voranschreitende Supermacht.

Unten, zwischen Washington-Monument und Lincoln-Denkmal, gehen die Reaktionen bereits auseinander. »Für mich ist er das größte politische Talent seit Jahrzehnten, aber vielleicht hätte er sich eine andere Zeit aussuchen sollen«, sagt uns ein älterer Mann ahnungsvoll. Ein jüngerer zählt dagegen euphorisch seine Erwartungen auf: »Ich möchte, dass er nun alle Fehler korrigiert, die in den Vorjahren gemacht wurden. Dass er die Soldaten heimholt, die Wirtschaft auf Kurs bringt und den Leuten wieder Arbeit gibt, die sie nicht mehr verlieren.« Sie werde geduldig sein, meint eine Dritte. »Hier lief zuletzt so viel schief. Es wird schwer, das alles zu ändern.« Drei Antworten, hier noch spontan geäußert, die erkennen lassen, was auf Obama wartet, sobald das Besser-als-Bush-Argument seine Anhänger nicht mehr zusammenhält.

Kurz darauf ordnet der Präsident als eine seiner ersten Amtshandlungen an, die Militärprozesse in Guantanamo auszusetzen. Auch sei den US-Geheimdiensten jede Art von Verhören untersagt, die als Folter angesehen werden könnten. Das Lager werde spätestens in einem Jahr geräumt. Es ist sein am klarsten formuliertes Versprechen zu Beginn der Amtszeit. Und das erste, das er nicht wird halten können.

Schon als er die Anordnung abzeichnet, schaut ihm die Welt über die Schulter, gespannt, was nun aus Amerika wird. Auch unsere Redaktionen in Deutschland geben ihm nicht einmal die üblichen 100 Tage Zeit, bis sie die erste Prüfbilanz einfordern.

»Er hatte einige Ausrutscher«, konstatiert Brookings-Beobachter Stephen Hess acht Wochen nach dem Wechsel im Weißen Haus. Zwei neue Minister waren da schon zurückgetreten, bevor sie überhaupt zu arbeiten begonnen hatten. »Aber Obama hat sich erholt, die Leute lassen ihm Spielraum«, ist Hess zuversichtlich, »sie sehen, dass er die Probleme angeht.«

Zuallererst gilt das weiterhin für die Finanz- und Wirtschaftskrise. Doch als Spitzenmanager, gegen zornige Appelle des Präsidenten, sich nun aus seinen Steuerhilfen ihren Millionenbonus sichern, wirkt er zum ersten Mal so, wie viele es nicht für vorstellbar hielten – schwach, hilflos und nur mit leeren Worten hantierend. Wie sollte er die Welt führen, wie er es eben noch versprochen hatte, wenn schon die eigenen verhassten Wall-Street-Banker ihn zum Narren hielten?

Umso härter trifft es danach den Konzernchef von General Motors. Obama zwingt ihn zum Abtreten. Mit den Stimmen der Demokratenmehrheit im Kongress kauft sich die Regierung bei GM und Chrysler ein, um aus ihnen in erstaunlich kurzer Zeit wieder marktfähige Konkurrenten zu machen. Der Ford-Konzern erneuert sich ohne Staatshilfen. Der Preis für Obamas Handlungsspielraum ist dennoch hoch: eine weitere Verschuldungssumme, die sich nun noch zum Riesendefizit der Bush-Jahre aus Kriegskosten und Steuergeschenken hinzufügt, begründbar allenfalls durch weitreichende Reformen, die sich später auszahlen sollen.

»Aber er hat tatsächlich große Pläne«, findet Hess, »nicht nur in der Wirtschafts- und Umweltpolitik, auch bei der Bildung, im Gesundheitswesen, bei der Infrastruktur des Landes.« Möge ja sein, dass ihm nicht alles gelinge, aber er gehe es zweifellos wie geboten an, im großen Stil und in höherem Tempo als die allermeisten seiner Vorgänger. »Als Politiker und Mensch wird die Welt ihn mögen«, prophezeit er, »unabhängig davon, ob sie Amerikas Einfluss als Großmacht mag. Jedenfalls hatten wir im Weißen Haus noch nie solch einen Weltbürger.«

Der Rechtsaußen-Republikaner Steve King aus Iowa hadert derweil weiter mit dem Wahlergebnis. Er glaube nicht, dass seine Partei nun rasch eine neue, aussichtsreiche Führungsfigur finden werde, sagt er. Dafür sei Obama zu populär und die Vorherrschaft der Demokraten im US-Kongress nunmehr zu deutlich. »Andererseits«, freut er sich, »haben wir nun keinen eigenen Präsidenten mehr im Weißen Haus, der zu viel Geld ausgibt und dessen Politik wir mit verteidigen müssen. Das war wirklich eine Bürde.«

Stephen Wayne, Politikprofessor an der Washingtoner Georgetown-Universität, glaubt ein »klares Statement Amerikas« zu erkennen, »dass es die Demokraten an der Macht sehen möchte«. Obama habe Bundesstaaten gewonnen, die seit Jahren republikanische Stammländer gewesen seien, wie Virginia, Florida und North Carolina. Und anders als McCain, dem viele Konservative eher pflichtschuldig die Stimme gaben, habe er seine Wähler begeistert. »Er ist ruhig und gefasst, progressiv, aber auch pragmatisch«, lobt er. »Er wird Politik weder nach rechts noch nach links verlagern. Aber sein Problem wird sein, dass er für Kompromisse die Zustimmung von allen Seiten braucht. Deshalb wird er zunächst auch kleine Schritte als Wandel verkaufen müssen.«

Tatsächlich versucht Obama in jenen Monaten, konservative Parlamentarier von seinen Vorhaben zu überzeugen, indem er sie als volkswirtschaftlich sinnvoll anpreist. Bis zum Sommer will er so vor allem die Gesundheitsreform durchsetzen. Und bis zum Herbst, also vor dem Klimagipfel in Kopenhagen, zudem neue Klimagesetze. »Wenn wir dazu in Amerika überhaupt eine Chance haben«, sagt uns ein regierungsnaher Berater unter der Hand, »dann nicht, weil wir von einer grünen Energiewende oder gar vom Vorbild Europa reden. Es gelingt nur, wenn wir vermitteln, dass die Reformen unserer Wirtschaft nutzen und damit im ureigenen nationalen Interesse liegen.«

Die Sicht der Nachbarn

Als im Kongress Obamas erste Rede zur Lage der Nation ansteht, klopfe ich an die Türen zweier Nachbarn. In deren Gärten waren mir während des Wahlkampfs bunte Schilder aufgefallen – eines für Obama, das andere für McCain. Ich fragte mich damals, ob sie wohl noch miteinander redeten. Nun will ich für die *Tagesthemen* das Ereignis aus Wohnzimmersicht verfolgen. Beide Familien sind einverstanden – solange sie nicht im selben Raum sein müssen. »Sie bekämen da wohl keine ehrlichen Reaktionen«, geben sie mir zu bedenken, »denn wir würden einander sicher nicht verletzen wollen.«

Ihre gute Nachbarschaft habe sich zuletzt den Grenzen der Belastbarkeit genähert, kokettieren sie. Ich bin einverstanden. Wir werfen eine Münze und starten bei den Obama-Freunden.

»Der Präsident darf nicht straucheln«, sagt die Gattin,

als dessen Rede beginnt, und wirkt angespannt. Derweil spricht Obama über die Bankenkrise. Wenn Finanzhäuser Boni auszahlen könnten, dann sei ihnen auch eine Bankensteuer zuzumuten, sagt er entschieden, zumal andere Steuerzahler sie gerettet hätten. Kopfnicken im halben Parlament und bei unseren Gastgebern vorm Fernseher. Wirtschaft und Finanzen also noch immer vor allem anderen?

»Der Schwerpunkt sitzt richtig«, sagt der Ehemann. Die Gesundheitsreform, die beide für ebenso wichtig halten, lasse sich gerade wirtschaftlich rechtfertigen.

Das tut Obama denn auch. Seine Reform spare im überteuerten Gesundheitssektor eine Billion Dollar in zehn Jahren ein. Zudem erhöhe er keinerlei Abgaben, sondern senke sie – für Familien und Mittelstand.

Dazu kündigt er neue Bildungs-, Job- und Forschungsinitiativen an, weil Amerika da nicht in der Welt zurückfallen dürfe. Dafür trügen auch die Republikaner Verantwortung. Zeit, das Haus zu wechseln. Gut möglich, dass der Nachbar das alles etwas anders sieht.

Vom Sofa aus blickt er mit seiner Teenager-Tochter lässig zum Fernseher, als Obama die Kostendeckelung etlicher Haushaltsposten zusagt – sobald die Wirtschaft wieder besser laufe. Die Tochter schaut ungläubig, der Vater zieht eine Augenbraue hoch.

Nächster Punkt des Präsidenten, der Klimawandel. »Den gab es doch schon immer«, winken beide ab. Auch Obamas Mahnung, dass grüne Technologien in jedem Fall die Märkte von morgen dominieren würden, ob mit oder ohne Amerika, erreicht die beiden nicht.

»Er will mehr Programme für Bildung«, sagt uns die Tochter, »und zugleich will er die Staatsausgaben deckeln. Wie soll das gehen?« Reden könne er ja gut, so auch der Vater. »Aber das reicht halt nicht.«

Am Gartenzaun treffen wir danach verabredungsgemäß die Nachbarn wieder. »Uns hat beeindruckt, wie entschlossen er war. Das musste er auch sein«, sagen sie. Die anderen beiden bestreiten das. »Wir hoffen eher, dass er endlich die Opposition mit einbezieht«, entgegnen sie. »Dann fällt es der auch leichter, ihm mal zuzustimmen.«

Darauf kann man sich als Kompromissformel verständigen. Man umarmt sich vor laufender Kamera. Und zitiert die Zeile, die hier jede Rede abschließt, vom Präsidenten bis zum Bürgermeister, und die zur Not das Land allein zusammenhält: »Gott schütze Amerika!«

5 Von Hass und Heiterkeit
Der Palin-Effekt

Da unsere Kinder eine amerikanische Grundschule besuchen, lernen wir etliche einheimische Eltern kennen. Darunter ist ein langjähriger Pentagon-Mitarbeiter, der dem Beraterstab der Bush-Administration angehörte. Schon im ersten Gespräch gibt er sich mir als derart glühender Anhänger Sarah Palins zu erkennen, dass ich beginne, ihn nach seinen Gründen auszufragen. Dabei bleibt das Gespräch stets nett und freundlich, ganz wie in den Mütterrunden neben uns, die Regularien rund um Ferienplan, Ausflüge und Schulessen erörtern.

»Die Demokraten haben keine Ahnung, wie Amerika in Wahrheit tickt, das hatten sie noch nie«, beendet mein Gegenüber schließlich sein Plädoyer. Ob es sein könne, dass seine Sympathie für Palin auch ein wenig von einer Antipathie gegen die Demokraten herrühre, frage ich noch. »Aber ja«, lächelt er da. »Ich hasse die Demokraten. Ich hasse sie alle.«

Später bestätigen mir Mitarbeiter des Außenministeriums, die den Demokraten nahestehen, bei einem Botschaftsempfang, dass sie mit konservativen Kollegen über viele Themen, darunter die Umwelt- und Energiepolitik, seit Jahren nicht mehr reden. Es sei Zeitverschwendung. Prompt erklärt mir kurz darauf einer der so Kritisierten über Häppchen und Sektgläser hinweg, dass der

Mensch ja auch nicht am Tod der Dinosaurier schuld sei. Mehr habe er zu den Klimazielen der Deutschen nicht zu sagen. Auch andere Washingtoner Insider bestätigen mir bald, wie unüberbrückbar die Gräben in der Bush-Administration gewesen seien. Dessen Chefideologen hätten aus sämtlichen wissenschaftlichen Arbeiten, etwa des nationalen Wetterdienstes oder der NASA, das Wort »Klimawandel« regelmäßig streichen lassen.

Auf einem »Wertekongress« der Republikanischen Partei, über den ich berichte, stoße ich auf die gleiche Front. Dort begrüßt ein riesiger Stoff-Eisbär die Gäste, dem ein Schild mit der Aufschrift »Klimawandel? Welcher Klimawandel?« um den Hals hängt. Danach versichern mir Moralhüter mithilfe von Kurvendiagrammen, dass Schulunterricht, wie Obama ihn wünsche, nicht zu weniger, sondern zu mehr Abtreibungen führe: »Oder wollen Sie etwa, dass ein Lehrer Schulkinder schon über Sex aufklärt?«

Am Stand nebenan werben sie ebenso energisch für den Endkampf gegen die Evolutionslehre. Als ich mich als Europäer zu erkennen gebe, schauen sie mich mitleidig an.

Als erster Politiker tritt Mike Huckabee auf, vor der letzten Wahl einer der Konkurrenten John McCains, und macht sich über Obamas Gesundheitsreform lustig. Natürlich müssten Versicherer Kranke ablehnen dürfen, lacht er. Er könne ja auch nicht mit einem kaputten Auto beim Kfz-Versicherer ankommen, schnell einen Vertrag abschließen, um dann mit einem Neuwagen davonzubrausen. Folglich würde er sich auch an Obamas neue Krankenversicherung erst wenden, wenn er sich das Bein gebrochen habe, und bis dahin hübsch den Beitrag sparen. Das Publikum grölt. Kein Wort davon, dass die Reform gerade deshalb eine Versicherungspflicht für alle vorsieht – eben wie eine Autohaftpflicht auch.

Tea-Party-Aktivisten, die wir auf einer Tour durch mehrere Bundesstaaten begleiten, ziehen noch ganz andere Register. Und machen damit deutlich, dass Obamas Wahl mitnichten der Ausdruck eines geeinten Landes ist, sondern für sie eher der Anlass, es noch tiefer zu spalten. Auf dem Luxusbus, in dem sie quer durch Amerika rollen, steht »Amerikaner für Wohlstand«, eine Organisation, hinter der – entgegen dem Klischee der unabhängigen Graswurzelbewegung – eine der reichsten Industriellenfamilien der USA steht: die milliardenschweren Gebrüder Koch, Besitzer eines Mischkonzern-Imperiums und bekennende Gegner jedweder Kapitalismusregulierung.

Ihr Hauptredner stellt sich als Dr. Lawrence Hunter vor. Wenn der Bus stoppt, seufzt er beim Aussteigen schon mal vor sich hin, »die Show« müsse nun wieder weitergehen. Selten kommen zu den Ortsterminen mehr als 50 Menschen, meist sind es zwischen 10 und 20. »Hauptsache, es ist jemand von der Zeitung und von der Radiostation da«, sagt er mir im Bus. »Dann findet die Botschaft schon allein den Weg.«

Die Botschaft, die er meint, ist einfach. Doktor Hunter hält eine unübersichtliche Grafik voller Textkästchen und Pfeile hoch. »Das ist Obamas Gesundheitsreform«, erklärt er den Zuhörern. »Wenn sie kommt, werdet ihr früher sterben.« Das sei Sozialismus wie in Europa oder Kommunismus wie in Russland. Wie überall eben, wo man als Kranker vergeblich auf Operationstermine warte. Amerika dagegen verfüge, wie alle wüssten, über das beste Gesundheits- und Wirtschaftssystem, das die Welt kenne.

Die bittere Wirklichkeit, der wir im Land immer wieder begegnen, sieht anders aus. Für den *Weltspiegel* berichtet unser Studio über Kinderarbeit auf Virginias Tabakfeldern, die Krankheiten wie Staublungen verursacht, und über einen 76-jährigen Arzt in Texas, der nicht in Rente gehen kann, weil er in der klammen Bezirksklinik die letzte Hoffnung für viele Kranke ist, deren Einkünfte nie für eine Krankenversicherung reichten – darunter Krebspatienten, denen er nur noch beim Sterben zusieht, weil Fachärzte sie abweisen. Der Grund ist ein willkürlich festgesetzter Armutsgrenzwert von 191 Dollar. Wer monatlich mehr zur Verfügung hat als diese, ist für den Bundesstaat noch immer nicht arm genug für die staatliche Fürsorge. Eine Klinik im notleidenden Südosten Washingtons ging gar dazu über, Bedürftige nicht mehr von Ärzten behandeln zu lassen, sondern von Medizinstudenten.

Trotzdem werden Obamas Demokraten in diesem Sommer von tumultartigen Wahlkreistreffen überrascht, in denen Bürger ihre Abgeordneten wegen der vorgesehenen Reform beschimpfen. Die Proteste, die die ganzen Parlamentsferien hindurch die Nachrichten beherrschen, verzögern Obamas Zeitplan erheblich. Bald tragen aufgebrachte Demonstranten Plakate durch Washington, die den Präsidenten neben Hitler, Lenin oder Stalin zeigen. Nach Banken und Autokonzernen, heißt es, wolle der Sozialist Obama nun auch die Krankenversicherung verstaatlichen. Und weil das Reformgesetz auf einer von über 2000 Seiten die Möglichkeit von Patientenverfügungen erwähnt, um selbst zu bestimmen, wie man im Alter mit dem Sterben umgehen möchte, sprechen die Kritiker von einem »Euthanasie-Plan«, der schlimmer sei als das Original des Dritten Reiches. Obama wolle, verbreiten sie, »bei Großmutter den Stecker ziehen«.

Auch die Aktivisten in ihrem Wohlstands-Bus, die täglich ihren Medienerfolg auswerten, finden das in Ordnung. »Wenn Sie Massen ansprechen wollen, ist es wichtig, komplexe Dinge zu vereinfachen«, belehrt mich Hunter, als wir wieder auf den Highway biegen. »Deshalb arbeiten wir mit griffigen Slogans.«

»Hitler als Wahlhelfer?«, frage ich zurück. »Ist das Ihr Ernst?«

»Der Faschismus mag für Sie als Deutscher ein sehr persönliches Thema sein, für Amerikaner ist er lediglich Geschichte«, gibt er sich jovial. »Wenn Sie hier länger Politik beobachten, werden Sie zu dem Ergebnis kommen, dass sie oft übertreibt, dass in der Tat ein großer Teil davon Theater ist.« Das hält er für eine einfühlsame Antwort, die ihn selbst entlastet und zugleich Verständnis für einen dünnhäutigen Reporter zeigt. Doch was er offen Theater nennt oder wie zuvor schon »Show«, nehmen die Zuhörer sehr ernst. Wann immer er ihnen von ihrem vorzeitigen Tod durch Obamas Politik erzählt, schütteln sie aufgebracht die Köpfe über den Präsidenten.

Nach Hunters nächstem Schreckensvortrag gehe ich mit meinem Kamerateam auf ein paar von ihnen zu. »Hier kommen sozialistische Deutsche, aus einem Land mit Krankenversicherung für alle«, scherze ich. »Ich dachte, vielleicht wollen Sie uns mal anfassen?«

»Ach so«, lächelt eine weiß gelockte Seniorin neben ihrem Mann zurück, »wir fragten uns schon, was Sie hier wollen.«

»Im Ernst, wir würden gerne wissen, was an einem umfassenden Krankenschutz so furchterregend ist«, sage ich.

Sie antwortet belustigt, dass sie sich vor gar nichts fürchte, weil sie eine gute Christin sei. Aber dass sie Obama noch nie habe leiden können. »Ich empfinde keinerlei Respekt vor ihm«, sagt sie. Der Ehemann bestätigt:

»Ich hätte nie gedacht, dass unser Land einmal so weit abdriften würde.«

»Im Fernsehen sagen sie das auch«, verabschiedet sich seine Frau. »Wir schauen nämlich immer Fox News. Denn die mögen Obama auch nicht.«

Zurück in Washington fragen wir einen früheren Berater Bill Clintons, was Obama falsch mache und wo seine Anhänger geblieben seien. »Viele dachten damals irrtümlich, es sei schon damit getan, ihn zu wählen, um alle Probleme zu lösen«, sagt Howard Paster. »Zudem braucht Obama nun einmal den Kongress. Und dem darf er nicht allzu viele Pillen auf einmal vorsetzen. Sonst spuckt der sie einfach wieder aus.«

Auch Diane Lowenthal von der American University interviewen wir dazu. »Wenn in einem Zwei-Parteien-System eine Partei derart besiegt wird wie die Republikaner«, erklärt sie uns, »dann überlegt sie sich, wie sie darauf reagiert. Die Republikaner haben sich offenbar entschlossen, dass sie schlichtweg weiter Wahlkampf machen.«

Dabei habe Obama bereits viel erreicht, auf vielen Politikfeldern, findet sie, »und das ohne viel Trommelwirbel. Nehmen Sie etwa die Garantie, dass Frauen und Männer für gleiche Arbeit gleich bezahlt werden müssen. Auch das war ein Wahlversprechen. Es war eines seiner ersten Gesetze.«

Erst nach Wochen in Schockstarre rappeln sich die Demokraten wieder auf. Als Senator Barney Frank, ein bei der Tea Party verhasster jüdischer Abgeordneter aus Massachusetts, in einem Bürgerforum von einer empörten Wählerin gefragt wird, wie er bloß mit seinem Gewissen vereinbaren könne, eine nationalsozialistische Politik zu unterstützen, kanzelt er sie rundweg ab. Er weigere sich, gerade wegen der Geschichte, die Frage ernsthaft zu diskutieren. »Ich kann Ihnen nur mit einer Gegenfrage antworten«, sagt er stattdessen. »Auf welchem Planeten leben Sie?«

Im Internet erzielt der Videoclip über Wochen Spitzenwerte – weil sowohl Obama-Freunde als auch -Gegner ihn genüsslich weiterreichen. Ein Anzeichen mehr dafür, dass Amerika, trotz aller Umfragebeteuerungen, eher die Konfrontation sucht als den Ausgleich.

Zurück im Ring

Dabei hatte der Wahlsieger Obama es besser machen wollen als zuletzt Bill Clinton. Dessen Versuch, das Gesundheitswesen zu reformieren, blieb schon in den Anfängen stecken, weil er und seine Frau Hillary sie dem Land von oben verordnen wollten. Die Bürger reagierten verängstigt, sorgten sich allein um den eigenen Bestandsschutz und nicht um ärmere Landsleute, die das kommerzielle Versicherungssystem ausschloss. Prompt gewann die konservative Opposition die Zwischenwahl in Clintons erster Amtszeit.

Obama hat den umgekehrten Weg gewählt: Er beauftragte sogar mehrere Parlamentsausschüsse gleichzeitig damit, überparteiliche Vorlagen zu entwerfen, damit die Reform auf breitem Konsens fußen könne – getreu seiner ursprünglichen Hoffnung, mithilfe beider Parteien Amerikas Probleme anzugehen. Was er dabei unterschätzte, war das ideologische Potenzial gerade einer Gesundheitsreform, das die politische Rechte nach ihrer Niederlage wie ein Geschenk zu nutzen wusste, statt dem verhassten Sieger die Führungsrolle zuzubilligen.

Seither steht Obama ebenso im Gegenwind wie zuvor die Clintons und kann nur noch zwischen düsteren Alternativen wählen. Drückt er die Reform gegen die Republikaner durch, trifft ihn der Vorwurf, er halte sein Versprechen nicht, ein versöhnender, ausgleichender Präsident zu sein. Gibt dagegen auch er die Gesundheitsreform auf, opfert er schon im ersten Jahr trotz klarem Wählerauftrag sein wichtigstes Projekt. Beides würde seinem Ansehen schaden, denn der Erfolgsdruck, der auf Obama seit dem Wahlsieg lastet, ist gewaltig. Erstmals sehen seine Gegner im US-Kongress den Präsidenten politisch in der Falle. Von nun an müssen sie ihm nur noch die Auswege verbauen.

Der Präsident entscheidet sich für die Reform – und beschließt, auch seinerseits den Dauerwahlkampf fortzusetzen. Vom Spätsommer an krempelt er wieder die Manschetten hoch und wirbt für seinen Plan. Und für die eigene Mehrheit.

»Es geht um hart arbeitende Amerikaner, die zu Geiseln ihrer Krankenversicherer geworden sind«, schaltet er auf die alte Vorwahlrhetorik zurück. »Die verweigern ihnen den sicher geglaubten Schutz oder erhöhen die Kosten, bis die Kranken ihn sich nicht mehr leisten können. Dieses System ruiniert Firmen und Familien. Und deshalb werden wir es reformieren.«

Auch Pointen setzt er, wie in den Hochphasen der Wahlkampagne: »Es gibt Fälle, in denen der Versicherungsschutz angeblich keine inneren Organe abdeckt, weil ein Patient als Kind einmal einen Unfall hatte. Bedenken Sie, wie viele Organe der Mensch hat. Vermutlich ist da nur noch unsere Haut versichert«, witzelt er, während die Zuhörer erheitert Beifall klatschen.

Auch er selbst stellt sich in Fragerunden nun den Gegenargumenten. »Wie sollen Versicherungen überleben, wenn ihnen der Staat Konkurrenz macht, der gar keine Profite erwirtschaften muss?«, fragt ihn jemand.

»Das funktioniert«, antwortet Obama. »Nehmen Sie private Zustelldienste. Die behaupten sich auch gegen die Post. Und warum? Weil sie einfach etwas besser sind. Das könnten dann auch Privatversicherungen.«

In Umfragen bleiben die Amerikaner dennoch skeptisch. Die Mehrheit findet weiter, Obama packe das Problem falsch an. Viele fürchten, das Gesetz würde zu teuer. Dennoch gibt der Präsident nicht auf. Lieber verzichte er auf eine zweite Amtszeit, legt er sich fest, als auf seine wichtigste Reform.

Ende August 2009 verlieren die Demokraten einen, der hätte vermitteln können: Senator »Ted« Kennedy. Mehr als jeder andere war er bis zu seiner Krebserkrankung die graue Eminenz der Washingtoner Politik. Nachrufe würdigen ihn als »liberalen Löwen«, der fest in der US-Linken verwurzelt war, und eben deshalb jederzeit zu den Konservativen hinübergehen und sie fragen konnte: »Was wollt ihr, damit wir uns einigen?« Stimmte er einem Deal zu, konnten andere Linke es erst recht tun. Kennedy genoss Respekt, denn er hatte alles erlebt und nichts mehr zu verlieren. Auch er hatte eine interne Kandidatur als Präsident verloren, war am Boden und hatte sich neu erfinden müssen. Er starb als einer der einflussreichsten Senatoren, die Amerika je hatte. Vor Fahnen, die auf Halbmast wehen, berichte ich am Todestag: »Gerade im Lagerstreit um Obamas nationale Gesundheitsreform, die auch Ted Kennedys politisches Lebensziel war, könnte er bald bitter fehlen.« Ich glaube bis heute, dass es stimmte.

In seiner Autobiografie hatte Kennedy festgehalten, wie sehr ihn der Parteienstreit an frühere Grabenkriege erinnerte. Noch in den Siebzigerjahren war er in Boston beschimpft und mit Steinen beworfen worden, weil Rassisten noch immer nicht zulassen wollten, dass weiße und schwarze Kinder gemeinsam in Schulbussen fuhren. Hasserfüllte Bürger hinderten ihn am Reden. Auf Kundgebungen mussten ihn Polizisten schützen.

Je öfter ich den Unmut, der Obama seit seiner Wahl entgegenschlägt, zu erklären oder zu bewerten habe, desto mehr frage ich mich, welche Vergleiche eigentlich angemessener sind. Solche mit der traditionell breiter ausgerichteten Sozialpolitik der Deutschen? Oder doch eher mit jenem Amerika vor gar nicht allzu langer Zeit, das seine fortschrittlichsten Präsidenten, Kandidaten und Bürgerrechtler einfach niederschoss? Ebenso, wie man von Obama enttäuscht sein könne, notiere ich einmal, könne man auch von den Amerikanern insgesamt ernüchtert sein, weil auch sie den Aufbruch der Wahlnacht nun nicht umsetzten.

Vielleicht müsse man ja schon als Wandel anerkennen, dass der erste schwarze Präsident der USA noch lebt, sagen mir Zyniker. Als in Arizona die demokratische Kongressabgeordnete Gabrielle Giffords nach einer Bürgerfragestunde von einem Amokläufer durch einen Kopfschuss niedergestreckt wird, schreckt der Gedanke viele, mitsamt dem Schock über das Attentat, das sechs Umstehende das Leben kostet, darunter ein neunjähriges Mädchen. Gifford selbst überlebt wie durch ein Wunder.

»Unsere Strecke ist noch lang«

Erst im November 2009, Monate später als geplant, stimmt das US-Repräsentantenhaus als erste Kammer über Obamas Gesundheitsentwurf ab. »Die Zeit ist reif, die Arbeit abzuschließen«, ruft er seine Partei zu Geschlossenheit auf. »In Amerika sterben jährlich 18 000 Menschen, die sich nötige Behandlungen nicht leisten können. Das

Gesetz erleichtert ihnen den Zugang zu Krankenschutz und es senkt die Kosten.«

Die Vorlage wird zwar angenommen und nimmt damit die erste Hürde. Doch die Republikaner und auch etliche Demokraten stimmen dagegen. Seinen Anspruch, als Präsident der Mitte zu regieren, muss Obama nun aufgeben. Ihm bleibt nur noch, die knappe Zeit bis zu den ersten Zwischenwahlen zu nutzen, um auf den Weg zu bringen, was ihm wichtig ist. Dass seine Mehrheiten bald schrumpfen werden, wenn nicht ganz wegbrechen, gilt als sicher. Wochen später bringt Senator Harry Reid die Vorlage auch in der zweiten Kammer ein. »Wir können jetzt die Ziellinie sehen«, sagt er. »Aber wir haben sie noch längst nicht überquert. Die Strecke vor uns ist noch lang.«

Tatsächlich kostet schon Kennedys Tod die Demokraten ihre Supermehrheit. Denn die sicher geglaubte Nachwahl im liberalen Massachusetts verspielen sie, noch bevor der Senat über die Gesundheitsreform abstimmt. Mit seiner ebenso treffenden wie geschickten Kampfparole, der Sitz gehöre weder den Kennedys noch den Demokraten, sondern dem Volk, dreht der republikanische Newcomer Scott Brown die Stimmung dort zu seinen Gunsten. Noch geschickter ist freilich seine Taktik, sich im Wahlkampf eher als parteiferner Unabhängiger zu gebärden denn als Republikaner. Die Tea Party hofiert ihn zwar – doch er ist klug genug, sein Schicksal nicht ganz in ihre Hände zu legen. Er weiß, dass er in Massachusetts so auf Dauer seinen Sitz wieder verlieren würde.

Dennoch ist die 60-Stimmen-Mehrheit der Demokraten im Senat dahin, die sie bisher vor einer Sperrminorität der Opposition bewahrt hat. Noch bevor Browns Wahl bestätigt ist, trifft sich Obama mit Reid und der Chefin des Repräsentantenhauses, Nancy Pelosi, zum Krisengespräch. Sollen sie die Gesundheitsreform doch aufgeben?

Sie entscheiden sich, sie weiter voranzutreiben. Zu nah sei man nun am Erfolg.

Selten lässt Obama so sehr erkennen, dass er zwischen zwei Rollen hin und her springt: Mal kämpft er als wortgewaltiger Redner für seinen Entwurf. Mal gibt er sich moderat, als wolle er nur staatsmännisch zwischen den streitenden Parlamentsflügeln vermitteln. Doch keine Rolle vermag er durchzuhalten. Mal wächst die Kritik an ihm, er sei zu forsch und gehe zu wenig auf die Gegenseite zu. Mal wirft ihm die Presse vor, er sei zu abgehoben, volksfern und professoral. Zudem macht er es so den Wählern schwer, sich auf einen Regierungsstil einzustellen. Je öfter er Kritikern nachgibt, desto mehr verwirrt er damit auch seine Anhänger.

Auch sein live im Fernsehen übertragener Versuch scheitert, zwei Parteidelegationen in einer stundenlangen Arbeitstagung einander näher zu bringen. Zwar brilliert er als Moderator und gibt sich bemüht defensiv, doch die Fronten bleiben unverändert. Wieder spalten nun millionenteure, hoch emotionalisierte TV-Kampagnen Amerika. Die Rechten warnen vor einer Ärztekrise. Die Linken prangern die tödliche Willkür des bisherigen Systems an.

Dann, im März 2010, wird nicht mehr Kennedy bespuckt, sondern Senator Barney Frank. Auf den Fluren des Kongresses erwartet die Reformbefürworter vor dem Schlussvotum ein Spießrutenlauf zwischen pöbelnden Protestierern – und kurz darauf im Sitzungssaal ein zornig wetternder John Boehner als republikanischer Minderheitenführer. Als wolle er beweisen, dass auch er ein Rüpel sein kann, schleudert er ungewohnt theatralisch der Regierungsfraktion entgegen: »Haben Sie das Gesetz überhaupt gelesen? Zur Hölle, nein, das haben Sie nicht!«

Als die Stimmen ausgezählt sind, bestärkt Präsident Obama seine Unterstützer noch in der Nacht: »Wir haben die Verantwortung nicht gescheut«, bedankt er sich bei ihnen, »und die Zukunft nicht gefürchtet, sondern geformt.«

Dennoch haben ihm schon die konservativen Demokraten Abstriche an dem Reformwerk abgerungen. Die neue öffentliche Krankenkasse, von der anfangs die Rede war, ist gar nicht mehr vorgesehen. Sattdessen soll eine Art Marktplatz ermöglichen, dass Käufern auch kostengünstige Versicherer zur Verfügung stehen. Umgekehrt muss sich dem Gesetz zufolge jeder US-Bürger nunmehr tatsächlich krankenversichern, damit die Solidargemeinschaft funktioniert. Ausgerechnet das wird den Gegnern die Hauptangriffsfläche bieten: Keinem Amerikaner, argumentieren sie bis vor den Obersten Gerichtshof, als ginge es um Cola oder Hamburger, dürfe eine Regierung vorschreiben, was er zu kaufen habe.

Interviewen oder schütteln?

Unsere Heimatredaktionen, wenn nicht die Deutschen insgesamt, verfolgen den Showdown um Obamas bisher wichtigste Abstimmung mit Unverständnis. Und gelegentlich fällt es auch uns Korrespondenten schwer, neutral über ein Industrieland zu berichten, das beharrlich eine der größten Errungenschaften der Sozialpolitik verunglimpft. Wie, so fragen wir uns auf Drehs mitunter gegenseitig, geht man als unabhängiger Beobachter mit Demonstranten um, die einem erklären, Obama sei schlimmer als die Nazis? Soll man ihnen wohlwollend das Mikrofon vorhalten oder muss man sie nicht eher schütteln? Bisweilen versuchten wir beides.

Für die Meinungsrubrik der ARD-Nachrichten, den *Tagesthemen*-Kommentar, ereilt mich der Auftrag, den historischen Tag, den Abstimmungserfolg des Präsidenten und den Widerstand in beiden Parteien zu bewerten. »Da sind wir doch gespannt, ob dem bösen Obama nun ein Hitlerbärtchen wächst«, verlege ich mich auf Ironie. »Und ob die Supermacht jetzt in den Sozialismus taumelt, nur weil sie sich leistet, Menschen auch dann noch Krankenschutz zu geben, wenn sie tatsächlich krank werden.« Wer vergessen habe, wie eigenwillig der US-Kongress stets war, der wisse es nun wieder. Amerika sei anders, auch das hätten die letzten Monate gezeigt.

»Für einen Großteil des Landes soll die Regierung nur Straßen bauen und Kriege gewinnen, sonst nichts, so weltfremd das auch ist.« Obama freilich werde noch mehr Kompromisse machen müssen, als den Europäern lieb sei – beim Klimaschutz, bei der Bankenregulierung, bei Terrorprozessen. »Aber seien wir fair«, schließe ich, »seinem Vorgänger haben wir vorgeworfen, er tue so, als könne er allein die Welt regieren. Wir sollten Obama nicht vorwerfen, dass er es nicht kann.«

Gestützt auf Parteikenner sage ich einen Richtungsstreit nicht bei den Demokraten, sondern bei den Republikanern voraus. Sie sollen recht behalten.

Strömen im Vakuum

Zwischenzeitlich zeigt ein internes Strategiepapier der republikanischen Parteiführung, das zufällig nach außen dringt, wie gut flankiert die zurückliegenden Bürgerproteste vermutlich waren: Die Partei habe durch Obamas Wahlsieg sowohl das Weiße Haus als auch Senat und Repräsentantenhaus verloren, hielt die Vorlage fest.

Dann empfahl sie als einzig erfolgversprechende Strategie: »Angst wecken« und »extrem negative Gefühle gegen die Obama-Administration«. Die Posterentwürfe, die den neuen Präsidenten mit clownesker Sozialisten-Fratze zeigen, gab es als Muster gleich dazu.

Tatsächlich wird Obama von nun an erst recht als angeblich unamerikanischer Präsident gebrandmarkt, dessen Wiederwahl das Land verhindern müsse. Der Graben zwischen liberalen und konservativen Abgeordneten, auch in der Demokratischen Partei, ist nur noch tiefer geworden. Manche erinnert die Unruhe an die Sechzigerjahre, als ein ebenso zerstrittener Kongress neue Bürgerrechte für die Schwarzen beschloss – auch gegen den Widerstand der sogenannten Dixie-Demokraten aus dem Süden. Auch darauf blickte Kennedy vor seinem Tod zurück. »Wir wussten damals, dass unsere Partei einen hohen Preis bezahlen würde«, schrieb er auf. Präsident Lyndon B. Johnson habe es vorhergesagt und recht behalten. Selbst wenn er die Abstimmung gewinne, würden die Demokraten die Südstaaten eine ganze Wählergeneration lang verlieren.

Dennoch hatte Johnson, ebenso wie jetzt Obama, die Mehrheit des Kongresses davon überzeugt, dass die Reform richtig sei – egal, ob es sie zu Hause den Wahlkreis koste oder nicht. Ihre Hoffnung aber, dass der Erfolg Obama nun genauso stärken würde, wie eine Niederlage ihn geschwächt hätte, erfüllt sich nicht.

Indes übersehen in jenen Wochen viele, dass der recht durchsichtige Anti-Obama-Kurs die Republikaner nicht so sehr vereint, wie sie es vorgeben. Der konservative Publizist George Will erläutert uns dazu die Hintergründe. »Die Republikaner hatten schon vor der Präsidentschaftswahl Probleme mit höher gebildeten Schichten, Menschen mit College-Abschluss oder mehr«, sagt er. »Hier liegt die Gefahr durch eine Galionsfigur wie Sarah Palin. Sie verprellt diese Wähler und erschwert es der Partei, sie zu erreichen.«

Auch George W. Bushs früherer Redenschreiber, der Historiker David Frum, traut dem öffentlichen Tea-Party- und Palin-Wirbel nicht und sieht seine Partei auf dem falschen Weg. »Sarah Palin hat seit ihrer Nominierung als mögliche Vizepräsidentin in Wirklichkeit mehr und schneller ihren politischen Kredit verloren als jede andere Führungsfigur zuvor, vor allem bei Amerikas Frauen«, konstatiert er. »Selbst jede zweite unserer eigenen Wählerinnen gibt an, Palin tauge nicht als Präsidentin.«

Zwar freut sich auch George Will über die Tea Party als »aktive, energische Bewegung«, die sich für klassisch republikanische Themen wie »weniger Staat und weniger Regulierung« stark mache. Konservative wie er trügen das förmlich in ihren Genen, schwärmt er. Dennoch fehlt ihm bei den Republikanern Substanz. Gerade das Phänomen Palin sei dafür ein Symptom. »Sie ist das, was einer Partei passiert, wenn sie ein Vakuum hat«, analysiert er nüchtern. »Sie strömt förmlich in dieses Vakuum hinein. Sie ist telegen, für manche aufregend. Aber sie wird nie Präsidentin.«

So sehr Sarah Palin Amerikas Rechte mobilisiert hat, die große Mehrheit findet sie eher peinlich. Dazu trägt sie freilich immer wieder selbst bei. Auf die Interviewfrage nach ihrer außenpolitischen Kompetenz fällt ihr als Antwort lediglich ein, dass es in ihrem Bundesstaat Alaska Orte gebe, von denen aus man Russland sehen könne. McCain-Vertraute beklagen später, Palin habe Afrika nicht für einen Kontinent, sondern für ein Land gehalten. Und ausgerechnet nachdem sie Obama genüsslich als »Charismatiker, der vom Teleprompter abliest« verspottet hat, wird sie selbst dabei erwischt, wie sie bei

Weites Land: Blick über »Big Sky Country« Montana

»Und ich bin Donald Duck«: Besuch bei Roadie George W. Bush

Instant-Klinik: Helfer und Patienten beim Erstgespräch

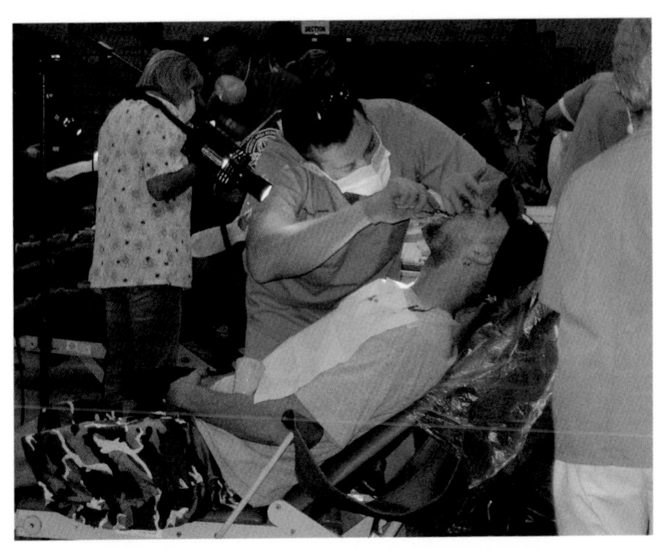

»Sie sind meine letzte Hoffnung«: Zähneziehen im Sekundentakt

Luxus Krankenversicherung: Brian und Vickie Halse

Chicagos längste Nacht: Vor der Wahlparty 2008

Live zum Sieger: Die neue First Family (im Hintergrund)

Schicht-Ende: Mit Producerin V. Hamilton und Cutter H. Immel

Erstklässler Alferd: »Die Republikaner sind für die Reichen«

Geschichten vom Wind: Curly Bear vor dem Häuptlingsberg

Entspanntes North Carolina: Dünenhäuser in den »Outer Banks«

Farmland: Historischer Bauernhof in Vermont

Der neue Wahlkampf: Einsatzort Columbus, Ohio, 2012

Kennedys Küste: Segler vor Maine

einem Fernsehgespräch ihre vorbereiteten Antworten heimlich von der Hand abliest. Als ihr Gegenüber wissen möchte, welche drei Probleme sie als Präsidentin zuerst angehen würde, beginnt sie, wie ihre Stichworte es vorsehen: »Wir müssen die Ausgaben kürzen und nicht nur ein paar Haushaltsposten einfrieren.« Punkt zwei entnimmt sie dann schon stockend ihrer Innenhand: »Und Energieprojekte fördern.«

Weil auch den Kameras das nicht entgeht, verbreiten US-Medien per Ausschnittvergrößerung, was noch alles dort stand. »Energie« und »Steuern senken« hieß es da. Ein weiteres Stichwort hatte Palin durchgestrichen. Stattdessen ist zu lesen: »Stimmung heben.«

Nimmt man das darauffolgende Pressebriefing im Weißen Haus als Maßstab, ist ihr Letzteres durchaus gelungen. Am nächsten Tag erscheint dort ein gut gelaunter Regierungssprecher Robert Gibbs, um die Palin'sche Steilvorlage einzuköpfen: Bevor er zu den Themen des Arbeitstages komme, wolle er noch kurz erwähnen, was er sich am Morgen Wesentliches aufgeschrieben habe, grinst er und hält den Korrespondenten seine Handfläche entgegen. »Eier, Milch und Brot«, liest er ab. »Eines habe ich durchgestrichen, aber hinzugefügt, um es nicht zu vergessen: Hoffnung und Wandel.«

Palins Anhänger schweißt das nur noch enger zusammen. Wer nun zu ihren Auftritten erscheint, reckt ihrem Rednerpult solidarisch eine Hand entgegen, voller Stichworte in Krakelschrift. Um ihr wirklich gerecht zu werden, hätte ihr Kritiker George Will zwei weitere Eigenschaften zuschreiben müssen: heiter und unterhaltsam. So richtig Obama mit seiner Unterstellung gelegen haben mag, dass der weiße Mittelwesten verbittert über seinen ökonomischen Abstieg sei: Palin hat von dieser Verbitterung gezehrt, ohne sie selbst auszustrahlen. Denn kaum jemand kopierte so schnell Obamas Vorwahlstrategie wie sie. Auch er hatte nie negativ wirken dürfen, nie wie der nur verbissene Vorkämpfer einer Minderheit.

Zugleich lernte Palins Tea Party von Obamas Kampagnenmanagern, wie man Online-Netzwerke knüpft, um schnell und millionenfach Anhänger zu mobilisieren. Der Unterschied ist, dass Obama dazu seinerzeit auch ein konkretes politisches Programm bot, wo Palin nur kurzweilig und keck war. Das half ihr zwar in die kommerziellen Medien, die an der Polarisierung gerne mitverdienten. Doch sobald ihr Strohfeuer verbrannt war und der Rauch sich lichtete, war nur noch Obama übrig – und erschien so noch solider als zuvor. Einer, der das früh erkannte, war Bill Clinton, der mitten im Palin-Hype überraschend prophezeite: Obama werde »um Längen« die Wahl gewinnen.

Doch gerade wer Palins Unzulänglichkeiten kritisiert, muss anerkennen, wie viel sie aus ihrem Potenzial gemacht hat. Sie wurde Millionärin. Sie bestimmte lange, selbst als sie gar kein Amt mehr innehatte, die Tonlage des rechten Lagers. Und sie scharte selbstbewusste, lautstarke Anhänger um sich, die so den Eindruck weckten, sie repräsentierten Amerika mehr als alle anderen. Jeder Fehler, den ihr die etablierten Medien nachwiesen, machte ihre Fans nur trotziger. Denn ihr fehlbares Idol war ihnen somit nur noch ähnlicher, schien fest im Volk verwurzelt, mithin eine von ihnen.

News, Lärm und Hundepfeifen

Tatsächlich ist Palins Erfolg ohne Amerikas Medienlandschaft nicht zu erklären. Denn wer in den US-Kabel-Networks täglich die Nachrichten verfolgt, wähnt sich mitunter wie in einer Endlos-Talkshow. Sobald harte News die dicht getakteten 24-Stunden-Strecken nicht mehr füllen, folgen sie nur noch Unterhaltungsregeln. Wer polarisiert, belebt die Sendung. Wer Nebensätze braucht, um seine Position darzulegen, gilt als blass. Keine Politsendung ohne den beiden Lagern zugeordnete Experten, deren Analyse schon abzusehen ist, bevor sie überhaupt beginnt. Amerikas Spaltung, so erscheint es mir Jahr um Jahr mehr, ist nicht das Ergebnis eines Diskurses, sondern der Ausgangspunkt.

Dazu kommt eine neue Marktdynamik, seit sich mit Fox News ein Sender auf dem Kabelmarkt behauptet, der nie wirklich den Anspruch hatte, Fakten und Meinungen zu trennen und journalistisch wenigstens halbwegs ausgewogen zu berichten. Stattdessen liefert er dem rechten Publikum sogar beim News-Konsum allein die Weltsicht, die es bestätigt sehen will. Andere Kanäle wie MSNBC reagieren darauf mit ähnlichen Meinungsshows, nur eben von links. Die Ware Information droht so mehr und mehr zum beliebig gestaltbaren Konsumentengut zu werden, je nach Geschmack des Zuschauersegments.

Im Sommer 2010 geht Fox News freilich noch weiter – und lässt seinen Starmoderator Glenn Beck den Gipfel des Polarisierungs-Entertainments stürmen. Der Fernsehmann, der Obamas Gesundheitsreform schon mal mit dem Angriff der Japaner auf Pearl Harbour gleichsetzt und dem Präsidenten unterstellt, er hege »im Grunde seines Herzens« einen »Rassismus gegen Weiße«, ruft seine Zuschauer erstmals zu einer Massenkundgebung in Washington auf, um, so wörtlich, »Amerikas Ehre wiederherzustellen«. Damit schafft sich der Sender die Ereignisse gleich selbst, über die er dann als News berichtet.

»Wir wussten lange gar nicht, was wir euch hier sagen sollten«, kokettiert der Medienprofi nun zugleich von der realen Bühne und im Live-Programm des Senders. »Aber dann ging ich auf die Knie und betete. ›Gott, ich bin nicht klug genug!‹ Da sagte mir Gott: ›Du hast alles. Du musst es nur zusammenfügen.‹« Das tut er denn auch – indem er Gastrednerin Sarah Palin auf die Bühne bittet, die inzwischen ebenfalls bei Fox News unter Vertrag steht. »Macht diesen Tag zum Wendepunkt«, fordert sie die Menge auf, »ihr seid doch alle Amerikaner.«

Rein zufällig sei sein Kundgebungstermin auf den Gedenktag für den schwarzen Nobelpreisträger Martin Luther King gefallen, hat Organisator Beck zuvor beteuert, obwohl ihm das kaum einer abnahm. Das brachte ihm weitere Schlagzeilen mit Werbeeffekt. So sammelten sich vor dem Lincoln-Denkmal, wo King einst seine »Ich habe einen Traum«-Rede hielt, Beck-Freunde statt Bürgerrechtler. Tatsächlich lassen auch die Teilnehmer kaum Zweifel daran, was sie als Botschaft der Kundgebung verstehen. Fast jeder, den wir fragen, wann denn Amerikas Ehre seiner Ansicht nach verloren ging, antwortet: »Mit Obamas Wahl.«

Medienprofessor Frank Sesno von der George Washington University, der bei CNN lange selbst als Journalist auf Sendung war, sieht mit Becks Auftritt eine neue Grenze überschritten. »Dass ein Nachrichtenmann und Kommentator zugleich als politischer Mobilisierer und Organisator aktiv wird, ließ die Branche bisher nicht zu«, sorgt er sich. Auch die Selbstverständlichkeit, mit der durchsichtige Gerüchte in Amerikas Nachrichtenkanälen inzwischen Karriere machen, beklagt er. Gerade war Obama wieder wegen des Vorwurfs unter Druck geraten, er sei »insgeheim« ein Moslem und kein Christ, wie er behaupte. Selbst die seriöse *Washington Post* bat da im Anschluss an die Zeitungsmeldung zur Online-Diskussion über Obamas Glaube.

»Kontroversen verkaufen sich nun mal besser als Sachinformationen. Im Internet gilt das erst recht, und als Problem drängt es damit noch mehr«, sagt Sesno. »Die Fähigkeit der Medienmacher, einmal stopp zu sagen und nachzudenken, was eigentlich noch Information ist und was nicht, ist förmlich erdrückt worden durch all den Wettbewerb und all die Meinungsmacher, die von außen drängen.« Wenn Nachrichten aber durch bloße Stimmungsmache ersetzt würden, fehle dem Publikum die Quelle, um sich zuvor mit Fakten zu versorgen. »Die Verantwortung hat sich sozusagen aus der Redaktion ins Wohnzimmer verlagert. Nun müssen die Zuschauer selbst entscheiden, was Information ist und was Meinung oder gar nur Lärm.«

Doch auch Altvordere der Republikaner nehmen die Grenzverschiebung gern in Kauf, solange sie Obama schadet. Als Umfragen belegen, dass immer mehr Amerikaner die Religionsgerüchte ernst nehmen, fragt ein NBC-Moderator im Sonntagsinterview den Senats-Minderheitenführer Mitch McConnell: »Warum zweifeln immer mehr Amerikaner an Obamas Konfession? Wir wissen alle, dass er kein Moslem ist.«

Doch statt klarzustellen, dass derlei Vorwürfe Unfug sind, und damit Politik von Klatsch zu trennen, antwortet McConnell nur: »Ich denke, was die meisten Amerikaner anzweifeln, ist Obamas Glaube an seine Wirtschaftspolitik.«

Der New Yorker *Newsweek*-Kollege Jonathan Alter erklärt uns danach, dass McConnells Reaktion in Fachkreisen als »Hundepfeife« gelte. »Statt die Tea Party zum Maßhalten aufzufordern, hat er ihr so im Gegenteil signalisiert, dass gegen Obama jeder Vorwurf erlaubt ist«, sagt er. »Das war unverantwortlich.«

»Nicht ausgereift«

Ausgerechnet der einstige Wahlkampfstratege George W. Bushs, Karl Rove, der Palins Tea Party nach Kräften unterstützt, ist der Erste, dem wegen des Substanzverlustes der Partei der Kragen platzt. Im Haussender Fox News sorgt er sich erstaunlich offen um den Geisteszustand der republikanischen Eliten. Grund ist die interne Kampfkandidatur der schillernden Tea-Party-Kandidatin Christine O'Donnell gegen den weit aussichtsreicheren Altkonservativen Mike Castle um den Sitz des Bundesstaates Delaware im US-Senat. O'Donnell ist bis dahin eher dadurch aufgefallen, dass sie Masturbation als Sünde verdammte, ihre Schulden nicht bezahlte und Hexenkult betrieb. Doch seit Palin sie mit Tea-Party-Weihen gesegnet hat, erstürmt ihre rechte Fangemeinde mit messbarem Erfolg den Mini-Staat. »Es kommt eine Welle auf Delaware zu«, verspricht ihnen O'Donnell freudig. »Wir werden diese Welle reiten. Mein Gegner aber wird darin ertrinken.«

Als die Partei O'Donnell tatsächlich nominiert, beklagt Rove unverblümt, dass seine Parteifreundin »Verrücktes« von sich gebe. Wer solche Leute aufstelle, werde den Senat nie zurückgewinnen. In einem Presseinterview formuliert er vielsagend, die Tea Party sei »intellektuell noch nicht ganz ausgereift«.

Doch da ist der Palin'sche Geist, an dem die Parteirechte sich so gern berauscht, längst aus der Flasche. Nach dem Prototypen Palin und dem Kurzzeitmodell O'Donnell wird er Amerika nunmehr in dichter Folge Ableger bescheren, die bald auch als Präsidentschaftskandidaten wie Wunderkerzen abbrennen – effektvoll zunächst, aber erkennbar ohne lange Leuchtkraft. Derweil zeigen sich die Tea-Party-Wortführer von Roves Standpauke wenig beeindruckt. Auch ihren Senatskandidaten in Alaska, Joe Miller, stützen sie gegen jede Kritik – nachdem er sich, frei von Sachkenntnis, mit der Forderung blamiert hat, die Grenze zu Mexiko »durch eine Mauer gegen Einwanderer« zu sichern, »wie es schließlich auch Ostdeutschland hinbekommen hat«.

Jagdszenen in Sioux Falls

Unterdessen drückt Obama mit der Finanzreform sein nächstes Gesetzeswerk durch den US-Kongress. Großbanken sollen künftig wieder das Kundengeschäft vom Investmentbanking trennen, damit die Staatshaftung für Spareinlagen nicht länger auch den Hochrisikobereich abdeckt. Überhaupt soll kein Geldhaus mehr zu einer Größe heranwachsen, die im Falle einer Pleite eine Finanzkrise auslösen würde. »Too big to fail« – zu groß, um zu scheitern – dürfe künftig für keine Bank mehr gelten. Zudem soll eine Verbraucherschutzbehörde die Interessen der Bankkunden vertreten.

Amerikas Wutbürger, die schon gegen die Gesundheitsreform rebellierten, zeigen sich auch dafür nicht eben aufgeschlossen. Im Gegenteil: Die Antiregierungsparolen der Tea Party prägen vor den ersten Kongress-Zwischenwahlen Obamas Präsidentschaft mehr als alles andere. Für einen Hintergrundbericht fliegen wir nach South Dakota. Denn dort nehmen gleich zwei Kandidatinnen an Sarah Palin Maß: Die demokratische Amtsinhaberin und ihre republikanische Rivalin, die beide darum wetteifern, wer politisch weiter vom Präsidenten und von Washington entfernt ist.

Die warme Oktobersonne glitzert in den Pfützen der Schotterwege zwischen riesigen Feldern und einsamen

Farmen. Kein Berg, kein Wald versperrt die Weitsicht. Nur ein paar Mais-Areale haben die Anwohner noch mannshoch stehen lassen. Nicht weil sie mit der Ernte in Verzug sind, sondern weil in South Dakota der Höhepunkt der Jagdsaison bevorsteht: das Fasanen-Schießen. Aus halb Amerika kommen in diesen Wochen Gäste an. Manche Mitreisende hielten wir wegen ihrer Flachkoffer am Regionalflughafen noch für Musiker mit E-Gitarren. Bis sie ihre neuesten Jagdwaffen verglichen und uns ihre Outdoor-Kleidung auffiel.

Nun reihen sie sich am einen Ende eines Maisfelds mit angelegter Flinte auf, während die Treiber vom anderen Ende her lautstark hindurchmarschieren, um die Wildvögel aus dem Gestrüpp zu scheuchen – genau auf die Schützen zu. Dann fallen ein, zwei paffende Schüsse, ein Wölkchen Federn stobt am Himmel auseinander, bis der plumpe Vogelkörper auf dem freien Feld aufschlägt, während der brave Hund schon in die Richtung eilt.

»Für uns ist nur Weihnachten schöner«, sagen die Männer um Jagdleiter Mark Kuipers. Sie sind keine verbohrten Waffen-Fetischisten, die hier blind um sich ballern würden. Sie sind Traditionalisten, Naturfreunde, die meisten Konservative, manche auch Wechselwähler. Einmal jährlich treffen sie sich, füllen die Sporthalle, heißen die ortsfremden Besucher willkommen, essen zusammen und verabreden sich für den nächsten Morgen an einer der Mais-Inseln im Umland. Dem strukturschwachen Bundesstaat füllte das jährliche Geflügelschießen lange die Kassen. Fasanen gibt es genug. »Früher kamen hier Gruppen aus Alabama an, Betriebsausflüge, es war der Bonus des Chefs an seine Mitarbeiter«, sagt uns Kuipers. »Aber seit der Wirtschaftskrise sind es meist nur noch eine Handvoll Leute. Wer seinen Job verloren hat, kommt gar nicht mehr. Die Menschen sparen, wo es geht.«

Weil er selbst Geschäftsmann ist, kennt er solche Zwänge. Im nächsten Ort betreibt er den »Hardware Store«. Gerade auf dem Land ist das mehr, als die unzulängliche Übersetzung »Eisen- und Haushaltswaren-Laden« ahnen lässt – nicht nur, weil hier auch Jagdgewehre und Munition über den Tresen gehen. Er ist Treffpunkt, Diskussionsforum und Klatschbörse zugleich. Wenn hier über die Politik in Washington geredet wird, ist immer Jagdsaison.

»Es waren die Banken, die uns die Misere eingebrockt haben«, meint ein Kunde, als wir in Kuipers Laden die Kamera aufgebaut haben. Zwei weitere geben ihm recht. Alle scheinen sich in ihrem Grundgroll einig.

»Entschuldigung«, werfe ich ein und gebe mich als Hauptstadt-Reporter zu erkennen, »wenn Obama den Finanzsektor wieder mehr regulieren möchte, heißt es aber, das sei zu viel Staat. Was kann er denn dann tun?«

»Regeln für die Banken sind ja schön und gut«, meint eine Frau. »Trotzdem sorgen wir uns, dass sich die Regierung immer mehr in alles einmischt. In den letzten Jahren hat sie schon in die Autofirmen und in die Krankenversicherung hineinregiert. Es kommt einem ja vor, als hätte sie überall die Finger drin.«

Der Nebenmann nickt. »Vor allem über die Gesundheitsreform reden die Leute. Sie verstehen nicht, wie sie funktionieren soll.«

»Aber damit ist er angetreten und gewann klar die Wahl«, wende ich ein.

»Nicht bei uns«, sagen sie da.

»Was ist denn Ihnen am wichtigsten?«, frage ich weiter. »Die Staatsschulden zu senken, die Arbeitslosigkeit oder die Steuern, wie es die Republikaner fordern? Alles zugleich dürfte kaum gehen.«

»Mir machen die Schulden Angst, all die Billionen,

die es inzwischen sind«, sagt Kuipers. »Als Unternehmer könnte ich nie so wirtschaften.«

Aber ist das ohne Steuermehreinnahmen, zumindest von den Top-Verdienern, wie es Obama vorschlägt, wirklich zu ändern? Da reiben sie sich alle das Kinn. »Mag sein, dass es nicht machbar ist«, seufzt nun wieder die Kundin. »Aber wer zahlt schon gerne Steuern?«

Glühbirne statt UNO

Im Ort werben Plakate für beide Kandidatinnen. Die Amtsinhaberin Stephanie Herseth Sandlin ist zwar Obamas Parteifreundin, legt aber in ihren TV-Spots Wert auf Distanz zu ihm: »Ich habe gegen die Rettung der Banken gestimmt, gegen seine Gesundheitsreform und gegen Klimagesetze«, erklärt sie vor antikem Schreibtisch und eingerolltem Sternenbanner.

Rivalin Kristi Noem posiert als Wahlkämpferin derweil vor ihrer Ranch. Und verspricht schnörkellos: »Ich werde in Washington das Nötige tun. Die Staatsschulden senken, die Ausgaben kürzen, die Gesundheitsreform stoppen und Arbeitsplätze schaffen.« Alles in einem Satz, als sei es nur eine Willensfrage.

Zwar stemmt sich Herseth Sandlin manchen allzu einfachen Wahrheiten des Tea-Party-Lagers entgegen. »Meine Gegnerin dreht die Dinge, wie es ihr gerade passt«, versucht sie in Interviews anzugreifen. »Sie wirft mir vor, dass ich für Obamas Wirtschaftshilfen an die Bundesstaaten gestimmt habe. Aber das Geld haben ihre Parteikollegen gern genommen – um dann für sich zu reklamieren, sie hätten als Konservative daheim den Haushalt ausgeglichen. Und zugleich verlangt der republikanische Gouverneur von South Dakota mehr Bundeszuschüsse für die

Sozialversicherung.« Doch in diesen Zeiten wirken Herseth Sandlins Konter längst so sperrig wie ihr Name.

Zeitungsreporter Jonathan Ellis, der von der Universitätsstadt Sioux Falls aus das Duell seit Monaten beobachtet, spricht von einem klaren Trend gegen alle, die derzeit einen Parlamentssitz innehaben. »Das hier sind Anti-Amtsinhaber-Wahlen«, erklärt er uns in der Redaktion des Traditionsblattes *Argus Leader*. »Sowohl in den ländlichen Gegenden als auch in den Zentren, wo die Arbeitslosigkeit noch höher ist, gilt ganz klar nur noch das Motto: Werft sie alle aus den Ämtern. Wählt neue Leute. Die können nur besser sein.«

Als Leitfiguren gälten weithin die Tea-Party-Wortführer, die mal das Bildungsministerium schließen wollten, mal die nationale Umweltbehörde, mal für konventionelle Glühbirnen kämpften, mal für den Austritt aus der UNO.

»Wenn man sich manche der Kandidaten ansieht, in ganz Amerika«, findet auch er, »wundert man sich sehr, wie sie es durch die Vorausscheidungen schafften und von ihrer Partei aufgestellt wurden.«

»Wenn schon Sie es nicht verstehen, wie dann wir?«, frage ich. »Haben Sie gar keine Erklärung parat?«

»Doch«, sagt er. »Die Leute sind wütend wegen der Wirtschaftskrise. Fast überall.«

Unter ausladenden Kronleuchtern eines Hotel-Ballsaals lauschen wir mit Ellis später, wie Kristi Noem bei einem Business Lunch um Spenden bittet. Ihre Standardrede dreht sich zum großen Teil um ihren Vater, der sich kühn den Pferden in den Weg gestellt habe, wenn Tochter Kristi mal wieder die Herde durchgegangen war. Entschlossenheit sei mithin das Entscheidende, auch in der Politik. »Bedenken Sie«, sagt sie, »dass dies eine wichtige Richtungswahl ist.«

Die kurze Fragerunde meistert sie ohne Mühe. Niemand

zwingt sie in Details, Widersprüche bleiben ungeklärt. So kritisiert sie Obamas Gesundheitsreform, obwohl sie vieles davon beibehalten würde. Den Afghanistan-Krieg will sie schlicht so lange führen, bis er gewonnen sei. Sie drängt auf massive Haushaltskürzungen in Washington, fordert zugleich aber 200 Millionen Dollar allein für South Dakotas Militärstützpunkte. Im Interview frage ich anschließend auch sie, ob Obamas Finanzreform nach der Bankenkrise nicht schlichtweg fällig war. »Bessere Regeln sind immer eine Option«, meint sie. »Aber doch nicht die Übernahme der Banken durch die Regierung.« Dann muss sie weiter.

»Unsere Philosophie«

Mitten im Saal steht da noch wie eine Eiche der stämmige Chef der örtlichen Tea-Party-Sektion. Seine Visitenkarte ist ein erfundener Eine-Milliarde-Dollar-Schein. »Dr. Allen Unruh«, steht darauf, »professioneller Redner für Amerikanismus.« Er wird mir klarer als jeder andere die Weltsicht der Regierungskritiker darlegen, am Ende ohne jedes Beiwerk, reduziert auf einen Satz, von dem sich alles andere ableiten lässt.

»Die Regierung hat die Finanzkrise verursacht«, beginnt er. »Denn die Politik war es, die die Banken zu niedrigeren Standards für ihre Kreditvergabe drängte. Weil sie die Regeln lockerte, nutzten Menschen das aus, so wie sie es in jedem Wohlfahrtssystem tun.«

Ich gebe ihm in dem Punkt recht, wende aber ein, dass wir nicht von Wohlfahrtsempfängern redeten, sondern von Bankmanagern, die mit faulen Finanzprodukten in Milliardenhöhe handelten, um damit selbst reich zu werden.

»Die Regierung ist immer schnell, wenn es gilt, mit dem Finger auf andere zu zeigen«, sagt er. »Wir sollten aufhören, uns davon ablenken zu lassen, sondern auf sie selber schauen.«

Was denn falsch sei daran, wenn Obama die zu lockeren Regeln wieder strenger fassen wolle, frage ich weiter. Das müsse er doch gerade begrüßen.

»Wo hat eine Regierung jemals gut gearbeitet?« antwortet er nun. »Wenn Sie sich die Reformen anschauen, die Obama auf den Weg gebracht hat, dann sehen Sie, dass sie das Land pleite machen. Es gibt nur zwei Orte auf der Welt, wo Sozialismus funktioniert. Das sagte schon Ronald Reagan. Im Himmel, wo man ihn nicht braucht, und in der Hölle, wo er ohnehin herrscht. Wir müssen wieder zu mehr Eigenverantwortung kommen. Weniger Kontrolle. Lasst die Leute selbst entscheiden. Wir haben den höchsten Lebensstandard in der Welt seit 200 Jahren. Alles wegen des freien Markts.«

Aber gerade der freie Markt habe doch all die Betrügereien zugelassen, wende ich erneut ein. Die Eigenverantwortung der Wall Street jedenfalls habe nicht eben geholfen.

»Die Wall Street handelt immer noch verantwortungsvoller als die Regierung«, legt er sich fest. »Ich traue der Regierung überhaupt nicht.«

Ob das tatsächlich seine einzige Lehre aus der Bankenkrise sei, frage ich noch. Darauf folgt sein Schlusswort: »Es gibt kein Problem der Welt, das eine Regierung nicht noch schlimmer machen würde. Das ist unsere Philosophie.«

Ich bin dem Mann nahezu dankbar für seine schnörkellose Einweisung in die Tea-Party-Weltsicht. Denn sie macht deutlich, wie sehr sich Amerikas konservative Partei damit selbst im Weg steht, sobald sie Politik machen muss. Die Pauschalkritik an jeder Regierung als solcher schließt Politik geradezu aus. Ihre Absage an jedwede Regulierung, die sich die Tea Party auf die Fahnen schreibt, verhindert nicht nur schlechte Politik, sondern auch gute.

Nach dieser Logik könnte Amerika auch das Faustrecht wieder einführen. Auch dass die Tea-Party-Anhänger den Klimawandel abstreiten, ist nur folgerichtig. Denn würden sie ihn als Problem erkennen, müssten sie aktiv Regulierung unterstützen, von Abgasnormen bis zu strengerer Energie- und Umweltpolitik – für Amerikas neue Rechte alles Teufelswerk. Statt des Klimas rettet sie da lieber ihre Weltsicht, indem sie bereits das Problem bestreitet.

Selbst wenn man den Tea-Party-Anhängern zugutehält, dass sie sich tatsächlich wegen der gigantischen Staatsschulden sorgen, so wie Menschen in anderen westlichen Ländern auch, bleiben ihre Motive schillernd. Tatsächlich erreicht Amerikas Schuldenberg bald die Höhe der gesamten US-Wirtschaftsproduktion: 15 Billionen Dollar. Wie, wenn nicht durch Radikalkritik, könnte der Hang zum immer neuem Schuldenmachen da gestoppt werden? Auch haben sich halbstaatliche Hypothekenfinanzierer wie Fanny Mae und Freddy Mac in der US-Finanzkrise kaum weniger halsbrecherisch verhalten als die Großbanken. Was die Tea-Party-Wortführer jedoch unglaubwürdig macht, ist, dass sie ihre Schuldenangst nie so vor sich hergetragen haben, bevor Obama Präsident war. Dass sie ihn seitdem sowohl für die Fehler von Vorgängern verantwortlich machen als auch dafür, diese korrigieren zu wollen. Und dass sie auf Detailfragen eben mit Ideologie antworten – wenn überhaupt.

Als ich die Sprecherin des »Tea Party Express«, Amy Kremer, einmal um Beispiele bitte, was sie an Obamas Gesundheitsreform störe, ernte ich nur einen Wortschwall hohler Formeln: Es gehe nicht um Details, es gehe um Werte, um Prinzipien und Patriotismus, ums Amerikanischsein, ereifert sie sich. Und als ich den Tea-Party-Freund Steven King frage, auf welcher Seite des Gesundheitsreformgesetzes, das laut seinem tobenden Fraktionschef Boehner kein Demokrat je gelesen habe, er denn zu dem Schluss gekommen sei, dass es nichts tauge, sagt er wörtlich: »Auf keiner. Das wusste ich bereits beim Deckblatt.«

Es ist der gleiche Antiregierungsreflex, der mich einmal auf einer Drehreise verblüffte, als Washington gerade den Gebrauch krebserregender Transfette verboten hatte. In Deutschland wäre daraufhin allenfalls die Frage aufgekommen, ob ein solcher Schritt nicht hätte früher kommen müssen. Hier hörte ich dagegen Bürger schimpfen: »Bald verbietet die Regierung uns auch noch das Essen.«

Rückschlag von rechts

Im November 2010 gewinnen die Republikaner bei den Midterm-Parlamentswahlen erdrutschartig das Repräsentantenhaus zurück. Über 100 neue Abgeordnete, darunter viele von der Tea Party, ziehen dort ein. Kristi Noem aus South Dakota zählt dazu. Nun sind sie das, was ihre Unterstützer eben noch als Ursache allen Übels benannt haben: Politiker in Washington.

Ausgerechnet Obamas größte Triumphe bescheren ihm nach zwei Jahren Amtszeit eine krachende Niederlage: die Sanierung der maroden Autokonzerne; das Abwenden einer anhaltenden Rezession, wenn nicht gar einer Depression; die Rettung der Banken und die Finanzreform sowie das historische Gesundheitsgesetz, an dem so viele vor ihm scheiterten. Dabei hatte er die Krise geerbt, und die Bankenrettung hatten auch Bushs und Boehners

Republikaner mitgetragen. Doch wer wollte das nun noch wissen?

»Wir sind die Patrioten, wir geben Amerika die Hoffnung zurück«, rühmt sich Boehner stattdessen. »Wir sind, wie die Wählermehrheit, all die Milliarden-Initiativen leid. Und auch, dass sich die Regierung in alles einmischt. Das zu ändern, dafür sind Wahlen da.«

Brookings-Veteran Stephen Hess spricht von bitterer Ironie. Kaum ein Präsident habe so rasch so viele Großgesetze auf den Weg gebracht. In Wahrheit seien Obama und auch der Kongress bemerkenswert erfolgreich gewesen. Auch James Hohmann vom Branchendienst *Politico* findet, dass Obama ein rekordträchtiges Arbeitspensum vorzuweisen habe. »Trotzdem scheinen viele nicht zu wissen, was sie von ihm halten sollen«, sagt er uns. »Sein Problem ist, dass er aus der Sicht der Linken zu pragmatisch ist und nicht so liberal, wie viele sich erhofft hatten, während die Konservativen in ihm weiter einen Sozialisten sehen.«

Auf der Straße hören wir Ähnliches. »Sein Wirtschaftsprogramm funktioniert nicht, wir haben zu wenig Wachstum, die Arbeitslosenrate ist noch höher als zuvor«, gehen ehemalige Obama-Wähler auf Distanz. »Wandel braucht Zeit, wir sollten Obama eine Chance geben«, widersprechen andere.

Wie opportunistisch die Antiregierungskritik vielerorts ist, rechnet die *New York Times* einmal am Beispiel eines Ortes in Minnesota vor. Die Reporter zitieren zunächst Anhänger der Tea Party, die ihrem Ärger darüber Luft machen, dass sich zu viele Amerikaner vom Staat durchfüttern ließen, mithin vom Steuerzahler. Danach ziehen sie mit ihnen eine ehrliche Bilanz. So zeigt sich, dass ein jeder selbst mehr Regierungsleistungen in Anspruch nimmt und gutheißt als er ahnt, von Steuererleichterungen für den Mittelstand über freies Schulessen der Kinder bis zu den Kosten für die Hüftoperationen der alten Mutter, die von der Seniorenkasse Medicare erstattet wird.

»Die Wirtschaftslage hat die Amerikaner verändert. Sie fühlen sich unwohl, sie sind sprunghaft und sie haben Angst«, beschreibt Hess die Stimmung im Land, so wie sie auch schon der Lokalreporter in South Dakota sah. »Wenn wir noch eine Arbeitslosenquote von sechs oder sieben Prozent hätten, Obamas Popularität wäre ungebrochen. Aber wenn es über neun sind, ohne die Aussicht, dass es bald besser wird – diesen Präsidenten gibt es nicht, der das überlebt und dabei noch populär bleibt.« Obamas Pressekonferenz zum Wahlergebnis zieht sich denn auch in die Länge, weil er seine Politik weiter rechtfertigt. Die Pressevertreter aber wollen einen demütigen Präsidenten zitieren, der Fehler einräumt, wie es sich nach einer Niederlage ziemt. Erst spät scheint er dazu bereit: »Ich werde einen besseren Job machen müssen«, sagt er – nicht ohne nachzuschieben, dass dies für alle anderen Beteiligten ebenso gelte. Dennoch, viele Menschen seien wegen der allzu langsamen wirtschaftlichen Erholung frustriert. Dafür übernehme er persönlich die Verantwortung.

Jackson Janes von der Johns-Hopkins-Universität prophezeit nunmehr ein Machtdreieck. Da die Demokraten ihre Senatsmehrheit noch eben verteidigen konnten, werde sich Obama nun vermutlich öfter als Vermittler zwischen beiden Kammern versuchen. »Zudem bleibt ihm immer noch die Möglichkeit, unliebsame Vorlagen einfach nicht zu unterschreiben. Das ist keine schwache Position«, sagt er. »Meine Sorge ist aber, dass es den Scharfmachern nun nur noch darum geht, Obama völlig lahmzulegen. Kurz: dass sie Blut gerochen haben.«

Ausgerechnet diejenige aber, die den Anti-Obama-

Kampf wie keine andere initiiert und als »Queen der Tea Party« verkörpert hat, verabschiedet sich bald darauf aus der politischen Arena: Sarah Palin. Nach vielfachen Andeutungen, dass auch sie 2012 gegen Obama antreten wolle, nach Bustouren, Jubel-Buch und peinlich huldigendem Kinofilm sagt sie ihre Präsidentschaftskandidatur endgültig ab.

Viel spricht dafür, dass Palin nicht etwa die Konkurrenz ihrer zahlreichen Nachahmer fürchtet, sondern nur klüger und instinktsicherer ist als diese. Mithin, dass auch sie in Wirklichkeit stets wusste, wo ihre Grenzen lagen. Tatsächlich kommt sie in nationalen Umfragen nie über eine Außenseiterposition hinaus. Selbst an seinen Tiefpunkten liegt der Amtsinhaber immer noch mit weitem Abstand vor ihr. Auch dass ihr irrlichterndes Gefolge immer schneller an Substanzlosigkeit scheitert, sobald es mehr anbieten muss als Floskeln, dürfte ihr nicht entgangen sein. Als Kultfigur und Medienstar hätte sie diese zwar weiter überflügeln können. Dennoch kommt sie, als sie ihre Entscheidung nicht mehr länger hinauszögern kann, offenbar zu dem Schluss, dass am Ende wohl auch ihr Absturz unausweichlich wäre. Sie habe sich entschieden, Gott und ihrer Familie den Vorrang vor der Politik zu geben, erklärt sie den Amerikanern, die sie so lange und so unterhaltsam in ihrem Bann gehalten hat. Die Reihenfolge sei wörtlich zu verstehen, schiebt sie nach, zumal sie oft genug beteuert hat, vor jedem wesentlichen Schritt auf Gott zu hören.

Eine Kolumnistin der *Washington Post* sieht darin tags darauf, nicht ohne Häme, den Beweis, »dass es Gott wirklich gibt«.

6 Erkundungsreisen
»Angelhaken nicht verschlucken«

Auch nach der Midterm-Wahl lassen wir die Hauptstadt immer wieder gerne hinter uns. Sei es, um dem Nachrichtenfieber mit kleinen, aber mindestens ebenso erkenntnisreichen Geschichten aus den Winkeln der Weltmacht zu begegnen, oder weil sich »breaking news«, Eilmeldungen also, auch anderswo entwickeln. Dann brechen wir nicht nur mit dem Kamerateam auf, sondern mitsamt den Cutterinnen oder Cuttern, um die Beiträge gleich am Ort zu schneiden und sie von dort auf die Satellitenstrecke zu schicken.

Was die bunteren Themen betrifft, wird der Ruf der Heimatredaktionen regelmäßig lauter, sobald Weihnachten naht. Meist drehen sich solche Beiträge dann ums Wetter, die Feiertagseinkäufe oder die Arten, wie Menschen rund um den Globus Feste begehen.

Einmal entscheiden wir uns dabei für ein Kuriosum, das beim Shopping auch Amerikanern immer wieder auffällt, obwohl sie sich eigentlich längst daran gewöhnt haben. Außer Bob Dorigo Jones.

»Wacky Labels« nennt Bob, ein korrekter, humorvoller Mittvierziger aus Michigan, sein Lebensprojekt: verrückte Verbraucherhinweise. Alljährlich sammelt er Dutzende der irrwitzigsten Warensticker, auf denen US-Firmen aus Angst vor Schadensersatzklagen beispielsweise dazu raten, den neu gekauften Fön nicht im Schlaf zu benutzen. In einer Radioshow in Detroit prämieren die Hörer dann den Hauptgewinner – für die unsinnigste Kundenwarnung der Saison.

Bobs Keller ist eine Fundgrube für alle, die sich gern über Amerika amüsieren. »Das ist, wie Sie unschwer sehen können, ein CD-Regal«, hält er vor uns ein handelsübliches, armlanges Gittergestell hoch, dessen Drahtmaschen je eine Compactdisc fassen. Dazu liest er den Firmenhinweis vor, es bitte nicht als Leiter zu verwenden. Ein Sonnenschutz aus weißer Pappe für Autofrontscheiben trägt auf der Innenseite fett gedruckt den Ratschlag, ihn vor dem Losfahren tunlichst zu entfernen. Und sein Lieblingsstück, ein original verpackter Angelhaken, schmückt der Packungsaufdruck »Harmful if swallowed«: Nicht verschlucken!

»Gut, dass Fische nicht lesen können«, lacht Bob und erzählt uns, dass seine Sammelleidenschaft mit dem berühmten heißen Kaffee angefangen habe, den sich eine Drive-In-Kundin bei McDonald's einst über die Hose goss, worauf sie die Imbisskette auf Schmerzensgeld verklagte. »Das brachte ihr zwar nicht die Millionensumme, die sie zunächst forderte, aber immerhin 600 000 Dollar«, sagt er. »Seitdem hat sich Amerika gewandelt.«

Auf der Fahrt zum Radioauftritt zeigt er auf eine Schule. »Sehen Sie den Spielplatz dort?«, fragt er. »Früher gab es da immer diese Wippen, die wir alle noch kennen. Meine Kinder liebten die. Heute sind sie nicht mehr da. Warum? Sobald einer herunterfiel, verklagten Eltern und Anwälte die Schule. Das wurde zu teuer.«

Er finde auch in keinem Hotelpool mehr ein Sprungbrett, winkt er ab, weil zu viele Leute bei Verletzungen die Hotels zur Kasse gebeten hätten, allein schon, weil dort immer gutes Geld herauszuholen sei. Seine Kritik gelte dabei weniger den Klägern als denen, die sie dazu drängten. »Der allergrößte Teil der Summen landet bei den Schadensersatzanwälten«, sagt er uns. »Dass sie aberwitzig überhöht sind, weiß jeder. Aber im Zweifel zahlen Firmen trotzdem lieber, als sich auf jahrelange Prozesse einzulassen, selbst wenn sie sie gewinnen würden.«

Als Justizkritiker ist der Mann inzwischen landesweit bekannt. Ein Büchlein, das er herausgegeben hat, veranschaulicht in Comic-Form, was Bob schon alles auserwählt hat. Das Cover zeigt eine zerstreute Mutter, die vergeblich versucht, einen Kinderbuggy zu falten – entgegen dem Produkthinweis, dies nicht zu tun, solange darin noch das Kind sitzt.

»Dass Anwälte mit Klagen Geld verdienen wollen, kann ich nachvollziehen, aber warum lassen Richter solche Klagen zu?«, frage ich Bob. »Und warum bestätigen sie die Summen?«

»Auch Richter werden hier gewählt, alle vier Jahre«, antwortet er. »Und wie sichern sie ihre Wiederwahl? Indem sie in Fernsehspots und Zeitungsanzeigen für sich werben. Das wiederum bezahlen sie mit Spenden von Anwälten, die mit Klagen ihr Geld verdienen. Es ist ein schöner Kreislauf.«

Der Radiomoderator kennt Bob noch aus den Vorjahren. Noch immer lacht er über den Wäschereibetreiber, dem die 500-Dollar-Siegerprämie zufiel, nachdem er einen Wäschetrockner mit der Aufschrift fotografiert hatte: »Bitte keine Menschen hineinstecken.« Als die Sendung endet, haben sich die Hörer für eine Outdoor-Klobrille entschieden, die Jäger oder Ausflügler ans Heck ihres Geländewagens schrauben können, um auch im Wald bequem stille Geschäfte zu erledigen. Die Herstellerwarnung, das Gerät nicht am fahrenden Auto zu benutzen, fand den meisten Zuspruch.

Auch Weihnachtseinkäufer, die wir in der Innenstadt ansprechen, kennen zur Genüge »Wacky Labels«-Anekdoten. »Natürlich ist das alles lächerlich«, meint ein Passant. »In anderen Ländern würde man sagen, wenn du unter den laufenden Rasenmäher greifst, bist du bescheuert. Das wäre kein Fall für einen Richter.« Eine Frau schimpft: »Als Verbraucher bezahlen war das am Ende alles mit.«

Ein Rechtsprofessor, den wir dazu befragen, preist jedoch zu unserer Überraschung das klagefreundliche System, trotz aller Auswüchse, wie er beteuert. »Das amerikanische Modell motiviert faktisch Verbraucher, durch Klagen Produkte zu verbessern. Wenn die Regierung alle Sicherheitsstandards regeln würde, käme uns das nicht billiger«, sagt er. »Bei Ihnen regeln das Bürokraten, bei uns tut es allein der Markt.«

Als Beleg führen auch andere US-Juristen gerade den aufsehenerregenden Prozess gegen McDonald's an. Auch die Belegschaft habe dort zuvor intern beklagt, dass der Brühkaffee gefährlich heiß aufgegossen werde, nur um im Becher länger warm zu bleiben. Selbst Verletzungen bei Mitarbeitern habe der Konzern in Kauf genommen. Geändert habe er es erst nach der Klage der Kundin.

Bob Dorigo Jones hält das jedoch nicht davon ab, alljährlich seinen Feldzug fortzusetzen. »Mag ja sein, dass Klagen manches schon verbessert haben«, schmunzelt er weiter. »Trotzdem werde ich nie verstehen, warum auf einem Feuermelder stehen muss, dass das Drücken des Batterie-Testknopfes noch kein Feuer löscht. Die Welt muss doch denken, wir seien hier alle Hohlköpfe.«

Zum Abschied schenkt er uns ein paar Abziehbildchen, mit denen sich Kinder-T-Shirts verzieren lassen. Als wir die Rückseite betrachten, lesen wir aufgedruckt: »Bitte nicht auf Kleidung bügeln, die gerade jemand trägt.«

Woher der Wind kommt

Eine weitere Feiertagsrecherche führt uns ins Reservat der Schwarzfuß-Indianer am Rand der Rocky Mountains. Zu den für mich unvergesslichen Gesprächspartnern meiner Korrespondentenzeit zählt deren Häuptling Lockiger Bär, dem die *Tagesthemen* einen winterlichen Wetterbericht verdanken, den unsere Fachredaktion in Frankfurt nie hätte liefern können. Denn »Curly Bear« hat mir erklärt, warum der Wind weht und wie es kommt, dass Bären Winterschlaf halten. Gemeinsam mit Kindern einer Grundschule lauschten wir damals seiner tiefen Stimme, mit der er die Erzählkunst seines Stammes rühmt. Jedes Schulkind der Region freut sich auf seine Geschichten.

»Dass draußen Wind weht«, sagt der faltige Alte, dessen ergrautes Haar in zwei langen, rot umwickelten Zöpfen herabhängt, »liegt daran, dass in den Bergen ein riesiger Hirsch mit seinen Ohren wedelt. Aber einmal hat der Bär den Hirschen mitsamt dem Wind gestohlen. Er schnürte beide in ein Bündel Fell und nahm es mit in seine Höhle. Da wurde es kalt, und Menschen und Tiere hungerten.«

Viele Tiere hätten vergeblich versucht, den Wind zu befreien. Doch erst ein kluger Indianerjunge sei auf die Idee gekommen, in die Höhle Pfeifenrauch zu blasen und so den Bären einzuschläfern, bis er schnarchte. »Danach halfen ihm die Tiere, das Fellbündel aufzuschnüren. Der Kojote schleppt es ins Freie, und das schneeweiße Präriehuhn pickte die Knoten auf.«

»Wieso das Huhn?«, will ein Mädchen wissen.

»Na, weil das Maul des Kojoten dafür viel zu groß war, der Hühnerschnabel aber genau richtig. Kaum war der Knoten gelockert, brach der Wind nur so heraus und wirbelte ringsherum so viel Staub auf, dass das Präriehuhn seitdem braune Flecken hat«, endet der Häuptling. »Von nun an teilten sich wieder alle den Wind. Jetzt wisst ihr nicht nur, warum der Bär im Winter schläft, sondern auch, dass man mehr erreicht, wenn man sich gegenseitig hilft.«

Auch er habe als Kind den Alten gerne zugehört, sagt mir Curly Bear, als ich später mit ihm dem »Häuptlingsberg« entgegenwandere, einem schroffen, pultförmigen Felsen, den die Wolken meist weithin verhüllen und so noch mystischer erscheinen lassen. In der Ferne sehen wir Rotwildherden. Ich frage, ob er den Hirschen entdecke, der den Wind mache.

»Die Frage habe ich früher auch gestellt«, sagt er und schwärmt von seinen Vorfahren. »Abends flüsterten sie immer, damit wir noch aufmerksamer zuhörten. Wenn wir ihre Geschichten nicht bewahren, gehen sie verloren.« Auch von den Riten der Medizinmänner berichtet er, die noch heute tagelang in den Bergen ausharren, um von der Natur Heilkräfte zu empfangen, sei es von Pflanzen oder vom Flug der Vögel. Ob er selbst als Kranker denn eher zum Schamanen ginge oder in ein Krankenhaus? »Mich bekommt keiner in eine Klinik«, lacht er da. Zwei Jahre später vermögen ihm beide nicht zu helfen. Curly Bear stirbt mit nur 64 Jahren an Krebs.

Auch auf Reisen in Alaska und Kanada höre ich in Indianer- und Inuit-Gemeinden oft den Alten zu. Viele Schulen bitten sie wie Curly Bear längst in den Unterricht. Denn was sie ihre Kinder und Enkel lehrten, bevor es Schulen gab, fehlte fortan in den Lehrplänen: traditionelle Fähigkeiten vom Gerben eines Rentierfells oder dem Bau eines Kanus bis zur Musik der Ureinwohner. »Stattdessen bringen wir den Kindern viel zu viele Dinge bei«, beklagen Lehrer, »mit denen sie sich später nur um Jobs bewerben können, die es hier ohnehin nie geben wird.«

Baumwolle, Stahl, Schule

Unterdessen drückt Alferd Williams, dessen Weg wir bald in einer Grundschule im Bundesstaat Missouri kreuzen, die Erstklässlerbank. Denn Alferd – der nun, da er das Alphabet kennt, noch nachdrücklicher jeden darauf hinweist, dass er tatsächlich »Alferd« und nicht »Alfred« heißt – hat seiner alten Mutter einst versprochen, noch lesen zu lernen. Das tut er jetzt, obwohl er selbst schon über 70 Jahre alt ist.

Es ist acht Uhr früh, als Lehrerin Alisia Hamilton die Kleinen in den Klassenraum bittet. In ihrer bunten Schar fällt Alferd nicht nur auf, weil er größer und älter ist. Im Gegensatz zu ihnen, deren Lachen nur die eine oder andere Zahnlücke freigibt, ist sein Mund längst völlig zahnlos. Zu lustiger Kindermusik lehrt Miss Hamilton hier Buchstabenfolgen und einfache Wörter. Alferd hat sie als Freiwilligen in die Klasse aufgenommen, nachdem alle Eltern einverstanden waren.

Nachmittags blättert er oft noch in der Bibliothek Bilderbücher durch und müht sich, seine Krakelschrift zu verbessern.

»Ich brauche zwar zwei Tage für alles, was die Kinder in zwei Stunden lernen«, sagt er mir. »Aber ich fühle mich trotzdem wie einer von ihnen. Alter bedeutet nichts. Aber einem Erwachsenen wie mir bedeutet es unendlich viel, im Alltag mit Buchstaben umgehen zu können, statt ständig jemanden um Hilfe zu bitten, etwa beim Einkaufen, egal wie klug ich sonst bin.«

Als Alferd im Schulalter war, lebte sein Vater schon

nicht mehr. Mutter und Geschwister arbeiteten auf Baumwollfeldern. Später war er Tagelöhner in einem Stahlwerk. Sein erster Versuch, zur Schule zu gehen, scheiterte an seinem Bruder – und an der Armut der Familie. »Meine Mutter sagte damals, wir können es nur so machen: Ihr geht abwechselnd zur Schule. An einem Tag der eine, am anderen Tag der andere. An seinen Tagen ging also mein Bruder zur Schule. Aber an meinen stahl er sich frühmorgens ebenfalls davon. Bis meine Mutter zu mir sagte, Junge, wenn du ihn immer einholen und zurückschicken willst, verlieren wir jedes Mal einen halben Arbeitstag. Dann bleibst du eben hier.«

Auch er sei heute gebildet, sagt Alferd selbstbewusst. Sein Maß an Lebenserfahrung habe er den Mitschülern voraus. »Die müssen sich das alles noch aneignen. Ich hatte es schon erlebt, bevor ich lesen lernte.«

Die Lehrerin, gerade mal halb so alt wie Alferd, war anfangs skeptisch, ob er in der Klasse stören könnte. »Andererseits dachte ich, wenn doch nur andere auch die Gelegenheit suchen würden«, sagt sie. »Mich beeindruckt sehr, welchen Lerneifer er an den Tag legt. Und die Kinder motiviert es auch.«

Sie habe immer in Vierteln unterrichtet, wo die Einkommen so niedrig waren, dass das Schulessen mehr als willkommen war. Dass es da Analphabeten gab, habe sie gewusst. Aber nicht, dass es so viele seien.

Tatsächlich kann Statistiken zufolge jeder zehnte erwachsene US-Bürger nicht lesen. Als wir nach Schulschluss auf die Politik zu sprechen kommen, frage ich Miss Hamilton und Alferd augenzwinkernd, welche Note sie dem Präsidenten für seine ersten Amtsjahre wohl geben würden. »Wenn man bedenkt, in welcher Situation er angetreten ist, hat er seine Sache ordentlich gemacht«, findet die Lehrerin. »Deshalb würde ich ihm wohl eine zwei minus oder eine drei geben. Wäre mehr möglich gewesen? Schwer zu sagen. Ich diskutiere das oft mit meinem Mann. Reformen brauchen sicher Zeit.«

Andererseits habe sie Angst. Sie habe Freunde, die gerade ihren Job verloren hätten, andere zudem ihr Haus. Es sei immer leicht, dafür die Regierung verantwortlich zu machen. »Ich weiß nur eines genau. Obamas Job würde ich nie und nimmer durchhalten.«

Alferd legt sich auf keine Note fest. Nur darauf, dass er ihn wieder wählen werde. »Obama lernte arm zu sein, bevor er reich wurde«, hebt er mahnend den Finger. »Die Republikaner sind etwas für die Reichen. Wenn du nicht reich bist, wirst du bei denen nichts. Die Demokraten aber geben dir eine Chance.«

»Aber ihre Gesundheitsreform ging doch vielen Wählern schon zu weit«, wende ich ein.

»Vielleicht weil sie noch nie krank waren oder noch nie einen Arzt brauchten«, glaubt er. »Oder weil sie ohnehin genug Geld haben.« Er freue sich schon auf die Wahl, allein schon, weil er jetzt die Kandidatennamen alle lesen könne. »Wer nicht wählt«, sagt er und packt sein Bücherbündel ein, »darf sich auch nicht über die Politik beschweren.«

Ein anderer Gott?

Auch ein Abstecher in die Wüste Arizonas, an Amerikas Grenze zu Mexiko, führt uns in eine eigene Welt, weit weg von Washington. Gemeinsam mit einer Schar von Aktivisten aus seinem Kirchenkreis sorgt sich dort ein Pfarrer namens Robin Hoover um etwa 80 Trinkwasserstationen, die die Gruppe entlang der Grenzzäune errichtet hat. Denn zuletzt seien hier mehr Menschen verdurstet als je zuvor, sagen Hoovers Helfer. Fast jeden zweiten Tag ein Wüstentoter.

Als wir im weichen Morgenlicht die bizarre Schönheit der Felsformationen und bald die baumhohen, mit Stacheln bewehrten Kakteen auf uns wirken lassen, vergessen wir fast, weshalb wir angereist sind. Doch als die Sonne höher steigt und der Wind uns Haut und Kehle trocknet, ahnen wir, wie mörderisch diese Traumlandschaft für jeden ist, der ihr nicht rechzeitig entkommt.

»Der Wind hilft dir nicht in der Wüste, du denkst nur, dass er kühlt«, sagen unsere Begleiter, als wir zu Fuß in Richtung Grenzanlage unterwegs sind: eine lückenhafte Stahlträgerbarriere wie eine Endlos-Panzersperre, die Autos abhält, aber keine Menschen. An einem Holzmast markiert bald eine blaue Fahne die ersten Tonnen, die Wasser für Flüchtlinge bereithalten. Mit ihrer alten Schubkarre quälen sich die Männer durch den Sand, um Nachfüllflaschen auf die Anhöhe zu wuchten.

»Die Grenzgänger kommen aus drei Richtungen hier vorbei«, weist Hoover zum Horizont, »manche über den hohen Berg dort hinten, andere von etwas weiter südöstlich, wieder andere mehr aus dem Südwesten. Würde man von oben herunterschauen, könnte man sehen, wie sich die Pfade hier treffen.« Danach führten sie entlang einer Reihe von Telegrafenmasten weiter nach Norden. 35 Meilen bis zum nächsten Ort. Viele seien schon lange unterwegs, wenn sie hier durchkämen, oft nur mit wenig Wasser und einer Dose Thunfisch ausgerüstet. Zudem gebe es hier Klapperschlangen und Skorpione.

»Was antworten Sie Landsleuten, die Ihnen Beihilfe zur illegalen Einwanderung vorwerfen?«, frage ich.

»Dass sie wohl einen anderen Gott haben als ich. Mehr kann ich darauf nicht antworten«, sagt der Pfarrer und zieht die Schultern hoch. Mit den Grenzpatrouillen hatte der Pastor anfangs eine Absprache getroffen, dass sie die Wasserstationen unbeobachtet lassen. Aber die sei gar nicht nötig gewesen. Die Grenzer seien hier ohnehin überfordert. »Um diese 2000-Meilen-Grenze zu bewachen, bräuchtest du 150 000 Mann«, erklärt er mir mit rauer Stimme, »wir haben doch wohl Besseres zu tun. Die ganze Debatte ist lächerlich.«

Doch seit andere Grenzabschnitte hochgerüstet wurden, in Kalifornien vor allem, beobachten Hoover und seine Mitstreiter, dass der Andrang auf den Wüstenpfaden steigt, trotz aller Risiken. Darunter seien auch mehr und mehr Frauen, die nur ihren Männern folgen wollten.

In ihrem kleinen Büro im nächsten Ort zeigt uns eine Latino-Hilfsinitiative Archivfotos von Vermissten. »Das ist Erika, daneben ihre Begleiterin, beide sind 21 Jahre alt«, sagt die Mitarbeiterin und blickt auf zwei Frauen mit recht kindlichen Gesichtern. Dann klickt sie die Landkarte an. »Einer aus ihrer Gruppe hat uns gemeldet, wo man sie zurückgelassen habe. Demnach kreuzten sie hier die Grenze und später noch die Straße.« Zuerst sei die eine zusammengebrochen, dann die andere.

»Zuletzt hörten wir auch von einer 18-Jährigen, die ein 15 Monate altes Baby bei sich hatte. Sie gab ihm in der Hitze ihr ganzes Trinkwasser«, erzählt die Frau. »So überlebte das Baby, aber die Mutter starb.«

Die Welt sei hier immer durcheinander gewesen, sagt sie, egal wo die Grenze gerade entlanglief. Tatsächlich gibt es in der Region viele alteingesessene Familien mexikanischer Herkunft, die schon hier lebten, lange bevor das Land amerikanisch wurde. »Die haben nie eine Grenze überquert«, sagt sie. »In Wahrheit überquerte die Grenze sie. Es gibt legale und illegale Zuwanderer, sogar Grenzwächter und Schleuser, die aus derselben Familie stammen. Das ist verrückt.«

Finden sich von den Wüsten-Toten Überreste, enden sie in weißen Plastiksäcken in den Kühlregalen des Klinikums von Tucson. Institutsleiter Bruce Parks, ein Mediziner in Schlips, Kittel und Gummihandschuhen, versucht dann im Auftrag des mexikanischen Konsulats, die Verstorbenen zu identifizieren. Im Vorraum zeigt er uns die letzten angelieferten Skelettreste: Schädel, Rippen, Hüft- und Schenkelknochen. Und beklagt die endlose Tragödie.

»Wir reden hier in aller Regel über unschuldige Menschen, die lediglich in ein anderes Land wollten, um die Lebensverhältnisse ihrer Familie zu verbessern, sonst nichts«, sagt Parks, als er den Kittel an den Haken hängt. »Zeitweise mieteten wir schon zusätzliche Kühl-Lastwagen an, um alle Leichensäcke vorschriftsmäßig lagern zu können. Das ist nicht nur traurig, sondern beschämend.«

Ein Assistent verschickt Proben des Schienbeinknochens jeder Leiche an ein DNA-Labor, das daraus den Gencode ermittelt. Die Ergebnisse erhalten Mexikos örtliche Konsularmitarbeiter, um sie mit den Vermisstendaten abzugleichen, die ihnen besorgte Familienangehörige und Hilfsorganisationen durchgegeben haben.

An jenem Konsulatsschreibtisch finden wir einen freundlichen Beamten vor, umgeben von Namenslisten an den Wänden. Wir fragen, warum darauf so oft die gleichen Zeilen auftauchen: »John« und »Jane« als Vornamen, »Doe« als Familienname.

»Wir klären höchstens zwei von drei Fällen auf«, sagt der Mann in brüchigem Englisch. »Alle anderen nennen wir John Doe, wenn es ein Mann, und Jane Doe, wenn es eine Frau war.«

Als Erfolg gilt hier, wenn das Konsulat die Urne an die ermittelten Verwandten schicken kann. »Ich weiß selbst, dass das keine gute Nachricht ist, wenn der Bruder oder die Schwester umkam«, sagt er. »Aber die Familien haben dann wenigstens Gewissheit und finden irgendwann Ruhe.«

In Pfarrer Hoovers Gottesdienst stellt die Gemeinde sonntags für jeden Toten des zurückliegenden Jahres ein Kreuz auf. Die meisten tragen keinen Namen. In seiner Predigt beklagt er, dass manche Regierungsbeamte noch immer das Aufstellen von Trinkwasserfässern verbieten. »Wir dürfen in der Wüste jagen und töten«, klagt er von der Kanzel, »aber Leben retten soll verboten sein?« Dann bekräftigt er seinen Appell an Behörden und Bevölkerung, das Problem lösen zu helfen: »Das Problem, dass vor unseren Haustüren Menschen sterben.«

Danach tragen sie die Kreuze durch die Stadt, reden mit Passanten und werfen in ihren Kommentaren den Verantwortlichen schon mal vor, dass sie die Grenzgänger bewusst in die tödliche Wüste abdrängten. »Diese Menschen übernehmen hier Billigjobs, die sonst keiner will«, klagt Hoover. »Und die, die sie einstellen, bleiben bei Razzien unbestraft. Dafür gehen die Billigarbeiter tagelang mit zwei Flaschen Wasser durch 50 Grad Hitze. Und vor den Einzigen, die sie retten könnten, den Grenzpatrouillen nämlich, verstecken sie sich.«

Ich frage ihn, was ihn dazu brachte, seine Initiative zu starten. Da schildert er mir einen Tag, den er nie mehr vergessen werde. »Damals fand ich selbst eine Tote«, sagt er, »die Untersuchung ergab, dass sie 42 Tage zuvor gestorben war. Das Haar klebte noch am Schädel, der Rest war nur noch Gerippe. Die Tiere der Wüste hatten sie aufgefressen.«

Und dann sei da noch etwas. Die Doppelmoral des heutigen Amerika – das bekanntlich aus nichts anderem entstanden sei als aus illegalen Einwanderern.

Das Pech der Pelikane

An einem jener hektischeren Tage, die unsere Branche »nachrichtenstark« nennt, packe ich meine Siebensachen, um schnellstmöglich an einen Ort zu reisen, dessen Name mehr verspricht, als er wird halten können: Venice. Er besteht nur aus ein paar verstreuten Häusern, Straßenkreuzungen, Werftgrundstücken mit betoniertem Kai und einem Motel, das so trostlos funktional ist wie fast alle Motels. Eine riesige Asphaltfläche, umbaut mit Billigzimmern, ein jedes mit Blick auf seinen Parkplatz vor der Tür – die depressionsförderndste Form der Unterbringung, die Amerika für Reisende bereithält. Es sind jene Gelegenheiten, in denen ich mitunter denke, dieses Land ist nicht für Menschen konzipiert, die in Autos herumfahren, sondern in Wirklichkeit für Autos, denen die Menschen nur ein bisschen helfen.

Wir werden wochenlang bleiben, mit Reportern, Producern, Kamerateams und Cuttern, denn Venice wird zum ersten Zentrum der Berichterstattung über eine der größten Umweltkatastrophen in Amerikas Geschichte. Die Ölpest im Golf von Mexiko.

Vor Louisianas Küste ist gerade eine Bohrplattform des BP-Konzerns in Flammen aufgegangen und berstend versunken. Elf Arbeiter starben. Der Ölmulti beschwichtigt zunächst, Umweltschäden seien unwahrscheinlich. Doch dann kommt die schwarze Brühe aus dem offenen Bohrloch. Tonnenweise strömt sie von nun an vom Meeresgrund empor, in die Fanggebiete zahlloser Fischer, auf die Sandstrände der Touristenziele in Alabama und Florida zu – und über die einzigartigen Vogelschutzgebiete des Mississippi-Deltas.

»Fast alle Zugvögel Nordamerikas nisten hier. Es ist die Kinderstube des Kontinents«, sagt uns ein Greenpeace-Aktivist, der am gleichen Tag ankommt wie wir. »Auch die Meeresschildkröten schlüpfen gerade und wachsen im Wasser heran. Es ist wirklich der schlimmste Zeitpunkt.«

Fischer lassen sich vom BP-Konzern anheuern, um Schwimmbarrieren auszulegen. Als Fanggebiet sind die Gewässer vorerst gesperrt. »Wir bereiten uns auf den schlimmsten Fall vor, auch wenn wir hoffen, dass er nicht eintritt«, sorgt sich Alabamas Gouverneur Bob Riley auf einer ersten Pressekonferenz.

Uns Reporter stellen solche Dauereinsätze täglich vor weitere Fragen: Sind wir noch am richtigen Ort oder sieht man anderswo mehr? Was passiert, wo wir nicht sind? Was berichten die US-Sender, die Agenturen, die Konkurrenten? Von wo aus können wir Nachrichtenstücke überspielen, von wo live nach Deutschland schalten? Wie bekommen wir Zugang zu Schiffen und Helikoptern, zu Entscheidungsträgern, Fachleuten, Geschädigten? Was haben wir exklusiv? Welche Fragen stellen sich morgen?

Es wird viel improvisiert und wenig geschlafen. Aber es ist Journalismus aus erster Hand. Wer hier die ersten oder besten Bilder dreht, die konkretesten Antworten erfragt, kann zusehen, wie sie womöglich um die Welt gehen. Täglich, oft sogar stündlich, liefern wir Nachrichtenstücke, Schaltgespräche, Reportagen und Hintergrundberichte. Die Producer und Teams sammeln derweil weiter Fakten, Bilder und Interviews. Dennoch: würde ein Korrespondent grundehrlich auf die Moderatorenfrage antworten, wie er denn selbst die Situation am Ort erlebe, müsste er oft auch hier draußen einräumen, dass er die allermeiste Zeit an seinem Schnittplatz im Motelzimmer sitzt.

Mitgebrachte Müsliriegel ersetzen Mahlzeiten. Laptops und Satellitenleitungen brechen zusammen. Live-Gespräche scheitern an simplen Telefon-Rückleitungen. Tontechniker löten Mischpulte neu und grillen um Mitternacht noch nebenbei ein Huhn für alle, weil im einzigen Laden sonst nichts mehr zu kaufen war.

Die Berichterstattung dieser Wochen wird aber durch eine andere Eigenheit geprägt. Denn hier kämpfen von nun an nicht nur Küstenschützer gegen den Ölteppich und Ingenieure, die das Bohrloch stopfen sollen, gegen die Zeit. Im Hintergrund des Umweltdesasters tobt auch eine einzigartige PR-Schlacht zwischen dem BP-Konzern, der Obama-Administration und der Opposition in Washington.

Den ersten ölverschmierten Pelikan reinigen Tierschützer in einer nahen Zeltanlage. Sein Gefieder schäumt vor Lösungsmittel. Es gibt Experten, die es unsinnig nennen, den Tieren noch helfen zu wollen. Auch an den Folgen der Putzprozedur würden sie sterben, nur eben etwas später. »Es wird darauf ankommen, wie schnell wir sie finden und reinigen können«, meint eine Freiwillige der Organisation »Wildlife Support«. Was stimmt, vermag ich nicht zu sagen. Mir bleibt nur, beide Seiten zu zitieren.

Leichter zu deuten sind die geschönten Erklärungen der BP-Konzernsprecher, die zuerst versichern, dass sie die Quelle rechtzeitig schließen, dann, dass sie die Küste vor dem Öl schützen, und zuletzt, dass sie die verschmutzte Natur »bis auf den letzten Tropfen« wieder vom Öl befreien würden. Da ist längst klar, dass ihre Aufgabe nur ist, die Öffentlichkeit zu beruhigen.

Auch die Meldungen der US-Küstenwache klingen positiver, als sie sind. Sie verbreiten Superlative, wonach bereits 100 Kilometer Schwimmbarrieren gegen das Öl ausgelegt seien. Tatsächlich leisten die Teams aus Fischern, Freiwilligen, BP-Leuten und Küstenschützern, was sie können. Doch die Meldungen erwähnen nicht, dass die Küste Tausende von Kilometern lang ist, dass der Ölteppich mehr und mehr wächst, wie die Satellitenbilder zeigen, und dass keiner weiß, wohin die Wirbelstürme, die in der Golfregion bald aufkommen, ihn treiben werden.

Dazu kommt das Scheitern im Kleinen. Als unser Team mit einer Handvoll Journalistenkollegen im Boot der Küstenwache den Rand des Ölteppichs ansteuert, bricht der Kapitän die Tour vorzeitig ab. Zu stürmisch ist die See. Und Einsatzleiter Patrick Kelley sieht auch selbst, wie das Wasser jetzt schon über die Schwimmbarrieren schwappt – oder sie gar völlig auseinanderreißt. »Vor allem, wenn sie zu weit draußen liegen, ist wenig gewonnen«, sagt er uns. »Dann geht auch das Öl einfach darüber hinweg.«

Unterdessen wächst bei den Fischern, denen BP nun Arbeitsverträge als Küstenreinigungsgehilfen anbietet, der Unmut. Als wir bei einer Versammlung auftauchen, umgarnt ein Firmenmann die schweigsamen Anwesenden mit dem Versprechen, mit allen fair zusammenarbeiten zu wollen. Doch bald bemerken wir, dass sich im Hintergrund Polizeibeamte bereithalten. Denn viele Männer sind recht angespannt, seit sie im Kleingedruckten lesen, dass sie mit ihrer Unterschrift auf Schadensersatzklagen gegen den Konzern verzichten würden. Dabei ist sicher, dass der Region durch die Katastrophe Milliarden an Einnahmen verloren gehen. Erst auf Drängen der Obama-Regierung wird BP später den Vertragspassus für nichtig erklären – und einen Milliardenfonds für Entschädigungszahlungen einrichten.

Als BP schließlich auf Druck aus Washington die Live-Bilder seiner Arbeitskamera am Meeresgrund freischaltet, die beobachtet, wie viel Öl aus dem kaputten Bohrventil strömt, ist der Ruf des Konzerns endgültig dahin. Denn schnell folgern unabhängige Experten, dass in Wahrheit weitaus mehr Öl austritt, als der Konzern zugegeben hat. Über Monate hin verfolgt die Welt danach ein Trauerspiel gescheiterter Versuche, das Leck zu schließen. Als wären Hollywood-Regisseure am Werk, taufen Firmensprecher sie »Bottom Kill« oder »Top Kill« – während die Zuschauer sich fragen, warum Tiefseebohrungen von immer gigantischeren Plattformen aus stets als beherrschbar angepriesen wurden.

»Wir werden BP nicht aus der Verantwortung entlassen«, kündigt Obamas Innenminister Ken Salazar markig an, als er die Region besucht. Doch die Regierung weiß längst selbst, dass sie auf den Konzern angewiesen ist, um das Leck zu stopfen, wie auch immer er sich dabei inzwischen anstellt.

Zudem gerät auch Washington ins Zwielicht, denn schon die Sicherheitsvorschriften, die BP als US-Lizenznehmer befolgen musste, waren verglichen etwa mit Norwegen oder Kanada sehr lückenhaft. Kontrollen überließen die Behörden den Konzernen selbst. Im Lizenzverfahren hatte BP angegeben, ein Unfall sei »theoretisch ausgeschlossen«. Ein zusätzliches Sicherheitssystem, das ein Leck am Bohrloch per Funksignal hätte schließen können, fand der Konzern zu teuer. Lobbyisten sorgten dafür, dass kein US-Gesetz es vorschrieb.

»Wenn sich herausstellt, dass höhere Umweltstandards neue Unfälle verhindern, werden wir ohne solche Standards keine Bohrlizenzen mehr erteilen«, gibt sich Obama entschieden, als er ein mehrmonatiges Moratorium anordnet. Doch da erntet er schon erstes Murren im Parlament, er müsse die Arbeitsplätze der Ölbranche im Blick behalten. »Wir werden alles unternehmen, um unsere Natur zu schützen, die Betroffenen zu entschädigen und wiederherzustellen, was zerstört ist«, verspricht der Präsident zudem, als auch er nach Venice anreist, nicht ohne die geschundene Region zu loben. Die Menschen hier hätten schon oft Katastrophenfolgen gemeistert, spielt er auf Hurrikan »Katrina« an, der hier Jahre zuvor gewütet hat – und seinem Amtsvorgänger George W. Bush peinliche Kritik an seinem mangelnden Krisenmanagement einbrachte.

Republikaner-Größen wie Sarah Palin warten nun darauf, dass Obama sich ähnliche Pannen leistet. Ausgerechnet sie, die auf ihrem Wahlparteitag noch lauthals für unbeschränkte Bohrlizenzen warb, hält dem Präsidenten in diesen Tagen vor, er sei »zu nah« an BP. Anderen gefällt der Vorwurf, Obama habe die Ölpest als Gefahr erfunden, weil er als Feind der Wirtschaft Bohrlizenzen ohnehin abschaffen wolle. Gelegentlich frage ich US-Kollegen, ob man Amerikaner sein müsse, um zu verstehen, wie jemand zugleich der Regierung vorwerfen kann, dass sie zu viel tut und zu wenig.

Unterdessen lässt der Konzern eine 100 Tonnen schwere Stahlglocke zusammenschweißen, die er über dem Leck absenken will, um so das Öl durch Leitungen auf Tankschiffe zu lenken. Zudem testet er Chemikalien, die Ölmassen schon an der Quelle zersetzen sollen, damit sie weder die Meeresoberfläche noch die Küsten erreichen.

Tatsächlich bleibt ein Teil des Öls so als aufgequollenes, wolkenförmiges Etwas in den Tiefen verborgen. Doch dann schlagen Beobachter im Mississippi-Delta doch Alarm, und Zeitungen drucken millionenfach das Foto, das die Katastrophe mehr symbolisieren wird als jedes andere zuvor: Ein erbärmlich verendender Jungpelikan, völlig umschlossen von einem schwarzen Pechmantel, der zäh von seinen Konturen tropft. Nur wo das

Auge ist, lässt sich erahnen. Ein beklemmender Anblick, nicht nur für Tierfreunde, sondern für jeden mitfühlenden Betrachter.

Sandburg Alabama

Nach Tagen in Venice ziehen wir um auf die Düneninsel Dauphin Island vor der Küste Alabamas. Dort bangen Ferienhausvermieter um ihre Einnahmen, und die Nationalgarde deicht eine Naturschutzzone ein. Als sich am Morgen nach unserer Ankunft die Sonne über die Insel erhebt, ahnen wir, was hier verloren gehen könnte. Die Sandstrände weiß und makellos. Die neuen Urlauberquartiere, die ufernah auf Stelzen stehen, oft luxuriös ausgestattet, mit bester Aussicht auf das im Morgenlicht glänzende Meer. Nur in der Ferne ragen die Silhouetten der Bohrinseln am Horizont empor.

»Nicht schlecht«, gebe ich Hausbesitzer Stan Graves recht, als er mich in eine lichtdurchflutete, weitläufige Wohndiele führt. Vier Schlafzimmer, vier Bäder, zwei Sonnenterrassen zeigt er mir.

»Das Haus hat unser Sohn entworfen, er ist Architekt«, sagt er. »Eine halbe Million Dollar haben wir da hineingesteckt, ein Großteil davon aus Krediten. In der Saison sollte es 3000 Dollar Wochenmiete bringen, wir planten es als Alterssicherung für meine Frau und mich.« Dann bittet er mich nach draußen, wo eine Holztreppe hinunter zum Strand führt. »Wir hoffen«, zeigt er auf die Sandfläche, »dass die Behörden den Schutzdeich so anlegen, dass er das Haus mit einschließt.«

Mit jedem Nachrichtentag schwindet seine Hoffnung, das Haus noch zu vermieten, obwohl genügend Anfragen vorlagen. »Wer soll hier noch mit Freude wohnen«, fragt er, »wenn durch die Fenster Ölgestank hereindringt?« Und wie lange würde es dauern, bis alles wieder sauber wäre? Er wolle gar nicht wissen, welche Gifte da ins Holz eindringen würden, wenn die Brühe sich erst zwischen den Stelzen staue.

Dann findet Dauphins Feuerwehr die ersten Vorboten. Pflaumengroße Teerklümpchen, die das Meer angespült hat. Doch kampflos wird sich die Insel nicht ergeben. Penibel sammeln Freiwillige, von einem Anwohner-Netzwerk eingeteilt, jedwedes Strandgut ein, damit es nicht bald ölgetränkt herumliegt. Auf der anderen Inselseite sind Uniformierte angerückt und schaufeln Furchen für eine Mauer aus Schotter, den sie in Maschendraht-Quader füllen. Der Armeesprecher erklärt mir, dazu würden Substanzen eingefüllt, die Öl binden könnten. »Fragen Sie mich nicht, ob es funktioniert«, sagt er, »dafür bin ich nicht klug genug.«

Den Militäreinsatz verdankt Dauphin freilich nur seinem Status als Naturreservat. Im Sumpfgebiet hinter den Stränden nisten Weißkopf-Seeadler. Vom Alligator bis zur Schildkröte reicht die Artenfülle. »Man könne doch die Tiere und zugleich die Häuser schützen«, wendet sich Stan Graves an den Stadtinspektor, als der zur Ortsbegehung an den Stelzenhäusern ankommt. Doch er entscheidet anders. »Unser Hauptanliegen ist ein intaktes Rückzugsgebiet für die Tiere, wenn das Öl ankommt«, erläutert er den Anwohnern. »Wenn wir schon hier vorne den Sand aufschütten, würde er niemandem nutzen. Das Meer hätte ihn binnen Stunden weggespült, und das Öl wäre durch.«

Die Anwohner sind deprimiert. Von jetzt an können sie nur noch auf günstige Winde hoffen. Da erst fällt mir die kleine Schrifttafel über dem Panoramafenster auf, die Stans Urlaubern stets sorgenfreie Strandtage versprechen sollte: »Life is good on the beach.«

Shanksville

Vieles spricht dafür, dass es in Amerika nicht nur weitere Umweltkatastrophen geben wird, sondern dass auch die Zahl der Buschfeuer steigt, der Hurrikane und der Überflutungen von Flüssen wie dem Mississippi. Die sogenannte Extremwetter-Prognose der Klimaforscher warnt ausdrücklich davor. Doch auch planbare Termine führen uns als Berichterstatter an Orte, die wir sonst kaum aufgesucht hätten. Am zehnten Jahrestag der Terroranschläge auf das New Yorker World Trade Center ist es der 250-Seelen-Fleck Shanksville in Pennsylvania, den ich so kennenlerne.

Für eine Sondersendung über die Gedenkfeiern besetzen wir nicht nur Live-Positionen am Ground Zero in Manhattan, sondern auch am Washingtoner Pentagon, in das die Entführer das dritte Flugzeug gelenkt hatten, und eben nahe Shanksville, wo ein viertes in ein Feld gestürzt war.

Wir hatten in den Vorjahren diesen Blickwinkel oft vernachlässigt. Aus New York gab es stets die stärkeren Fernsehbilder. Dort starben zudem die meisten Menschen. Shanksville blieb außen vor. Markantes war dort nicht zu erkennen, und wenn die US-Networks Bilder von Wiese und Blumenkränzen anboten, waren sie fast immer verregnet.

Das Wetter zumindest sollte sich auch im zehnten Jahr nicht ändern. Nach drei Autostunden überqueren wir die Grenze zwischen den Bundesstaaten Maryland und Pennsylvania. Die alten, waldreichen Mittelgebirgsrücken der Appalachen, die wir kreuzen, bieten zwar hier und da herrliche Ausblicke, die nachempfinden lassen, warum deutsche Auswanderer in den Senken dazwischen gerne blieben. Aber je weiter wir nach Westen vorrücken, desto grauer verdichtet sich der Himmel. Seit Tagen melden Städte jenseits von Pittsburgh Hochwasser. Schlechte Vorzeichen für ein Ereignis unter freiem Himmel.

Obwohl wir uns schon Monate zuvor um eine Unterkunft bemüht hatten, waren die wenigen Quartiere ausgebucht. Deshalb nächtigen wir fast 50 Kilometer entfernt, um am nächsten Morgen nach Shanksville zurückzufahren, wo die Familien der Anschlagsopfer eine neue Gedenkstätte einweihen. Früh stehen wir für die Pressepässe an. Da regnet es bereits in Strömen. Die Organisatoren sind Nationalpark-Ranger, die das Gelände künftig betreuen, dazu der Pressestab des Weißen Hauses, weil auch der Präsident einen Kranz niederlegen wird, und der Geheimdienst, der dafür sorgen muss, dass sich kein Attentäter nähert und nirgendwo eine versteckte Bombe lauert.

In einem der Nachbarorte treffen wir uns zuvor mit einem pensionierten Polizeibeamten, der vor zehn Jahren die entführte Maschine des United-Airlines-Fluges zu Boden taumeln sah. In einem Nebenraum des Coal Miner's Café, wo er gelegentlich frühstückt, erinnern Fotos an den Absturztag, an die Rauchsäule über dem Wald, die schmorende Riesenfurche, die das Flugzeug in die Erde kratzte, das gesicherte Gelände, wo sich nach der Explosion im Umkreis von Kilometern Flugzeugteile und Leichenreste fanden und, in acht Metern Tiefe, der Flugschreiber.

»Larry«, streckt der Gast mir seine Hand entgegen, »Larry Williams.« Er sei auf dem Golfplatz gewesen an jenem Morgen, erzählt er. Gerade habe er sich noch über einen guten Schlag gefreut, da sei ihm am Himmel die Maschine aufgefallen. Viel zu tief und unruhig sei sie näher gekommen. Er habe zuerst gedacht, es sei ein

Testflug. Dann habe sie sich gedreht, bis ein Flügel nach unten ragte, und sei hinter den Baumwipfeln verschwunden. Sekunden später habe er den Knall gehört.

Larry war bis dahin ein hartgesottener Mann. Als »State Trooper«, wie sich die Polizisten hier nennen, habe er manches miterlebt. Kriminalität, Schicksalsschläge, Elend. Was ihn aus der Balance warf wie das Flugzeug über ihm, war die Geschichte des Fluges »UA 93«, von der er danach las. Denn die Terroristen kaperten die Maschine später als ihre Mitverschwörer auf den anderen Strecken. So erfuhren Crew und Passagiere, die von den Entführern in den hinteren Teil der Kabine verbannt worden waren, als sie über Bord- und Mobiltelefone ihre Familien anriefen, sogar noch von den Attacken auf die Türme von New York. Kurz darauf berieten sie sich, was sie tun könnten, und begannen, das Cockpit zu stürmen. Nach allem, was bekannt ist, gaben die Terrorpiloten deshalb ihren Plan auf, bis zum Kapitol in Washington zu fliegen, und rissen stattdessen die Maschine schon hier in die Tiefe.

»Was hätte ich wohl gemacht?«, fragt Larry sich seitdem. »Wie hätte ich mich verabschiedet von meinen Lieben? Welche Worte hätte ich gewählt?« Seine Stimme zittert, seine Augen werden feucht. »Sie handelten nicht nur, sie stimmten sogar ab, sie waren noch demokratisch.«

Bis heute ist Larry in kein Flugzeug mehr gestiegen. Und wenn seine Kinder auf Reisen sind, verfolgt er ihre Flugrouten am Computer – und macht kein Auge zu, bevor sie ihr Ziel erreicht haben.

An der Gedenkstätte sprechen wir mit Angehörigen, die inzwischen angekommen sind. Sandra Felt, eine zierliche, in sich ruhende Frau, schildert uns lächelnd, was ihr irgendwann Kraft gegeben habe: »Mein Mann klang gefasst und besonnen, als er anrief.« Das habe ihr bald über die Verzweiflung hinweggeholfen. Sie selbst hatte gar nicht mehr mit ihm reden können. Er hatte nur die Telefonvermittlung erreicht. Der Witwe blieb allein der Gesprächsmitschnitt.

Die junge Flugbegleiterin CeeCee Lyles dagegen war noch zu ihrem Ehemann Lorne durchgekommen. Er arbeitete Nachtschichten und schlief an jenem Vormittag. Der Anruf weckte ihn, dann wunderte er sich über das, was er durch die Leitung hörte. »Da war zunächst ein lauter Knall«, erzählt er. »Dann sagte CeeCee: ›Es beginnt jetzt, ich muss gehen. Sage den Jungs, dass ich sie liebe. Und ich liebe dich.‹« Danach habe er einen Schrei im Hintergrund gehört, und die Verbindung sei abgebrochen. Die Schilderungen hinterlassen auch mich nachdenklich. Wie Polizist Larry ertappe ich mich bei dem Gedanken, wie ich wohl reagiert hätte.

Noch vor Sonnenaufgang durchschreiten wir am nächsten Morgen fröstelnd die Sicherheitsschleusen, um später im Frühnebel das Gedenkstättenareal zu überqueren. Auf einer Wiese, die von den Familien »Friedhof« genannt wird, markiert ein roter Findling die Absturzstelle. Bald häufen sich Blumensträuße der Trauernden darauf. Als wir unser Equipment zu den Live-Positionen schleppen, zuerst entlang einer schwarzen Granitböschung, dann einer weißen Marmormauer, die alle Opfernamen in sich trägt, bin ich froh über diese stillen, angemessenen Minuten vor dem ereignisreichen Tag.

Die Expräsidenten Bill Clinton und George W. Bush sowie Vizepräsident Joe Biden halten behutsame Reden. Auch sie stellen heraus, wie 40 zufällig beieinandersitzende Passagiere die angegriffene Demokratie verteidigten, indem sie sie beherzigten. Sie sprechen von Helden, die noch als Todgeweihte den vierten Terroranschlag vereitelten, der mutmaßlich dem Herzen Washingtons gegolten hätte.

Danach erhöhen die schwarz uniformierten Aufpasser die Sicherheitsstufe. Hoch gelegene Kamerapositionen lassen sie kurzerhand räumen, ziehen Sperren hoch, wo zuvor Durchgänge waren. Polizisten zu Pferd beäugen die Umgebung, Helikopter kreisen über uns. Polizeisirenen heulen von der Zubringerstraße, auf ausladenden Gelände-Chevrolets huscht die rot-blau-rote Lichterfolge hin und her. Selbst wer die Umstehenden nicht mehr reden hört, kann ihre Lippen lesen: »Der Präsident kommt!«

Am Morgen war er in New York gewesen, am Nachmittag wird er am Pentagon erwartet. In der Ferne schwebt bald sein Hubschrauber heran, der ihn und seine Frau Michelle in Pittsburgh abgeholt hat. Noch bevor beide durch die Lücke in der Marmormauer treten, um ihren Kranz zurechtzurücken, brandet Jubel auf. Veteranen hissen ein Banner mit dem Schriftzug: »Soldaten glauben an Obama.« Hälse recken sich so hoch wie nie zuvor. Fotos werden blind und hundertfach geschossen, während die First Lady und der Präsident mit den Hinterbliebenen von Shanksville reden. Kaum einer rührt sich in dieser Stunde von der Stelle. Ich frage mich, ob sich eine Kanzlerin oder ein Kanzler je mit einer solchen Amtsaura umgeben könnten. Ob es nur an den Hollywood-erprobten Sirenen der Begleitfahrzeuge liegt, die nun mal so viel aufregender klingen als das deutsch-biedere »Tatütata« verbeulter Polizeiwannen.

»Spürt man denn bei so einem Ereignis etwas von den Washingtoner Grabenkämpfen?«, fragt mich Moderatorin Tina Hassel im *Weltspiegel*. »Überhaupt nicht«, antworte ich. »Solche Tage sind frei von Parteipolitik. Alles andere würde sich rächen.« Das heiße aber erfahrungsgemäß nicht, dass sie versöhnlich in die Kongresswoche abstrahlten. »Da legen alle schon zwei, drei Tage später den Hebel wieder um auf die alte Parlamentsroutine.« Ich sollte mich täuschen. Es dauerte nur einen Tag.

Auf der Rückfahrt nach Washington machen wir an einer Drei-Häuser-Siedlung halt, wo Kinder Apfelkuchen feilbieten. Dazu verteilen sie Amerika-Fähnchen mit der Aufschrift »Den Helden des Fluges UA 93«. Eines davon, so kitschig es ist, hat seit jenen Tagen zwischen allerlei Stiften seinen Platz auf meinem Schreibtisch. Damit ich an den Opfern von Shanksville Maß nehmen kann, wenn ich wieder einmal glaube, ich sei in einer schwierigen Lage.

7 Trotz Nobelpreis
Drohnen, Kriege, Killerlisten

Amerikaner saßen in Panzern oder Jeeps. So hatte ich sie als kleiner Junge wahrgenommen. Wenn die Erde zitterte und so einen Militärkonvoi ankündigte, rannten wir zum Straßenrand, reckten unsere Kinderarme hoch und formten die Finger zum »Victory«-Zeichen, obwohl wir gar nicht wussten, was das hieß. Aber die Kerle, die oben aus den Panzerluken schauten oder nach der Vorbeifahrt auch vom Heck eines Truppentransporters, erwiderten es meist, und das genügte uns als Grund. Es war faszinierend, die Sieger als Freunde zu haben. Das war in den Sechzigerjahren in der Westpfalz. In nahezu jedem Witz, den wir uns erzählten, ging es um einen Amerikaner, einen Russen und einen Chinesen – und der Ami war allen stets lächerlich weit überlegen.

In der Region hatten die Sieger alle Bunker gesprengt, deren Betonblöcke noch immer schief aus den Äckern ragten. Später erfuhr ich von meinem Großvater, dass er ein Jahr in US-Kriegsgefangenschaft verbrachte. Doch er erzählte nur Gutes davon, ganz anders als die Russland-Heimkehrer. In Michigan verpackte er in einem Arbeitslager Lebensmittelkonserven. Er habe nie verstanden, warum andere Gefangene manchmal in die Dosen spuckten, sagte er. Sie alle hätten mehr zu essen gehabt als die Anwohner draußen. Ohnehin war er den Amerikanern dankbarer als sie, denn seine Gefangennahme rettete ihm das Leben. Als der US-Trupp in das Dorf in der Normandie eindrang, hatten ihn Partisanen mit anderen Deutschen schon zur Erschießung an die Wand gestellt. Gerade rechtzeitig jagten die Soldaten sie davon. Auch von ihnen waren manche im Jeep gekommen.

Als Schüler waren es die US-Waffenarsenale, die in den heimatlichen Wald vergraben waren, Giftgas zumal, die uns politisierten, dann die NATO-Nachrüstung. Krieg schien immer eine Angelegenheit von Amerikanern.

Auf einer meiner ersten Reisen als US-Korrespondent fühle ich mich daran erinnert. »Liebe Fluggäste, bitte bleiben Sie nach der Landung noch einen Moment sitzen«, wendet sich der Pilot an die Passagiere. Die Maschine rollt aus, stoppt am Gate, dann meldet er sich erneut. Er bitte um Verständnis, dass ein junger Mann die Kabine vor allen anderen verlassen dürfe, der als Soldat auf dem Weg zu seinem ehrenhaften Einsatz im Irak sei. Daraufhin schleicht ein kurz geschorener Uniformträger, halb verwundert, halb verlegen, durch den Mittelgang nach vorn, begleitet vom Applaus seiner Mitflieger. Spätestens seit diesem Tag weiß ich, dass ich in einem Land arbeite, das ein anderes, alltäglicheres Verhältnis zu Soldaten und Krieg hat als das Nachkriegsdeutschland meiner Kindheit.

Was den Kapitän zu seiner Aktion veranlasst hat, erschließt sich keinem so recht. Es scheint nicht einmal so, dass er dem Jungen einen Gefallen tat: Er fühlt sich sichtlich unwohl, als würde er viel lieber umkehren. Doch auch den Klatschenden ist, von Ausnahmen abgesehen, gar nicht nach Schulterklopfen. Der Applaus gerät keineswegs begeistert, sondern verhalten. Denn jeder weiß, dass er damit einen Landsmann, der auch der eigene Sohn sein könnte, womöglich gerade in den Tod verabschiedet.

Dass die Supermacht fortdauernd Krieg führt, hat sich seit meiner Ankunft nicht geändert. Zwar hören wir in Hintergrundgesprächen europäischer Diplomaten, dass in einer Demokratie heute den Wählern kein Krieg mehr länger als fünf Jahre zu vermitteln sei. Doch solche Sätze sind aus der Not der Gastgeber geboren, etwas Kluges sagen zu müssen. Und zählt man die Jahre mit, in denen die Deutschen ihren Afghanistan-Einsatz noch nicht Krieg nannten, hat auch Berlin die angebliche Grundregel längst außer Kraft gesetzt.

Amerika erscheint mir zumindest routinierter, was den Umgang mit Soldaten und Krieg angeht. Was ich einst als Volkstrauertag kennenlernte, mit mahnenden Pfarrer- und Bürgermeisterworten am örtlichen Gefallenendenkmal, nur ja den Anfängen zu wehren, nennt sich hier »Memorial Day« und »Veterans Day«. Und Amerika hat viele Veteranen, sogar junge, die den Krieg hinter sich haben.

Der Respekt, den sie an diesem Tag genießen, fehlt freilich im Rest des Jahres allzu oft. Eine Enthüllungsrecherche der US-Presse brachte zuletzt derart skandalöse Zustände im größten Washingtoner Militärhospital ans Licht, dass Präsident Obama nach seiner Wahl verspricht, die Verpflichtungen der Regierung ihren Kriegsheimkehrern gegenüber aufmerksamer im Blick zu behalten als sein Vorgänger. Zu Hunderten litten bis dahin die einstigen Helden, viele arm- und beinamputiert, dürftig umsorgt und verpflegt, unter schändlichen hygienischen Verhältnissen.

Doch auch was die Veteranen in ihren Seelen mit zurückbringen, mag die Nation nur hören, wenn es nach Sieg und Tapferkeit klingt. Dabei wenden sich gerade Exsoldaten regelmäßig an Amerikas Öffentlichkeit, um die alltäglichen Greuel zu schildern, die sie selbst sahen oder, noch drastischer, mit begingen.

»Uns bleiben Erinnerungen an ein Land, das wir zerstörten, und an Bewohner, denen wir nicht halfen, sondern die wir viel öfter verschreckten«, bezeugen Irak-Veteranen, die sich im Projekt »Wintersoldiers« zu Wort melden, das an Protestaktionen während des Vietnamkriegs anknüpft. Ort der Kundgebung ist der Hörsaal einer Universität in Maryland. Das Medieninteresse ist gering. Die meisten Networks scheuen den Vorwurf, sie würden sich einspannen lassen, die Moral der Truppe zu untergraben.

Einer der Mitorganisatoren ist damals Adam Kokesh von der Initiative »Irak-Veteranen gegen den Krieg«. In seiner Ausbildung habe man ihn Einsatzregeln gelehrt, die angeblich über allem stünden, sagt er. »Da hieß es zum Beispiel, dass wir nur auf identifizierte militärische Ziele schießen. Aber in den Berichten, die uns Soldaten geschrieben haben, steht eine ganz andere Wahrheit. Ich selbst habe es auch anders erlebt. Sobald wir am Ort waren, hieß der Befehl, auf alles zu schießen, was sich vom Abend an bewegt, auf jeden, der eine Waffe trägt oder der sich in einer bestimmten Zone aufhält.«

Schuld an diesen Verstößen seien nicht die Soldaten, sondern ihre Vorgesetzten, klagt Kokesh, denn gerade die einfachen Soldaten soll die Aktion schützen. Was sie vor allem anderen glaubwürdig macht, ist, dass diese Männer wissen, wovon sie reden. Ihre Aufzeichnungen wurden von Dritten auf Schlüssigkeit und allgemeine Faktentreue überprüft. Hier sitzen keine Kriegsdienstverweigerer, die ihrem Gewissen folgend Krieg verurteilen. Hier wenden sich jene an die Welt, die einmal überzeugte Soldaten waren – aber als Kriegsgegner zurückkamen.

Kokesh war in Falludscha eingesetzt, das die US-Truppen erst nach heftigen Kämpfen einnahmen. »Als wir die Stadt beschossen hatten, stand dort ein großes Gebäude in Flammen. Also kam die örtliche Feuerwehr, um sie zu löschen und Menschen aus den Trümmern zu retten«, sagt er. »Aber weil die Marines Befehl hatten, eben auf alle zu schießen, die sich nach Einbruch der Dunkelheit draußen bewegten, schossen sie auf die Silhouetten vor den Flammen. Die irakische Polizei erreichte irgendwann unsere Feldstation, aber keiner verstand etwas. Weil ich ein wenig Arabisch gelernt hatte, weckten sie mich auf. Ich schlug im Wörterbuch nach, was Feuer heißt, und suchte auf dem Stadtplan, wo genau das Gebäude war. So konnten wir an unsere Leute melden, dass sie nicht länger schießen sollten.«

»Massaker sind Alltag«

In den US-Medien wurde der Sturm auf Falludscha als heldenhafte Operation gezeigt. Den Kriegsalltag vermittelten die Bilder kaum. Nur eine Schockszene taucht damals zufällig auf, in der Soldaten eine Moschee auf der Suche nach feindlichen Kämpfern durchkämmen. Am Boden häufen sich dort bereits die Leichen irakischer Soldaten. »Da hinten atmet noch einer und stellt sich nur tot«, ruft plötzlich einer der Marines. Dann fällt der Schuss. »Jetzt ist er wirklich tot«, flucht der Schütze. Eine Hinrichtung.

Später wird ein Massaker im Ort Haditha bekannt, das die Befehlshaber lange zu vertuschen suchten und ein Militärrichter am Ende ohne Haftstrafen durchwinkt. In einem Wohnhaus hatten Soldaten 24 Zivilisten, darunter acht Kinder und ein 76-Jähriger im Rollstuhl, grausam exekutiert. »Auch das war kein Einzelfall, Massaker sind Kriegsalltag«, beteuern die Veteranen.

»Etwa wenn Konvois aus Häusern beschossen werden, während sie in vollen Straßen unterwegs sind«, schildert einer, »da feuert man um sich, bis keiner mehr steht.«

Kokesh verteidigt auch in diesem Fall die Soldaten. Der Krieg habe sie zu Massenmördern gemacht. »Auch wenn da viele Kinder unter den Toten sind, die Soldaten versuchten nur, ihr eigenes Leben zu retten. Was soll passieren«, sagt er, »wenn Soldaten, die nur zu töten trainiert haben, im Konvoi unter Feuer geraten? Wir wurden nicht in Orten ausgebildet, die voller Kinder waren.«

Aber nach solchen Blutbädern gab es doch immer Untersuchungen, wende ich ein.

»Eben nicht«, erwidert er. »Warum auch? Das sind Dinge, die passieren in Kriegen.«

Auch die skandalträchtigen Fotos aus dem Gefangenenlager Abu Ghraib, wo US-Aufseher inhaftierte Verdächtige demütigten, schikanierten oder zu Tode folterten und sich dabei noch lachend ablichten ließen, halten die Veteranen für weniger außergewöhnlich, als das Militär glauben machen wolle. Auch er habe als Bewacher Grenzen überschritten, sagt Kokesh und zeigt uns eigene Fotos, die ihn in Helm und Uniform zeigen, das Gewehr schussbereit in Händen, während neben ihm zwei gefesselte Männer knien, über deren Köpfe Papiertüten gestülpt sind. Die Wand hinter ihnen scheint blutverschmiert, der Boden ringsum ist verschmutzt.

»Das waren Iraker, die uns auffielen, weil sie umgerechnet 2000 Dollar Bargeld bei sich hatten«, sagt er. »Ich sollte auf sie aufpassen, bis sie befragt werden könnten. Der Vorgesetzte sagte nur: ›Hey, wir brauchen dich für eine Schicht. Lass sie nicht schlafen, tue alles, um sie wach zu halten, lass sie nicht aufs Klo gehen, lass sie in ihrer Scheiße sitzen.‹«

Schon damals habe er gedacht, das sei unnötig und

inhuman. Tatsächlich hätten sie das Geld für eine Hochzeit von der Bank geholt, habe sich bald herausgestellt. Wenn diese Leute je Amerikaner gemocht hätten, sagt er, habe man ihnen an jenem Tag Grund genug gegeben, das zu ändern. Denn als die Verhörspezialisten von der CIA angekommen seien, habe er seinen Augen nicht getraut.

»Die schrien mich an: ›Warum läuft hier die Klimaanlage? Warum behandelst du die so gut?‹ Ich sagte: ›Was ist mit Unschuldsvermutung und so? Die haben nicht auf uns geschossen. Sie hatten nur eine Tüte Geld im Auto. Dazu wollten wir sie befragen, also euch die Gelegenheit zum Verhör geben, sonst nichts.‹ Und dann fingen sie ohne ein Wort an, auf die Männer einzuschlagen und ihre Köpfe gegen die Wand zu schleudern.«

Billige Leben

Er selbst sieht jung aus in der Szene, die Helmkante gleich über den Augenbrauen, eingepackt in volle Montur. »Jeder hat solche Erinnerungsfotos«, sagt er. »Wenn du im Krieg bist, ist das normal.«

Das grausigste in seiner Sammlung zeigt die verkohlte Leiche eines Autofahrers, den die Wucht von Geschossen mitsamt dem Sitz niedergestreckt hat. Die Umrisse des Schädels sind noch zu erkennen, die Öffnungen, wo Minuten zuvor noch ein Gesicht mit Augen und Mund gewesen war. »Er kippte von den 50-Kaliber-Maschinengewehrsalven unserer Soldaten nach hinten«, erklärt mir Kokesh. »Nur ein paar Marines, die aus der Distanz den Eindruck hatten, dass der Wagen zu schnell fahre. Dabei war ihr Checkpoint kaum erkennbar.«

Das Leben sei sehr billig im Krieg, bilanziert er. Wer in Falludscha habe nachweisen können, dass ein Angehöriger grundlos durch US-Soldaten umgekommen sei, habe 2500 Dollar Entschädigung erhalten, an anderen Orten waren es nur 1000 Dollar. »Auch das verbitterte viele irakische Familien, denn meine Mutter hätte nach meinem Tod 400 000 Dollar bekommen«, sagt er. »Das ist ein Riesenunterschied zwischen dem Wert eines irakischen und eines amerikanischen Lebens, den die Soldaten verinnerlichen, ohne darüber nachzudenken. Es ist einfach ihre Wirklichkeit. Und zugleich wird auf der anderen Seite auch dein eigenes Leben billig, weil du weißt, dass es jeden Tag zu Ende sein kann. Das macht dich fatalistisch. Auch das wird im Krieg normal. Und verglichen mit manchen anderen Vorfällen, die ich dort gesehen habe, sind diese paar Fotos ein Nichts.«

Ein weiterer Exsoldat, der sich zu Wort meldet, heißt Steve, gerade 22 Jahre alt. Wie andere Heimkehrer in ihren Aufzeichnungen beklagt er, dass die offiziellen Opferzahlen geschönt seien. Oft sei auch ihm und seiner Einheit befohlen worden, Sperrfeuer gegen vermutete feindliche Schützen zu eröffnen. In Wohngebieten führe das immer wieder zu Massakern an der Bevölkerung, mit Hunderten von Toten, die dann durchweg als Aufständische gezählt würden. »Der Befehl lautete stets, dass nur wir auf der Straße sein dürften, dafür sollten wir sorgen«, sagt er. Sein Nebenmann auf dem Podium bestätigt das – und zitiert eine Anordnung, die sein Befehlshaber ausgegeben habe, nachdem ihm ein Verdächtiger per Taxi entwischt sei. »Unser Leutnant gab dann per Funk an die Soldaten durch, alle Taxen der Stadt in Brand zu schießen. Manche fragten zurück, ob er das ernst meine. Doch dann feuerten unsere Heckenschützen los.«

Tatsächlich werden nur wenige Übergriffe geahndet. Darunter sind die Mordtaten eines selbst ernannten »Kill Teams« in Afghanistan, das wahllos Einheimische hingerichtet und sich mit Leichenteilen als Trophäen dekoriert hat. Der erschütternde Videomitschnitt eines Hubschraubereinsatzes im Irak dagegen, der zeigt, wie der Bordschütze Unschuldige niedermäht, johlend, als folge er einem Computerspiel, bleibt für ihn folgenlos. Stattdessen wird der junge Gefreite, dem weitere Datenlecks angelastet werden, über Jahre in Haft gehalten, bis sein Militärprozess beginnt – wegen »Unterstützung des Feindes«.

Verfassungsrechtler, die mit Obama einst die Uni besuchten, äußern deswegen ihren Unmut. Selbst der Sprecher des Außenministeriums kritisiert die Haftbedingungen – und verzichtet danach lieber auf seinen Job, als etwas zurückzunehmen. Doch Obama greift nicht ein. Er fürchtet, dass ihn die Opposition mit Erfolg als Sicherheitsrisiko brandmarkt. Es ist eines der beklemmendsten Beispiele, dass es am Ende egal sein könnte, woran Obama scheitert – daran, dass er seine moralischen Ziele von vor der Wahl weiterhin anstrebt und deshalb abgewählt wird. Oder daran, dass er sie verrät. Erreicht werden sie beide Male nicht.

Erst Mitte 2011 eröffnet das Justizministerium ein Ermittlungsverfahren wegen zweier Todesfälle, einer in einem Geheimgefängnis in Afghanistan, der andere im Lager Abu Ghraib. Den ersten Gefangenen ließen die Bewacher nackt auf dem Boden seiner Zelle erfrieren. Der zweite starb angekettet am Fenstergitter eines Duschraums. Ein Foto zeigt einen Bewacher, der grinsend den Daumen hochreckt, vor der von Eiswürfeln gekühlten Leiche. Zuvor hat Generalstaatsanwalt Eric Holder etwa 100 interne Vorwürfe untersuchen lassen, die auf schwere Misshandlungen hindeuteten. Außer in diesen beiden Fällen wurden alle anderen Akten geschlossen. Kurz darauf beklagt ein UN-Bericht, dass in afghanischen

Gefängnissen weiterhin systematisch gefoltert werde, sobald die internationalen Truppen Verdächtige den örtlichen Offiziellen übergeben hätten. Der Bericht fragt auch, ob die US-Befehlshaber davon wussten oder zumindest hätten wissen müssen.

Dass der Bruch mit der Bush-Tradition weniger deutlich ausfällt, als von vielen erhofft, liegt jedoch auch an anderen. Die klare Abkehr von Bushs Folterpraktiken etwa hätte schon damit beginnen müssen, dass man sie beim Namen nennt. Stattdessen aber wurden sie schon durch die Wortwahl weiterhin versteckt.

Vom Verbiegen der Sprache

Als sich die Beschuldigten erheben, herrscht Ruhe im Saal. Sie ahnen ihr Urteil. Der Vorwurf: Misshandlung von Kriegsgefangenen. Das Mittel: Wasserfolter, simuliertes Ertränken also, in Amerika auch Waterboarding genannt. Dabei wird der Häftling liegend gefesselt und sein Kopf mit Wasser übergossen, was ihn in Panik versetzt, würgend, wie im Todeskampf. Ein klarer Verstoß gegen internationales Recht, stellen die Richter fest. Ihr Urteil: »Schuldig!«

Nicht etwa Expräsident George W. Bush und sein Stellvertreter Richard Cheney sitzen den Richtern gegenüber, um sich wegen ihrer Waterboarding-Anordnungen zu verantworten. Der Schuldspruch fällt in Tokio, nach Ende des Pazifikkrieges. Die US-Richter sitzen dem Internationalen Militärtribunal für den Fernen Osten vor, und die Verurteilten sind ausschließlich Japaner. Der Unterschied ist, dass sie amerikanische Gefangene gefoltert haben. Die milderen Urteile lauten auf Arbeitslager, die härteren auf Tod durch Erhängen.

Von solcherlei US-Rechtsprechung will man jedoch auch im Nach-Bush-Amerika nichts wissen. Bush hatte die Wasserfolter über die Geheimhaltung im Lager Guantanamo hinaus auch im Allgemeinbegriff »harte Verhörtechnik« versteckt. Als gehöre es zum Repertoire des Rechtsstaats, dass man Befragte fesselt und zum Röcheln bringt. Hätten Japans Kriegsverbrecher – oder China oder seinerzeit Saddam Hussein – sich so herausgeredet, die Presse im freien Teil der Welt hätte ihnen billige Propaganda vorgeworfen. Nun, nach Obamas Anordnung an die Geheimdienste, die Folterpraktiken der Vorgängerregierung einzustellen, windet sich selbst die ehrwürdige *Washington Post* weiter in pseudoneutralen Formulierungen. Es gehe um Befragungstechniken, berichtet sie, die Obama im Gegensatz zur Bush-Administration als Folter ansehe. So wird der Tatbestand erneut zur Ansichtssache. Der nächste Präsident, nach Obama, mag es ja wieder anders sehen.

Mit seiner eigenwilligen Neudefinition von »Sex« kam Expräsident Clinton nicht so weit. Im Gegenteil: Darüber lachte das ganze Land, bis er die Wortakrobatik aufgab. Aber das war auch allein sein Skandal. Wenn Amerika foltert, steht das Ansehen aller auf dem Spiel. Sprachnebel als Sichtschutz kommt da vielen gelegen. Das Problem ist, dass damit auch die juristische Aufarbeitung schwierig wird. Amtsvorgänger strafrechtlich zu belangen ist in Amerika ohnehin nicht üblich.

Dabei kam ihnen Obama schon weit entgegen. Fotos, die über die Enthüllungen von Abu Ghraib hinaus belegen könnten, in welchem Ausmaß die Bush-Cheney-Regierung Menschen misshandeln ließ, hält auch Obama unter Verschluss. Die weltweite Empörung, die sie auslösen würden, argumentiert er, würden US-Soldaten in Gefahr bringen. Selbst den Waterboarding-Spezialisten der CIA sichert er Immunität zu, als seien sie nur naive Handlanger gewesen. Doch statt dankbar zu schweigen, preisen die Pro-Folter-Wortführer, allen voran Cheney, aber bald auch fast alle neuen konservativen Präsidentschaftsbewerber sie als »professionelle, erfolgreiche Verhörtechnik«.

Sogar in Bushs Heimatbundesstaat Texas sah man das zuletzt noch anders: 1983 verurteilte dort ein US-Richter einen Sheriff und seinen Gehilfen – wegen Anwendung von Wasserfolter bei Festgenommenen, die ungeständig waren. Als Strafmaß legte er zehn Jahre Haft fest.

»Du glaubst, du ertrinkst«

Als die demokratische Senatorin Dianne Feinstein Ende 2007 im Senatsausschuss den Brigadegeneral Thomas Hartmann fragt, ob auch Folteraussagen in Militärprozesse einfließen, antwortet der Zeuge zögerlich. »Die Beweise, die wir sammeln, sind die Beweise, die wir sammeln. Ihre Aussagekraft beurteilt der Militärrichter. Die Methoden, die wir zuvor angewandt haben, lassen sich hier nun mal nicht abstrakt definieren.«

Die Vorsitzende Feinstein lässt sich ihren Ärger anmerken. »Verstehe«, sagt sie, »Sie wollen die Frage nicht beantworten.« Dabei hat er sie beantwortet. Er wollte nur nicht rundweg Ja sagen.

Unterdessen räumt der frühere CIA-Ermittler John Kiriakou in Interviews reumütig ein, er habe solche Verhöre selbst geführt. Natürlich sei das Folter. »Du kannst nicht mehr atmen und denkst, das Wasser erreicht deine Lungen, sodass du ertrinkst. Ich habe Probleme damit, das anzuwenden, so wie viele andere auch. Wir Amerikaner sollten so etwas nicht tun.«

Gerade ist da bekannt geworden, dass die CIA im großen Stil Aufzeichnungen gelöscht hat, die als Belastungsmaterial gegen die Folterer hätten herhalten können. »Warum sollte jemand das machen, außer um Beweise zu unterdrücken«, schäumt damals Senator Ted Kennedy. Auch in anderen US-Gefangenenlagern, so wird später bekannt, arbeiteten Verhörexperten mit Scheinhinrichtungen und Stromschlägen oder stellten ihre Fragen mit vorgehaltener, laufender Bohrmaschine.

Eugene Fidell, Rechtsprofessor am US-Institut für Militärjustiz, nennt die Frage, ob Waterboaring Folter sei, einen »no-brainer«, sprich: es sei kein Hirn nötig, um das zu erkennen. Denn es sei offensichtlich, sagt er uns im Interview.

Ein Videomitschnitt aus einem Lager kommt dennoch ans Licht. Der Junge, dessen Verhör er dokumentiert, ist bei seiner Festnahme gerade mal 15 Jahre alt, ein Moslem mit kanadischem Pass. Bei Gefechten in Afghanistan habe er eine Granate geworfen und so einen US-Soldaten getötet, lautet der Vorwurf. Nun soll er Details über al-Qaida verraten. Tagelang wird er vernommen, eine Kamera nimmt offenbar durch das Gitter eines Lüftungsschachtes Szenen auf. Darin beklagt er, im US-Gewahrsam mehrfach gefoltert worden zu sein, zeigt seine Wunden, bricht zusammen, weint und schreit verzweifelt: »Helft mir, tötet mich, euch interessiert doch sowieso nicht, was ich sage.«

Das Band erregt weltweit Aufsehen. Nicht weil die Szene erkennbar physisch brutal wäre, sonst hätte der Geheimdienst sie wohl längst gelöscht, sondern weil es das erste Videomaterial ist, dessen Herausgabe Anwälte erstreiten.

Als die Nachrichtenagenturen die Bilder verbreiten, bin ich zu einem Hintergrundgespräch bei einem Rechtsanwalt in Boston, der ebenfalls Guantanamo-Häftlinge vertritt. »Es ist dort schlimmer als in den schlimmsten Gefängnissen Amerikas«, sagt Sabin Willett. Seine Mandanten sind Moslems chinesischer Herkunft, von denen er einzelne schon freibekommen hat, während andere noch in ihren Zellen kauern, wie er sagt, ohne dass die Regierung ihnen überhaupt noch etwas vorwerfe. Huseifa etwa, von dem er nicht einmal ein Foto hat, habe längst aufgegeben. »Er bat uns, seiner Frau zu schreiben, dass sie wieder heiraten soll, den Kindern zuliebe«, sagt der Jurist. »Er ist seit sieben Jahren dort, obwohl wir grandios vor Gerichten gewonnen haben.«

Er spricht von Isolation, wochenlangem Schlafentzug und Psychofolter. Viele seien gar nicht mehr ansprechbar. Darunter seien Festgenommene, die nur in den Kriegswirren von Nutznießern verleumdet worden seien, um eine Belohnung zu kassieren. Und weil der Militärapparat dies nie habe korrigieren wollen. »Die Regierung argumentiert inzwischen sogar, dass sie niemanden entlassen könne, weil es sich dann ja um einen Einwanderungsfall handle. Ich bin diese Winkelzüge schon lange leid.«

Nach dem ersten Irak-Krieg sei das noch anders gewesen. Alle zu Unrecht Festgehaltenen seien damals innerhalb von ein paar Monaten freigekommen. Sogar ohne Rechtsanwälte.

Doch die Mehrheit der Parlamentsabgeordneten, konservative wie demokratische, vereitelt Obamas Absicht, das Lager auf Guantanamo aufzulösen, auf recht elegante Weise. Sie verweigern ihm die Mittel für die Überführung der Insassen. »Das Problem, was mit den Häftlingen geschehen soll«, rechtfertigt sich Obama später, »entstand nicht durch meine Entscheidung, das Lager zu schließen, sondern durch die Entscheidung anderer, es überhaupt einzurichten.« Dennoch wird ihm die politische Linke vorhalten, er habe nicht genug gekämpft. Auch Alexander Abdo vom US-Bürgerrechtsverband Civil Liberties Union ist vom Präsidenten enttäuscht. »Die Frage ist, ob wir wirklich weiter über so etwas hinwegsehen wollen«, sagt er uns stellvertretend für die Kritiker. »Es war Obama selbst, der einmal gesagt hat, niemand stehe über dem Gesetz.«

Hauptsache Häftlinge

Dabei hätte sich Greg Smith nichts mehr gewünscht als neue Gefangene. Und er tut es noch immer. Jedes Mal, wenn er als zuständiger Wirtschaftsdezernent der 3000-Einwohner-Gemeinde Hardin im Bundesstaat Montana seine blitzsauberen Gefängniszellen abschreitet, kommt er zu ganz anderen Kosten-Nutzen-Analysen als der Kongress in Washington. Gregs Heimatstadt hat seinen Jobsuchenden seit Jahren kaum noch etwas anzubieten und deshalb alles auf eine Großinvestition gesetzt, die endlich die Wende bringen sollte: ein Hochsicherheitsgefängnis, das reichlich Mieteinnahmen von einer privaten Betreiberfirma bringen sollte – und dazu noch sichere Arbeitsplätze. So wollten Hardins Ortsvorsteher das stete Bangen vor der jeweils nächsten Wirtschaftsflaute ein für alle Mal beenden. Verbrecher gebe es doch immer, dachten sie. Sie künftig in Hardins Superknast zu sperren sollte für alle anderen hier ein Befreiungsschlag werden.

Doch weil nicht nur Hardin so dachte, blieb der Ort auf seinen Schulden sitzen – 20 Millionen Dollar. Kein Mieter fand sich. Die Justiz schloss ihre Straftäter lieber woanders weg. Nun glänzt der Stahl der Gitterstäbe, der Knastkantine und der Schiebetore ungenutzt. Nichts wäre da hilfreicher als ein paar Fuhren Terrorverdächtiger aus Guantanamo.

»Wir haben hier 36 Hochsicherheitszellen«, zeigt uns Greg beim Rundgang. »Darin können die schlimmsten Verbrecher untergebracht werden. Jeder mit Fußfesseln und zwei, drei persönlichen Wachleuten rund um die Uhr.«

Vollautomatisch bewegen sich Zwischentüren, bis sie krachend ins Schloss fallen. Die Überwachungstechnik, die Videobilder in einen Kontrollraum liefert, ist auf dem neuesten Stand. Selbst der Gefängnishof wirkt gehegt, kein Unkraut findet hier noch eine Nische. Wären nicht ringsherum die üblichen Stacheldrahtrollen gespannt, von außen könnte man den Flachbau für eine Schule oder einen Betrieb halten.

Natürlich gibt es auch in Hardin Menschen, die beim Stichwort Guantanamo nur mit den Achseln zucken und einem zu verstehen geben, dass Terroristen dort besser aufgehoben seien als im Inland. Doch die allermeisten im Ort hat der fehlgeplante Knast pragmatisch werden lassen. »Uns ist ganz egal, wer da drin ist, Hauptsache, es ist überhaupt jemand drin«, sagt uns eine Anwohnerin, »die werden mit dem Transporter reingefahren und kommen nie mehr raus. Wo also ist das Problem?«

Greg Smith preist das in Briefen an den Präsidenten als weiteren Standortvorteil, sollte Obama die Verlegung doch noch erreichen. »Gegen Terroristen gibt es bei uns keine Proteste, anders als in den Konkurrenzgemeinden«, beteuert er.

Tatsächlich machten sich bei Obamas Amtsantritt noch mehr Städte mit Hochsicherheitsgefängnissen Hoffnung auf den Zuschlag. Nur wehrten sich dort Lokalpolitiker und Bürger vehement gegen die Bewerbung. »Sicherheit geht über alles! Keine Terror-Häftlinge!« stand auf Protestbannern in Michigan, als die Regierung dort eine Haftanstalt mit in die engere Wahl nahm. Auf einer Anhörung beschwerten sich die Wortführer, es gebe ja wohl noch einen Unterschied zwischen einheimischen Kriminellen und moslemischen Kriegern. In Kansas, wo ebenfalls ein Hochsicherheitstrakt verfügbar wäre, lehnte sich der republikanische Senator aus dem Fenster. »Wir wollen diese Leute nicht«, schimpfte er gegen die Vorauswahl. »Sie sollen meinetwegen human behandelt werden, aber auf keinen Fall hier.« In Hardin nährten solche Nachrichten weiter die Hoffnung.

»Das Land hat ein Problem, wir bieten die Lösung«, schwärmt Greg noch immer, als er das Hauptlicht löscht und uns wieder nach draußen bringt, »so ist das doch in der freien Marktwirtschaft.«

Vorschuss aus Oslo

Obama müht sich derweil, zwischen sich und dem mächtigen Pentagon samt den Geheimdiensten keine Kluft wachsen zu lassen. Mit der Wahl des Republikaners Robert Gates als Verteidigungsminister, der mithin Obamas innerstem Machtzirkel angehört und loyal zu ihm steht, hat er sich vor konservativen Gegnern bisher erfolgreich abgeschirmt. Denn deren Kritik würde zuallererst ihren Parteifreund treffen. Für einen Präsidenten, der zwei Kriege geerbt hat, ist das politisch lebenswichtig.

Auch Friedensaktivisten, die nach Obamas Wahl sogleich alle US-Soldaten heimholen wollen, enttäuscht er – und unterscheidet weiter, wie schon während der Wahlkampagne, zwischen dem falschen Einsatz im Irak, den er immer abgelehnt habe, und der notwendigen Afghanistan-Mission, die von der Bush-Administration sträflich vernachlässigt worden sei. Dennoch wendet er dort bald die gleiche Strategie an, mit der Bush im Irak zuletzt einigen Erfolg hatte – er sagt den Militärs eine massive Aufstockung der Truppen zu. Allerdings koppelt Obama dies an einen termingerechten Abzug.

Starreporter Bob Woodward zeichnet später akribisch nach, wie einsam und ausdauernd der Präsident dabei sein Limit von 35 000 zusätzlichen Soldaten gegen den Pentagon-Block aufrechterhalten muss. Woche um Woche, Vorlage um Vorlage reizt Obama die Geduld der Öffentlichkeit aus, bis die Generäle ihm seine Wunschzahl auch als ihren eigenen Kompromiss anbieten. Die Chronik der Gespräche erinnert an das Kräftemessen zwischen den Falken in Verteidigungsministerium und Generalstab und den Tauben um den jungen Präsidenten John F. Kennedy während der Kubakrise.

Was Obama als Kriegsherr, Präsident und Dauerwahlkämpfer nun lösen muss, ist ähnlich dramatisch: Er muss die US-Truppen wie versprochen aus dem Irak zurückholen, ohne dort Chaos zu hinterlassen, und den Afghanistan-Krieg bald in ein Stadium führen, das sich als hinreichender Erfolg beschreiben lässt, um auch diesen zeitnah zu beenden. Und das trotz zögerlicher NATO-Partner, einer korrupten Karzai-Regierung in Kabul, zu der es keine Alternative gibt, und einem Kriegsgegner, der bekanntermaßen eher vom Nachbarland Pakistan aus agiert: al-Qaida. In Pakistan aber ist Obama noch mehr auf eine Regierung angewiesen, die zwar als befreundet gilt, deren Geheimdienst aber ein höchst schillerndes Eigenleben führt.

Mitten in den wochenlangen Streit um Truppenstärken, Zeitpläne und Abzugsfristen platzt plötzlich die Eilmeldung aus Oslo herein: Obama erhält den Friedensnobelpreis.

Von den Konservativen wird die Entscheidung eher mit Hohn quittiert. Lob aus Europa ist für sie immer verdächtig. Allein Senator John McCain spricht ohne Unterton von einer Ehre für das Land. Doch auch manche Liberale schütteln die Köpfe, dass der Friedenspreis ausgerechnet an einen kriegführenden Präsident fällt, und verlangen nun umso mehr, dass er sich den Preis verdienen müsse. In der deutschen Presse überwiegt Kritik an einer Fehlentscheidung. Es sei zu früh, Reden seien keine Taten. Oslo habe die gute Tradition verlassen, seinen Preis für eine Lebensleistung zu vergeben. Derweil rechtfertigt sich das Komitee, Obamas Bruch mit der unilateralen Außenpolitik des Vorgängers habe die Weltlage verändert. Die neue Offenheit für Diplomatie, der bekundete Respekt gegenüber der moslemischen Welt seien eben nicht nur Reden gewesen, sondern verdienstvolle, erkennbare Entspannungspolitik.

Als Obama den Preis entgegennimmt, verfolge ich die Übertragung seiner Rede. Die meisten erwarten eine Festansprache, die Widersprüche meidet und sich stattdessen schöner Theorie hingibt. Hier der Preis, die Friedenssehnsucht, dort der Krieg. Doch der Gast aus Washington umkurvt seine Kritiker nicht.

Er räumt offen ein, dass er den Nobelpreis weniger verdiene als etwa Nelson Mandela oder Martin Luther King, dass er in zwei Kriegen stecke und den Oberbefehl über Soldaten habe. »Einige von ihnen werden töten, und einige von ihnen werden getötet werden«, sagt er.

Den Irak-Krieg wolle er beenden, den Krieg in Afghanistan habe Amerika »nie gesucht«. Wann ein Krieg gerecht sei, fragt er sich und das Publikum. Als letztes Mittel der Selbstverteidigung, wenn Gewalt verhältnismäßig sei und der Schutz von Zivilisten gewährleistet? Dies habe die Staatengemeinschaft nach grausamen Weltkriegen als Moralstandard entwickelt. Er könne keine Lösung bieten, die Kriege abschaffen werde. Vermutlich werde es immer Kriege geben, auch wenn die Gewaltgegner King und Gandhi keine schwachen Vorbilder gewesen sein, sondern starke. »Aber als Staatschef habe ich einen Amtseid geleistet, mein Land zu schützen und zu verteidigen«, rechtfertigt er sich. »Das Böse existiert. Eine gewaltlose Bewegung hätte Hitlers Armeen nicht aufhalten können.«

Es sei kein Aufruf zu Zynismus, wenn er sage, dass Gewalt mitunter nötig sei. Es sei die Anerkennung der Geschichte, der Unvollkommenheit des Menschen und der Grenzen der Vernunft. Es sei richtig gewesen, Saddam Hussein aufzuhalten, als dieser in Kuweit einmarschiert sei. Und richtig, nach den Anschlägen vom 11. September in Afghanistan die Vorbereitung neuer Terrorakte zu verhindern. Den zweiten Irak-Krieg rechtfertigt Obama nicht. Vielmehr beteuert er, dass auch Amerika sich an Regeln halten müsse, die für alle gälten. Deshalb habe er Folter verboten. Man könne anerkennen, dass es Unterdrückung immer geben werde, und sich dennoch für Gerechtigkeit einsetzen. »Ohne Verklärung können wir verstehen, dass es immer Krieg geben wird«, schließt er, »und dennoch für den Frieden arbeiten.«

Selbst wenn die Rede zu Einwänden reizt – und Obama später noch einholen wird –, halten sie viele Beobachter für eine ungeschminkte, aufrichtige Bilanz, nicht nur eines Präsidenten, der versucht, richtig zu handeln, sondern einer ganzen Generation, die aus der Geschichte lernen wollte – und dennoch täglich fragen kann, was es konkret bedeutet.

Erneut fällt es mir am Abend zu, die Nachricht zu kommentieren. Gegen die Mehrheitsmeinung zu Hause begrüße ich die Preisvergabe. »Klar, er hätte sagen können: ›Ich nehme diesen Preis nicht an, weil ich ihn nicht verdiene, zumindest noch nicht«, gebe ich Kritikern recht. Nun trage das Nobelkomitee das Risiko, dass es leichtfertig Vorschüsse vergebe und nicht erst den Lohn für eine Lebensleistung. Die ungeschminkte Preisrede jedoch verdiene Respekt: »Da schickt Obama noch eben Zehntausende Soldaten in den Krieg und erklärt der Welt, dass sie nun mal so ist. Das muss sich einer trauen.«

Obama zeichne aus, dass er solche Widersprüche einräume. Schon als er offen zugegeben habe, dass auch er nicht wisse, was mit manchen der Guantanamo-Insassen nun zu tun sei, habe mich diese Offenheit verblüfft. Schon da habe kein Präsident gesprochen, sondern ein Moralist. Was er nun in der Nobelpreisrede dargelegt habe, seien ja nicht nur seine Widersprüche, sondern die der ganzen sogenannten Nachkriegszeit. »Jenseits von Mutter Teresa müssten viele ihren Preis zurückgeben, wenn Oslo erst Erfolgskontrollen einführte«, gebe ich zu bedenken. Und bitte all jene, die nun wieder reflexartig vor dem Schönredner Obama warnten, doch einmal in ihrem Musikschrank nachzusehen, ob da nicht zufällig noch die Weizsäcker-Rede stehe, die wir Deutschen einmal vor lauter Stolz auf Schallplatten gepresst hätten, weil sich da endlich mal ein Bundespräsident mit Welt und Wirklichkeit auseinandergesetzt hat, statt nur zu wandern oder Volkslieder zu singen.

Im Bann der Drohnen

Es ist dunkel über Afghanistan. Ein Dorf im Schlaf. Ein dumpfer Knall erschüttert ein Stück Mauer, auf das kurz der Lichtkegel der Angreifer fällt. Sie schützt die lehmfarbenen Flachhütten gewöhnlich vor Räuberbanden. Die Kamera folgt vorbeihuschenden Soldaten, während der

Rauch sich legt. Nur die Umrisse von Helmen, Sturmgewehren und Stiefeln sind erkennbar. Am ersten Haus treten sie krachend die Tür ein. Wortfetzen zischen durch die Nacht, dann Babygeschrei. Panische Gesichter im Schein von Taschenlampen, weinende Frauen. Den Truppen wurde gesagt, das Dorf werde von Taliban gehalten. Sie sollten nach Kämpfern und Waffen suchen. Mit der Frage, wie sie das machen sollen, bleiben sie jede Nacht allein. Seit Jahren stochern sie sich so durch den Kriegsstaub, sprengen Mauer um Mauer auf und machen sich, so fürchten sie, damit nur noch mehr Feinde.

»Wir erfüllten unsere Mission nie, dort Terroristen festzunehmen«, klagt der Soldat Rick Reyes in einer Anhörung des US-Kongresses, »uns blieb bald nur, die gesamte Bevölkerung zu verdächtigen, egal ob unschuldig oder nicht. Wir haben Väter verhaftet und fast erschossen, die nur eine Kanne Milch zu ihren Kindern bringen wollten. Das passiert hundertfach. Jeden Tag.«

Als ich seine Aussagen in einem Hintergrundbericht über den Stand des Krieges zitiere, muss ich an die »Wintersoldaten« denken, die Ähnliches geschildert hatten. Von diesem Soldaten jedoch sind die Vorgesetzten besonders enttäuscht. Er hätte Karriere machen können, er kannte sich aus in Afghanistans Geschichte und Kultur, galt im Führungsstab als Talent. Doch er kündigte den Militärs die Treue. Und er tat es nicht in aller Stille, sondern öffentlich. Doch auch die Kriegsherren widersprechen sich. Die einen begrüßen die neuen Soldatenkontingente. Ohne sie sei der Krieg nicht mehr zu gewinnen, sagen sie. Nein, die verschluckt dieses Land nur, wie es zuvor schon die anderen verschluckt habe, warnen die Skeptiker.

Das nächste Dorf, die nächste Razzia, wieder Türen in Trümmern. Schon vor dem Streit um Truppenstärken haben die Soldaten neue Anweisungen erhalten. Festnehmen sollen sie nun auch jene, die den Opiumanbau kontrollierten. Sie sollen Drogenlabore ausheben, denn damit verdiene der Gegner das Geld für seine Waffen. »Endlich greift da mal jemand durch«, sagen nun wieder die einen, während andere warnen – vor willkürlichen, geheimen Todeslisten. Denn die Soldaten sollen Verdächtige auch töten dürfen.

»Wenn diese Liste ein Drogenlabor benennt, ein Lager oder einen Transport, dann ist sie hilfreich«, sagt mir der ehemalige Innenminister Afghanistans, Ali Ahmad Jalali, in Washington. Er selbst habe seinerzeit die NATO zu mehr Härte gedrängt. Aber inzwischen beklagt er, dass Todeslisten ohne Rechtsgrundlage das Land nur in noch mehr Probleme stürzen. »Menschen können Sie nun mal nicht einfach erschießen, ohne je ihre Schuld nachzuweisen. Wie wollen Sie das rechtfertigen«, fragt er, »wenn Sie zugleich für den Aufbau eines Rechtsstaats werben wollen?«

Dennoch hält der US-Präsident, wenn nicht die gesamte NATO, offenbar an den Listen fest, die noch aus der Zeit George W. Bushs stammen und ausschließlich Zivilpersonen aufzählen. Vom Rechtsstaat sei Afghanistan ohnehin noch Lichtjahre entfernt, argumentieren manche Militärberater. Warum also nicht anwenden, was anderswo längst in die Regierungssprache Einzug hielt – als »außergerichtliche Tötung«.

Gute Zeiten für Waffen, die das auch ohne Truppen können. Unbemannte Drohnen etwa, die ebenso wie die Tötungslisten offenbar Ergebnis eines stillen Strategiewechsels sind. Um mehr zu erfahren, besuchen wir eine Flugschau im Bundesstaat Maryland.

Wie eine Experimentiermesse für Hobbybastler wirkt die Veranstaltung. Nur hat das US-Militär eingeladen, und die Flugkörper sind nicht aus Leichtholz und allein zum Fliegen geschaffen, sondern akribisch ausgestattete Mini-Killer. Der Pilot sitzt nun nicht mehr im Cockpit. Er lenkt Tausende von Meilen entfernt am Laptop, sei es, um nur Gelände zu erkunden oder um zu schießen. »Alle Flüchtigen vernichtet«, meldet er dann, wie es bisher eher die Schützen in den Kampfhubschraubern tun, »keine eigenen Verluste.«

Viele Drohnentypen könne das Militär bis zu 20 Stunden lang ununterbrochen einsetzen, sagt uns US-Marinekapitän Martin Deppe. »Wir müssen uns nun nicht mehr sorgen, wie lange Menschen fliegen können. Die Leute am Steuerlaptop wechseln sich ab. In echten Flugzeugen geht das nur, wenn sie Raum für eine große Mannschaft bieten.«

Doch auch Videoschützen machen Fehler. Für den letzten, der bekannt wurde, hat sich Außenministerin Hillary Clinton entschuldigen müssen, als Afghanistans Staatspräsident Karzai gerade zu Besuch war. »Wir sind nicht perfekt«, versuchte sie zu beschwichtigen, »wir machen Fehler, deshalb müssen wir den Dialog weiterführen, und sei es nur, um unsere Betroffenheit auszudrücken.«

Tage zuvor hatte ein US-Drohnenschütze versehentlich auf Zivilisten gefeuert, die Schutz in einem Haus gesucht hatten. Dutzende Tote wurden danach geborgen. Auch Drohnen, warnt später eine Studie des Washingtoner Think Tanks Center for a New American Security, seien keine Lösung ohne Rückschläge.

Der Militärhistoriker und Agenturkorrespondent Gareth Porter, einer der bestinformierten Kriegsberichterstatter Washingtons, erklärt uns unterdessen, wie Drohnen ihr Ziel finden. »Der Geheimdienst bezahlt Dorfbewohnern Geld dafür, dass sie mit elektronischen Chips verdächtige Häuser markieren. Da galt auch schon mal als Kriterium, dass die Bewohner arabische Einwanderer waren. Die hat man dann beobachtet oder auch gleich beschossen. Mitunter weiß niemand vorher wirlich, wer das ist, auf den eine Drohne feuert.« In Pakistan vor allem sei das gängige Praxis. Als Grundlage aber reiche das nicht.

In den Folgejahren weitet Obama den Einsatz von Drohnen und mit Tötungslisten ausgestatteten Spezialkommandos weit über das Maß seines Vorgängers hinaus aus. Mehr als jeder andere etabliert er damit eine Kriegsstrategie, die meist jenseits jeder Öffentlichkeit und ohne den Einsatz teurer Bodentruppen ihre Opfer sucht. Sie erlaubt ihm sogar, in Ländern Krieg zu führen, denen Amerika nie einen solchen erklärt hat – wie in Pakistan, wo er auf das Stillhalten der Regierung setzt, oder im Jemen, wo er mit den Machthabern gegen Aufständische kooperiert. Die dortige Regierung, so belegen Dokumente, die die Internet-Plattform Wikileaks ans Licht bringt, gibt einfach vor, sie selbst habe die Angriffe durchgeführt. Seine Worte von Oslo strapaziert Obama damit sehr.

Tarnflug nach Pakistan

An seinem spektakulärsten Tötungsfall freilich lässt der Präsident die Öffentlichkeit gerne teilhaben, wenn auch streng kontrolliert: Ein akribisch vorbereiteter, monatelang durchgeplanter nächtlicher Blitzeinsatz in Pakistan, an dessen Ende der meistgesuchte Terrorist der Welt von US-Elitesoldaten erschossen wird – Osama bin Laden.

Im Tiefflug und vom Radar der pakistanischen Armee unerkannt nähern sich die Tarnkappen-Helikopter, von denen die Welt bis dahin noch nicht einmal ein Foto sah, dessen Versteck, einem von Mauern umgebenen Wohnhaus nahe einer Militärakademie im Inneren des Landes. Die ganze Nacht hindurch verfolgen Obama und sein engster Krisenstab per Funk- und Videoverbindung im Lagezentrum des Weißen Hauses die Kommandoaktion, von der nur wenige wissen und die er allein verantwortet.

»Die Minuten vergingen wie Tage«, berichtet Obamas Antiterrorchef John Brennan später. »Der Präsident hat sich größte Sorgen um unsere Männer gemacht.«

Nur zu 45 Prozent sei er sicher gewesen, dass sich bin Laden tatsächlich in seinem Versteck aufhalten würde, räumt Obama danach ein. Wäre es ein Fehlschlag geworden, er hätte nicht nur Pakistans Regierung gegen sich aufgebracht, sondern sich auch vor der Opposition, wenn nicht vor der gesamten Welt, als tollkühner Haudrauf blamiert.

So aber verkündet er in einer kurzfristig festgesetzten Fernsehansprache, dass Amerikas Erzfeind nicht mehr am Leben ist. »Die Vereinigten Staaten haben unter meiner Führung eine Operation gegen bin Ladens Anwesen in Pakistan durchgeführt«, sagt er. »Es war ein mutiger und kenntnisreicher Einsatz einer kleinen Spezialeinheit.« Keine Siegerpose, kein Triumphgehabe, dass er endlich erreicht hat, wonach George W. Bush so sehr gestrebt hatte. Obama weiß, dass ihm der Schlag viel Sympathie einbringen wird, auch bei seinen Gegnern. Er darf ihnen nun keinen Grund geben, ihm die fälligen Gratulationen zu verweigern. Tatsächlich kommt sogar Dick Cheney um anerkennende Worte nicht herum.

Auch Condoleezza Rice, die frühere Außenministerin, beglückwünscht Obama ausdrücklich. Zudem rehabilitiert sie die Geheimdienste, die wegen Guantanamo und Abu Ghraib zuletzt so viel Kritik hätten einstecken müssen. Der Einsatz habe gezeigt, wie gut sie wirklich seien.

Als die Nachricht spätabends bekannt wird, strömen

Tausende zur spontanen Jubelparty vor das Weiße Haus, während die ersten Bilder von bin Ladens brennendem Versteck um die Welt gehen. Ein Kurier des al-Qaida-Chefs habe den US-Geheimdienst auf die Spur gebracht, heißt es. Nur 40 Minuten habe die Aktion gedauert. Unklar bleibt zunächst, ob Pakistans Präsident eingeweiht war.

»Ich habe immer wieder klargemacht«, rechtfertigt Obama das Eindringen in souveränes Staatsgebiet, »dass wir einschreiten würden, sobald wir wüssten, dass und wo sich bin Laden in Pakistan aufhält. Genau das haben wir nun getan.« Es sei aber wichtig zu wissen, dass die Zusammenarbeit beider Geheimdienste zu dem Versteck geführt habe, schiebt er nach. Eine Nebelkerze, die Pakistan die Kritik erschweren soll. Denn die Regierung in Islamabad war tatsächlich erst von Obama informiert worden, als alle US-Soldaten samt bin Ladens Leichnam Pakistans Luftraum wieder verlassen hatten.

Die erste Panne, die bekannt wird, war die Havarie eines der Hubschrauber bei der Landung. Doch selbst darauf waren die Planer vorbereitet. Eine Ersatzmaschine folgte prompt. Die Elitesoldaten hatten alle Unwägbarkeiten geprobt. Den beschädigten Hubschrauber brachten sie zur Explosion, damit die Geheimwaffe auch künftig eine solche bleibe – auch wenn die Trümmerteile von Pakistans Geheimdienst, wenn nicht gar von weiteren, bald eifrig untersucht wurden.

Kein Foto des Grauens

Andere Pannen beginnen erst danach. Bin Laden sei nach intensivem Feuergefecht erschossen worden, verplappern sich Teilnehmer der Krisenrunde. Am Ende habe er sich gar, wenig heldenhaft, hinter einer seiner drei Ehefrauen verschanzt. Später heißt es, die tödlichen Schüsse seien gefallen, als er sich der Festnahme widersetzt habe. Doch bald wird klar, dass bin Laden unbewaffnet war und nur zu Beginn des Angriffs ein Wachposten auf die US-Soldaten feuerte. Doch die Frage, ob die Einheit bin Laden auch hätte festnehmen können, statt ihn zu erschießen, kommt eher in Europa auf. In Amerika geht sie im Jubel über den Tod des Terrorführers unter.

Befreundete Regierungen bis hin zur Bundeskanzlerin zeigen sich ebenfalls erleichtert. Denn mit bin Ladens Tod wächst plötzlich auch ihre Hoffnung, mit dem Verweis auf ein erreichtes Kriegsziel die Truppen nun bald abziehen zu können.

Kritisiert wird Obama eher dafür, dass er kein Foto des Getöteten veröffentlicht. Stimmen werden laut, die nach Beweisen rufen und Zweifel streuen an den Angaben des Pentagon. Dabei verweist das Militär sogar auf einen Gentest, der bin Ladens Identität bestätigt habe, bevor der Leichnam religiösen Regeln folgend auf See bestattet worden sei. Leichenfotos würden nur Racheakte provozieren. Der wahre Grund ist vermutlich viel banaler. Die Schüsse aus nächster Nähe hatten von einem erkennbaren Gesicht nichts mehr übrig gelassen. Die wenigen Abgeordneten, die Fotos einsehen dürfen, sprechen von grausigen Aufnahmen eines geborstenen Schädels.

»Wir wollten ihn lebend fassen«, versichert Obamas Sprecher Jay Carney. Vorschläge, das Gebäude einfach mit einer Rakete zu beschießen, habe der Präsident abgelehnt, um das Leben Unbeteiligter nicht zu gefährden und um anschließend Gewissheit über bin Ladens Identität zu haben. Dem Drängen der TV-Networks, die ihre Berichterstattung tagelang mit vagen Trickbildern von der Aktion auffüllen, gibt Obamas PR-Stab indes nach – zuerst veröffentlicht er ein Foto des gebannt blickenden nächtlichen Krisenteams im Lagezentrum. Dann kündigt das Pentagon Videobilder bin Ladens an und Belege für dessen Rolle als al-Qaida-Chef.

»Was wir aus dem Haus mitnahmen, ist der größte Datenbestand, den wir je bei Terroristen fanden«, rühmt sich US-Sicherheitsberater Thomas Donilon. Die Festplatten und sonstigen Datenträger enthielten so viel Inhalt wie eine Collegebibliothek. Daraus lasse sich ableiten, dass al-Qaida weitere Anschläge geplant habe, etwa auf Eisenbahnlinien. Im Internet droht al-Qaida daraufhin tatsächlich mit Racheakten – nun aber für bin Ladens Tod.

Später veröffentlicht das Pentagon drei aufgezeichnete Videoansprachen des Terrorchefs, die er mit sichtlich geschwärztem Bart hält. Die Tonspur hat das Pentagon gelöscht, um Propagandaeffekte zu verhindern. Wahrnehmbar ist so allein, dass bin Laden hier und da beim Reden stockt und offenbar seitwärts zur Regie blickt. In einem vierten Clip dann schaut er sich, nun wieder graubärtig, auf einem kleinen Fernseher, umgeben von Kabelsalat und ärmlichem Chaos, Fernsehmitschnitte an, in denen er selbst auftaucht.

Welchen Reim sich die Amerikaner darauf machen sollen, bleibt ihnen überlassen. Bin Laden als noch immer mächtiger Vordenker des Terrornetzwerks? Oder doch ein eitler Selbstdarsteller, der kaum seinen Text aufsagen kann? Oder gar ein seniler Chaot, der schon nostalgisch zurückblickt? Selbst Widersprüche stören offenbar gar nicht mehr. Die Rufe nach Beweisbildern verstummen danach. Stattdessen dominieren Fragen nach der Rolle Pakistans. Wie zuverlässig ist dieser Partner noch, wenn bin Laden dort über Jahre unterschlüpfen konnte? Ist da nicht offenes Misstrauen geboten? Und zugleich die Gegenthesen: Wie gefährlich wäre es für die Welt, wenn Pakistans Regierung ihrerseits mit Obama bricht, nachdem er sie derart brüskiert hat? Und vor allem: Was wäre, wenn das Land mitsamt seiner Atomwaffen in die Hände der Fundamentalisten fiele oder in die des zwielichtigen Geheimdienstes?

Obama selbst reagiert differenziert. »Es muss dort ein Unterstützernetz gegeben haben, auch wenn wir noch nicht wissen, wer daran beteiligt war«, hält er den Druck auf Pakistan aufrecht und schont zugleich die dortige Regierung. Denn er braucht sie in Wahrheit mehr denn je. »Tatsache bleibt, dass wir auf pakistanischem Gebiet mehr Terroristen getötet haben als irgendwo sonst. Das wäre ohne Zusammenarbeit nicht möglich gewesen«, lobt er Präsident Zardari – und zugleich seinen eigenen umstrittenen Drohnenkurs.

Innenpolitisch muss Obama wegen der Drohneneinsätze nichts befürchten. Der einflussreiche republikanische Senator Richard Lugar unterstützt ihn offen – allein schon weil der Drohnenkrieg billiger sei als die 100 Milliarden Dollar pro Jahr, die der Afghanistan-Krieg die Amerikaner koste.

Frühlingswirren

Neben den geerbten Kriegen kommen mit Beginn des Arabischen Frühlings zusätzliche Konflikte auf, die Obama gleichfalls unter Zugzwang setzen. Kaum einer, der nicht an das Versprechen in seiner Rede an der Universität von Kairo zurückdenkt, wonach Amerika stets an der Seite friedliebender Völker stehe, als ebendort der demokratische Volksaufstand auf die Armee des trotzigen Despoten Husni Mubarak trifft. Wird Obama nun immer noch zu Amerikas wichtigem Verbündeten halten, wie es die Konservativen fordern? Oder liegt es im nationalen Interesse der USA, auch moralisch konsequent zu sein statt immer nur strategisch?

Obama versucht zunächst, die Opposition zu stützen, ohne dem Amerika-Freund in Kairo in den Rücken zu fallen. »Die Menschen dort haben Rechte, die universell sind«, bekräftigt er, »etwa das Recht auf politische Versammlung, auf Redefreiheit und darauf, das eigene Schicksal zu bestimmen. Das sind Menschenrechte. Und die USA stehen dafür überall ein.«

Als Tage später Mubarak noch immer an seiner Macht hängt, meldet sich Obama wieder zu Wort. »Ich habe mit Präsident Mubarak gesprochen«, sagt er mit noch immer austarierten Worten, »er hat erkannt, dass sich etwas ändern muss. Es ist nicht Sache des Auslands, Ägyptens Führer zu bestimmen. Aber es ist klar, dass ein geordneter, friedlicher Wandel jetzt beginnen muss.« Vor allem den jungen Menschen in Ägypten rufe er zu, dass Amerika sie höre. Die Zukunft ihres Landes sei offener denn je. Doch er sei zuversichtlich, dass das ägyptische Volk die Antworten selbst finden werde.

Das ist noch immer kein Verrat an Mubarak, legt diesen aber auf Reformen und Gewaltverzicht fest. Und es bringt Washington Zeit, hinter den Kulissen Einfluss zu nehmen. Denn entscheidend wird sein, wie Mubaraks Generäle sich verhalten. Ob sie einen Befehl befolgen, auf Landsleute zu schießen – oder ob sie es als patriotischer betrachten, diesen zu verweigern. »Wir reden ständig miteinander«, bestätigt US-Generalstabschef Mike Mullen. Das Druckmittel, das Obama einsetzen könne, sei Amerikas milliardenschwere Militärhilfe, an der Ägyptens Armeeführung weiterhin gelegen sei.

Am Ende gelingt der friedliche Machtwechsel. Und der Freiheitsdrang der arabischen Völker greift auf die Gaddafi-Diktatur in Libyen über, dessen Armee freilich nicht lange zögert, wenn sie Demonstranten niederschießt. Ein US-Einmarsch scheint dennoch ausgeschlossen, denn drei Kriege zugleich sind auch von Amerika nicht zu führen. Die Republikaner sperren sich schon gegen den Einsatz von Militärberatern. Doch Massaker an der libyschen Bevölkerung, wie sie Gaddafi androht, kann Obama ebenso wenig zulassen, ohne unglaubwürdig zu werden. So findet er sich erstmals in der Situation wieder, dass er mit Franzosen und Briten einem Luftkrieg gegen Gaddafis Truppen zum Erfolg verhelfen muss, ohne maßgeblich daran teilzunehmen. Als Monate später auch Gaddafi stürzt und in Tripolis ein Übergangsrat die Führung übernimmt, müssen auch die Kritiker im US-Kongress erkennen, dass Obama ihnen da keine Schwächen bietet. Im heraufziehenden Präsidentschaftswahlkampf sind ihre Kandidaten in Fragen der Außenpolitik zudem derart unbeleckt, dass sie diese durchweg meiden oder als nebensächlich abtun. Der Präsident kann sich nun wieder auf seine alten Ziele konzentrieren: die letzten Truppen aus dem Irak abziehen, den Afghanistan-Krieg gesichtswahrend beenden – und die Jagd auf al-Qaida-Führer mit ferngelenkten Drohnen fortsetzen.

Die Mütter von Arlington

Wer sonntags an den Gräbern des Soldatenfriedhofs über dem Potomac entlanggeht, trifft auf Hinterbliebene, denen weniger Bodentruppen schon früher recht gewesen wären. Zu sehen, wie sich Abertausende steinerner Kreuze, in Reihen stehend wie eine letzte Armee, über die grünen Hügel Arlingtons erstrecken, gehört zu den beklemmendsten Momenten meiner Korrespondentenzeit. Vor allem, wenn jenseits der jüngsten Gräber die

Bagger schon die nächste Reihe vorbereiten – für jene, die noch gar nicht wissen, dass sie bald hier begraben werden.

Nicht einmal die von Müttern angeklebten Fotos ihrer Söhne dürfen die Ordnung stören. »Die Friedhofswärter werfen sie regelmäßig in den Müll«, schimpft Paula, die Mutter des Rekruten Justin, der mit 19 Jahren vom Schlachtfeld Afghanistan zurückkam – im Sarg.

In Sichtweite liegt Andy, der nichts lieber werden wollte als Soldat. »Er war so glücklich, als er die Uniform trug«, erinnert sich Mutter Xiomara. Andy starb im Irak. Die Familie bekommt dann den Armreif des Soldaten von der Armee zurück, der als Inschrift Namen, Rang, Einheit und Todesdatum trägt. Andy wurde 24 Jahre alt. »Seine beiden Brüder sind derzeit in Afghanistan«, sagt Xiomara. »Sie sind Zwillinge. Und Soldaten mit Leib und Seele.«

Wären die Gräber nicht, man könnte die Zusammenkunft der Frauen, mit Klappstühlen, Sonnenschirm und Thermoskanne, für ein Picknick halten. Auch Beth hat sich nun dazugesellt, am Grab von Sohn Niklas, 21, getötet in Afghanistan. Jede Woche treffen sie sich hier und stützen einander, wenn ihre Trauer wieder hochkommt. Sie sind keine Hurra-Patriotinnen. Keine, die stolz Orden vorzeigen würden. Nichts konnte ihnen über den Verlust hinweghelfen. Die Kriege veränderten ihr Leben.

Ja, auch sie seien stolz auf ihre Söhne, sind sie sich einig. Sie hätten Mut bewiesen und ihr Land verteidigt. Und damit auch solche Familien, die keine Söhne ziehen ließen. Doch die Trauer bleibe lebendig, so wie am ersten Tag. Zu Hause sei das längst ihr Problem, denn niemand wolle mehr davon hören. Deshalb setzten sie dort nun freundliche Mienen auf. Sonst würden sie nicht mehr eingeladen, zu Geburtstagen oder zu Erntedank. Nur hier, hier auf dem Friedhof, sei es anders.

»Hier müssen wir uns nicht verstellen«, sagt Paula. »Wir können lachen und weinen. Und wenn du weinst, dann weinen die anderen mit dir, weil sie wissen, wie es in dir aussieht.«

»Wir müssen wieder Wege finden, um Kriege zu vermeiden«, meint Beth. »Ich hoffe, dass das Obama bald gelingt.« Sie vertraue ihm. Er handle verantwortungsvoll, nach allem, was sie gesehen und gelesen habe.

Ob sie manchmal fürchten, ihre Söhne könnten umsonst gefallen sein, frage ich. Das wollen sie nicht glauben, selbst wenn sie wünschten, die Jungs wären bei ihnen geblieben.

»Aber wer hätte sie halten sollen?«, fragt Paula zurück. »Wenn andere sagen, sie würden ihr Kind bestimmt nicht gehen lassen, könnte ich schreien. Sie werden 18 und wollen gehen. Wie sollte man sie umstimmen?«

Xiomara hatte es versucht. Wenn sie nicht wolle, dass er Soldat werde, habe Andy erwidert, dann hätte sie ein Mädchen kriegen sollen. »Wann immer nun jemand an der Haustür klopft oder das Telefon klingelt, rechne ich mit der nächsten schlechten Nachricht«, sagt sie, als wir Richtung Ausgang gehen. Sie mit Schirm, Tasche und Klappstuhl, wir mit Kamera, Stativ und Tonequipment. »Einer Nachricht aus Afghanistan«, sagt sie leise, »über meine Zwillinge.«

Von Rot, Blau und Blinden

Doch auch wer überlebt, hat den Krieg nicht hinter sich. Im zehnten Jahr des Afghanistan-Dramas ist die Zahl der US-Soldaten, die Selbstmord begehen, fast so hoch wie die der Gefallenen. »Im Krieg bist du hilflos«, sagt mir David Harlan, dem ich auf dem Balkon seines Elternhauses gegenübersitze. Vom Tal her zieht warmer Sommerwind herauf. Die frische Seeluft der Strände von Los Angeles schafft es nicht bis hierher, ins trockene Hinterland der Riesenstadt. »Die Einzigen, die du hast, sind deine Kameraden. Wenn die dir nicht helfen, ist es vorbei«, denkt er an seine Einheit im Irak zurück. Eine quälende Erinnerung.

»Wir hatten einen jungen Kameraden, der von allen gehänselt wurde. Am Ende hat er sich deshalb erschossen«, sagt er regungslos. »Jeder denkt dort, dass er sowieso sterben wird, mir ging das auch so. Vielleicht wollte er es ja nur selbst erledigen.«

In den Redepausen hört man Charly hecheln, seinen durstigen Hund, der ihm zu Füßen sitzt. Als David aus dem Krieg heimkehrte und bei seiner Mutter einzog, hat sie ihm den Hund besorgt. Zuvor hatte sie von der Organisation »Pets for Vets« gelesen, die Veteranen Haustiere vermittelt. So hat David Charly vorm Tod im Tierasyl bewahrt und Charly den Heimkehrer vorm Selbstmord.

»Mich quälen Albträume und Depressionen, ich bin ein anderer Mensch als vorher«, beschreibt er, was Ärzte sein Kriegstrauma nennen. »Ich fühle mich, als passte ich nicht mehr hierher.«

Was er träume, frage ich.

»Dass ich angegriffen werde und mich nicht wehren kann. Es ist, als würdest du gegen eine fremde Masse kämpfen, die dir keine Chance lässt. Du kannst nicht einmal weglaufen, denn es geht gar nichts mehr.«

Dabei klagt er nicht über den Krieg als solchen. Sein Pick-up-Truck ist dicht beklebt mit Stickern seiner Einheit, auf seinen Unterarm ließ er sich ein Schwert tätowieren. Nie würde er sich den »Veteranen gegen den Krieg« anschließen. Ein Foto, das er hervorkramt, hielt ihn in staubiger Uniform fest, als er aus der Luke eines

Truppentransporters blickt. So kam er an. Noch war er drinnen, doch draußen wartete bereits das Sterben.

»Du steigst irgendwann durch dieses Loch und weißt kaum, wo du bist. Du verlierst Freunde, die neben dir verbluten. Du bist einsam und hast Angst wie ein Kind, wartest nur noch, bis es auch dich zerreißt«, erklärt er mir. »Das bringst du mit nach Hause.«

In keinem Restaurant könne er mit dem Rücken zur Tür sitzen. In engen Räumen fürchte er sich. Orte mit vielen Menschen machten ihn aggressiv. »Dann möchte ich nur um mich schlagen«, sagt er und ballt die Fäuste. Niemand an seiner Seite habe das bisher lange ausgehalten. So viel Geduld habe nur Charly, der immer wiederkomme, auch noch wenn er ihn anschreie. Der Hund erwidert Davids Blick, die Hände entspannen sich, kraulen das schwarze Fell.

»Dass das keine Freundin erträgt, verstehe ich selbst«, sagt er, »ich habe ja nichts ernst genommen. Nichts von dem, was andere wichtig nahmen. Bei mir ging es ständig um Leben und Tod. Kleinigkeiten machen mich seitdem wütend. Dann gab es Streit, zu viel Geschrei, und ich war wieder allein.«

In einem nahen Park, wo David und Charly oft unterwegs sind, drehen wir Bilder der Umgebung. Die Mittagssonne spitzelt durch Pinienkronen. David wirft den Ball, der Hund bringt ihn wieder, als könne das Leben für beide nun tausend Jahre lang so weitergehen. Wahrscheinlich seien Kriege nur möglich, weil sich alles, was dort mit einem passiere, kaum mitteilen lasse, sagt er mir. »Selbst meine eigene Mutter konnte mich nicht mehr verstehen. Es ist, als müsstest du Blinden erklären, wie die Farbe Rot aussieht. Aber das Einzige, was du an Möglichkeiten hast, ist zu sagen, dass es nicht Blau ist.«

Im Industriegebiet am anderen Ende von Los Angeles

begrüßen die Wärter eines Tierasyls Clarissa Black, die sie an ihren strohblonden Haaren schon erkennen, wenn sie durch den Eingang kommt. Vor drei Jahren hat sie »Pets for Vets« gegründet und darf hier inzwischen selbst die Zwinger aufschließen. Ähnliche Organisationen gibt es in anderen Bundesstaaten. »In diesem Land begehen täglich 18 Veteranen Selbstmord«, beklagt Clarissa. »Und alle acht Sekunden schläfern wir einen Hund ein. Warum nicht dafür sorgen, dass beide einander helfen?«

Mit prüfendem Blick geht sie die Zwinger ab, hinter denen nun Hunderte von aufgebrachten Tieren lärmen, vom Schoßhund bis zur Riesendogge. Jeder, der binnen Tagen keinen Neubesitzer findet, endet im Tötungstrakt. Heute sucht sie nach einem aktiven, sportlichen Tier. Ein Schäferhund weckt ihr Interesse. Als sie sich in den Käfig wagt, springt er an ihr hoch. Sie leint ihn an, führt ihn zum größeren Testkäfig, tastet sein Fell ab, prüft das Gebiss, sucht nach Zeichen von Misshandlung.

»Ich muss erst sehen, ob er lernwillig und gesund ist«, sagt sie, »und ob er dem Naturell desjenigen entspricht, für den ich ihn vorgesehen habe. Manche wollen einen aktiven Hund, weil sie lebhafte Menschen sind. Andere sind ruhigere Typen, oder sie kamen als Kriegsversehrte heim und können energische Hunde gar nicht gebrauchen.« Der Schäferhund ist ihr zu aufgedreht. Deshalb lässt sie ihn zurück.

Auf der Fahrt im Auto frage ich, ob sie darüber nachdenkt, was ihr Urteil für einen Hund bedeutet. Anfangs habe sie das oft getan, sagt sie. »Das ist schwierig, denn du beginnst ja, den Hund zu mögen, aber du ahnst, er passt nicht wirklich zu dem, zu dem er passen soll. Alles andere wäre nicht gut. Ich kann nun mal nicht jeden retten.«

In einem leer stehenden Wohnhaus beobachten wir, wie Clarissa Hunde auf ihren Einsatz vorbereitet. Sie lehrt sie zu warten und zu folgen, belohnt sie für jede richtige Reaktion mit Futterstückchen. Bezahlen muss sie für die Hunde nichts, das Tierasyl ist froh um jeden, den sie mitnimmt. »Seit Beginn der Wirtschaftskrise allemal«, sagt sie, »da werden weit mehr Haustiere abgestoßen als sonst.«

Auch die Veteranen müssen weder für Hund noch für die Vermittlung zahlen. Bisher reichen Clarissa die Spenden, die sie einnimmt, um das Projekt zu finanzieren. Und die Antworten ihrer Klienten. Im Büro liest sie mir vor, was ihr ein Exsoldat gerade geschrieben hat. »Der Hund und ich waren gestern spazieren«, steht da. »Es war das erste Mal seit Jahren, dass ich mich nicht einen Moment lang allein, schutzlos oder bedroht fühlte. Es ist das, was wir brauchen.«

David erging es ähnlich. Als Clarissa bei ihm nachfragt, ob mit ihm und Charly alles in Ordnung sei, berichtet er von einer Schrecksekunde, weil der Hund Rattengift gefressen hatte. Der Tierarzt konnte ihm noch eben rechtzeitig den Magen leeren. David hatte schnell reagiert. Es war seine alte Welt. Es ging um Leben und Tod.

Zukunftskriege

Dass auf den Schlachtfeldern der Zukunft bald sowohl Soldaten als auch der Bombenhagel fehlen könnten, lerne ich bei einer langen Recherche für eine Fernsehdokumentation über den Krieg via Internet – oder wie die Fachwelt lieber sagt: im Cyberspace.

»Ich selbst habe schon im Jahr 2001, bevor wir in Afghanistan einmarschiert sind, eine Cyberstrategie in Auftrag gegeben«, bekennt der frühere US-Sicherheitsberater Richard Clarke im Interview freimütig. »Aber ich bekam von meinen Fachleuten zur Antwort, dass es dort nichts gibt, was man mit Cyberwaffen attackieren könnte. Sonst hätten wir es sicherlich gemacht.« Auch im Irak-Krieg prüften die Angriffsplaner Experten zufolge die Option, durch Cyberattacken das dortige Finanzsystem lahmzulegen. Doch die unklaren Auswirkungen auf die weltweiten Börsen hätten dagegen gesprochen. Ähnliche Bedenken verhinderten Online-Angriffe auf Libyen.

Spätestens als ich am Stadtrand von Alexandria unweit von Washington Zugang zu einem der internationalen Lagezentren des Sicherheitssoftware-Konzerns Symantec erhalte, wird mir jedoch klar, wie alltäglich Cyberattacken bereits sind. Wer dort die Kontrollschleusen durchlaufen hat und danach im Halbdunkel über das Heer der Monitore blickt, vor denen sogenannte Cyberabwehr-Manager rund um die Uhr das Internet durchforsten, ahnt, dass jene Zukunft längst begonnen hat. Die meisten Angriffe registrierten sie in den USA, China, Großbritannien und Deutschland, erklärt mir Firmensprecher Justin Bajko. Auf der Weltkarte, die den Stand der letzten Stunden festhält, sehe ich allein Berlin mit 2300 Angriffen markiert.

Wie seine Leute das messen, frage ich. »Wir haben ein Netz von Ködern ausgelegt«, sagt Bajko. »Das sind getarnte Computer, die online sind und schlichtweg warten, bis sie angegriffen werden. Sobald das passiert, werten unsere Analytiker das aus. Es ist ungefähr so, als hieltest du eine Karotte hoch, bis einer anbeißt.«

Softwareexperten entdeckten täglich 50 000 neue Viren, sagt uns auch Cyberexperte Travis Sharp vom Center for a New American Security. »Das sind mutmaßlich 50 000 neue Waffen in der Hand von Angreifern.«

Längst arbeiten die Internetfirmen mit dem US-Geheimdienst zusammen, zumal auch sie selbst schon Ziel fremder Attacken waren. Mitunter traf es über

30 Großkonzerne gleichzeitig, darunter Energie-, Finanz- und Kommunikationsgiganten wie Google und Waffenschmieden wie Lockheed Martin. Meiner Nachfrage, ob auch bei Symantec der Geheimdienst mit im Raum sitzt, weicht Bajko aus. »Selbst wenn es so wäre«, sagt er, »ich wüsste es vermutlich gar nicht.«

Was Firmen wie Regierung alarmiert, ist die Verwundbarkeit des Westens, dessen Infrastruktur enger vernetzt ist als die anderer Länder – von der Strom- und Wasserversorgung, den Verkehrsadern und Flughäfen bis zu Banken und Börsen. »Wir wissen, dass mindestens 20 Staaten Militäreinheiten entwickelt haben, um solche Systeme in anderen Staaten zu zerstören«, sagt uns Richard Clarke und führt als Beispiel den russischen Einmarsch in Georgien im Sommer 2008 an. »Es gibt Belege dafür, dass die Regierung in Moskau mit Hackern zusammengearbeitet hat. Die hat sie gebeten, an Cyberaktionen gegen Georgien mitzuwirken. So konnte sie später behaupten, nicht sie sei es gewesen, sondern patriotische Hackerbanden. Aber wir haben sehr gute Erkenntnisse, dass alles, was sie taten, extrem gut koordiniert war mit den Aktionen der Regierung, dass sie die Hacker ermuntert und mit Informationen versorgt hat, um die Kommunikationsverbindungen Georgiens im Innern und nach außen lahmzulegen, sobald die Rote Armee ihren Angriff begann. So konnte die dortige Regierung zunächst weder wirksam ihre Bürger noch das Ausland von dem Einmarsch informieren.«

Doch auch Amerika hat den Cyberkrieg nicht immer nur verworfen. Das Stuxnet-Virus etwa, das Irans Nuklearanlagen attackierte, wurde der *New York Times* zufolge in US-Labors entwickelt, auf Anweisung Obamas. Der Hamburger Software-Experte Ralph Langner, der es entschlüsselte, spricht von einem kriegerischen Akt.

»So etwas haben wir bisher noch nicht gesehen«, sagt er uns. »Ein Angriff, der einen herkömmlichen Militärschlag ersetzt. Die Ziele, die angegriffen wurden, wären sonst mit hoher Wahrscheinlichkeit auf konventionellem Wege attackiert worden.«

Doch was, wenn viele Mächte Cyberkriege führen können? Welche Abwehrstrategie kann sie davon abhalten – etwa so, wie die atomare Abschreckung die Welt von einem Atomkrieg abhielt?

»Bisher taugt dafür keine Strategie«, schüttelt Richard Clarke den Kopf. »Einige unserer Generäle reden zwar, wenn sie denn mal offen reden, viel über nötige Präventivschläge, bevor andere Cybermächte uns angreifen würden. Oder davon, dass man auf einen erkennbaren Cyberangriff mit einer noch heftigeren Gegenattacke reagieren könne. Das klingt alles gut und sehr nach Militär und Machos, und es erinnert in der Tat an den Beginn des Kalten Krieges. Aber es macht kaum Sinn im Internet, weil wir den Angriff da eben nicht sehen. Weil er sogar aus dem eigenen Land kommen kann. Zudem sind wir Amerikaner zwar sehr gut, was Cyberangriffe angeht, aber wir sind sehr schlecht in der Defensive. Warum also einen Cyberkrieg gegen China oder Russland führen? Es wäre für uns nicht sehr angenehm, wenn wir kurz darauf selbst hier sitzen würden, sagen wir mit einer lahmgelegten oder gar zerstörten Energieversorgung.«

Dennoch sehen auch in der Obama-Regierung einige den Cyberkrieg als Fortschritt, noch weit über die Drohnentechnologie hinaus, sagt Studienautor Travis Sharp: »Sie sehen darin eine humanere Methode, Kriege zu führen, da sie weniger Opfer fordert und weniger zerstört als Bombardements.« Skeptiker hielten jedoch weiterhin dagegen, in Wirklichkeit seien die Konsequenzen so unklar wie bei Atomwaffen.

Auch die zuständige US-Ministerin für Heimatschutz, Janet Napolitano, vermittelt den Eindruck, dass die USA zumindest von einer modernen Abwehrstrategie noch weit entfernt sind. Auch wenn sie es schöner formuliert: »Wir müssen schnell, effektiv und innovativ erkennen, dass das Ökosystem Internet sich gewandelt hat«, wendet sie sich auf einem Sicherheitskongress in San Francisco direkt an ihre Zuhörer. »Deshalb brauchen wir eure Hilfe, eure Intelligenz, euer Fachwissen, um herauszufinden, wo die künftigen Gefahren liegen, und um sie zu bewältigen. Das ist es, meine Freunde, was wir eine nationale Sicherheitsanstrengung nennen.«

8 Im Boot mit Boehner
Tollhaus Washington

Im Januar 2011 hätte eine neue Zeit beginnen können. Die überparteilich besetzte Untersuchungskommission rechnet da mit allen ab, die in und für Amerikas Banken- und Immobiliensektor Verantwortung trugen. Auf 600 Seiten schont der Bericht keinen. Nach einer Krise, die Millionen Menschen den Arbeitsplatz gekostet und mehr als zehn Billionen Dollar Haushaltsvermögen vernichtet habe, steht da, gebe es dafür keinen Grund. »Auch wenn manche weiterhin behaupten, dass jene Krise nicht vorhersehbar gewesen sei, es gab viele, viele Warnsignale, die beschönigt oder ignoriert wurden«, klagt der Vorsitzende Phil Angelides, als er die Bilanz in Washington erläutert.

Auch die Politik, sei es von früheren Präsidenten oder von Notenbankchef Ben Bernanke, habe zum Zusammenbruch des Immobilienmarktes beigetragen, weil sie den Finanzjongleuren der Wall Street allzu freie Hand gelassen habe. Dabei habe selbst das FBI lange zuvor auf die Gefahren hingewiesen. Die Gier zahlreicher Geldhäuser habe dann zur Dimension der Krise beigetragen, ebenso wie miserables Management, allen voran bei der Investmentbank Lehman Brothers, mit deren Pleite der Finanzkollaps begann.

»Wir haben ein System toleriert oder sogar gutgeheißen, das uns in den Zusammenbruch führte«, weist der Bericht vielen eine Mitschuld zu. Selbst als die Fehlentwicklung offensichtlich gewesen sei, hätten Parlament und Regierung noch schlecht und widersprüchlich darauf reagiert und so zur Panik auf den Märkten beigetragen.

Dieses Fazit könnte für alle sowohl Anlass zur Selbstkritik sein als auch eine Mahnung, es künftig besser zu machen. Doch Washington tickt derzeit anders. Noch immer berauscht vom Erfolg der Tea Party oder zumindest von ihrem Widerhall in den US-Medien, drängt Amerikas neue Rechte nicht etwa auf bessere, sondern auf weniger Regulierung, anders als es der Untersuchungsbericht nahelegt – und ganz gemäß der »Philosophie« der Ultrarechten. Gegen den Wortlaut des Berichts kündigen die republikanischen Kommissionsmitglieder denn auch Protest an, ebenso wie die Fraktion im Parlament. Statt aus der Krise Lehren zu ziehen und die Armut, die sie über viele Amerikaner gebracht hat, zu lindern, wird sie von der US-Rechten für einen Ideologiestreit instrumentalisiert. Zu groß sind die Unsicherheiten, Ängste und Emotionen im Land, um sich die Chance entgehen zu lassen, damit weiter Stimmung gegen Obama zu machen. Ein Jahr später wird es der republikanische Präsidentschaftsbewerber Newt Gingrich sein, der dies am konsequentesten betreibt – indem er dem Sozialpolitiker Obama vorwirft, »der Lebensmittelmarken-Präsident Amerikas« zu sein.

Auch in der Steuer- und Haushaltsdebatte haben sich die Lager entlang ihrer Frontlinien tief eingegraben. Obama will die Steuererleichterungen aus der Zeit George W. Bushs für Millionäre nicht verlängern. Die Konservativen wollen sie um jeden Preis bewahren. Zudem müssen sie sich auf Einsparungen im Haushalt einigen, die den öffentlichen Dienst und die Sozialausgaben treffen. Als der

Präsident einer Fristverlängerung der Steuerrabatte als Kompromiss zustimmt und im Gegenzug weitere Hilfen für Langzeitarbeitslose durchsetzt, protestieren Linke wie Rechte dagegen. Tea-Party-Aktivisten dröhnen draußen, die Arbeitslosenhilfe erhöhe das Staatsdefizit, obwohl dies auch für die Steuernachlässe gilt – während im Parlament der linksliberale Senator Bernie Sanders aus Protest gegen die Schonung der Vermögenden bereits das Dauerreden probt, als wolle er im Alleingang die Abstimmung blockieren. Der »Deal« zwischen Präsident und Republikanern, prophezeit er über Stunden, lasse für Amerika denkbar Schlechtes ahnen. Da weiß er noch nicht, wie viele ähnliche Minimalkompromisse auf Obama und Boehner in diesem Jahr noch warten.

Was die Liberalen schmerzt, ist nicht nur der Verlust ihres Einflusses im Parlament seit der Niederlage bei den Midterm-Wahlen. Je weiter Obama den Republikanern entgegenkommt, um überhaupt noch handlungsfähig zu sein, desto mehr verlieren die Demokraten auch ihren Wortführer. Im neuen Washingtoner Kräftefeld könnten sie künftig als Erste überhört werden. Deshalb werden sie lauter.

Tatsächlich wiederholt sich von nun an der Showdown zwischen dem Weißen Haus und den Rechtskonservativen hinter dem neuen Abgeordnetenhaus-Präsidenten John Boehner fast im Wochentakt. Im April fürchten manche schon, die traditionelle Frühlingsparade in Washington könne ausfallen – als Folge eines Staatsbankrotts. Wegen des wachsenden Defizits, das bald die festgelegte nationale Höchstgrenze erreicht, verlangen die Rechten massive Einschnitte nicht nur bei den Sozialabgaben. Sie wollen die Zuschüsse für Schwangerschaftsberatung ebenso streichen wie die für öffentliches Radio – für viele Amerikaner der letzte Garant soliden journalistischen Handwerks. Die Umweltschutzbehörde und das Bildungsministerium wollen sie ganz schließen. Mehrheitsführer Eric Cantor fordert später gar, die Katastrophenhilfe für Opfer des Hurrikan »Irene« nur zu gewähren, wenn sie durch Einsparungen ausgeglichen werde – was ihm breite Kritik einbringt, nicht nur weil »Irene« die größten Schäden in den liberalen Bundesstaaten der Nordostküste anrichtete, sondern auch, weil Cantor solche Hilfen für seinen Heimatstaat Virginia immer gern bewilligt hat. »Wir sollten unserer Bevölkerung die Sicherheit lassen, dass Katastrophenhilfe nicht von engstirnigem Gezänk abhängt«, rügen ihn Abgeordnete wie Mary Landrieu aus Louisiana.

In der Partei ist es ein offenes Geheimnis, dass der auf den Mehrheitsführerposten nachgerückte Cantor nur auf einen Fehler von Parlamentschef Boehner wartet, um bald auch dieses Amt von ihm zu übernehmen. Die Tea Party komme ihm da als Steigbügelhalter gerade recht, klagen gemäßigte Republikaner. Das macht Cantor nicht beliebter, aber das Image des guten Strategen ist ihm wichtiger.

Als die Republikaner Obama erneut zu Zugeständnissen gezwungen haben, wirkt das Demokraten-Lager derart verunsichert, dass er es stützen muss. »Was wir zuletzt als Kompromiss beschlossen haben, ermöglicht uns weiter, in die Zukunft zu investieren«, wirbt er, »zugleich aber senken wir die Staatsausgaben in historischem Ausmaß.« Doch er zeigt auch Verständnis für ihre Enttäuschung. »Die Kürzungen sind schmerzhaft«, sagt er, »auch für mich.«

Auf der anderen Seite reklamiert Boehner für sich, dass seine Republikaner trotz aller Kritik die Handlungsfähigkeit der Regierung erhalten hätten. Zyniker hatten schon damit gerechnet, dass er unter dem Druck der Tea-Party-Abgeordneten den Haushalt sogar scheitern lassen würde. Und sei es nur, um ihnen zu beweisen, dass dies keine Politik sei, die ihnen Sympathien bringe. Zuletzt hatte Chef-Republikaner Newt Gingrich als Gegenspieler von Präsident Bill Clinton versucht, per Haushaltssperre auf ähnlich rabiate Weise gegen das Weiße Haus anzuregieren. Doch als die Nationalparks schlossen, Passanträge liegen blieben und der Müll sich in vielen Straßen häufte, straften die Wähler nicht den Präsidenten ab, sondern Gingrichs Republikaner.

Auch Obamas PR-Strategen erinnern das Land nun an die historische Parallele. Gerade noch vor Redaktionsschluss der nationalen Zeitungen jagen sie im Sicherheitskonvoi zum Lincoln-Denkmal im Washingtoner Grüngürtel und nehmen gemeinsam mit dem Präsidenten im Laufschritt die Treppen. Die Fotos, auf denen Obama überraschten Touristen vor Lincolns steinernem Konterfei die Hände schüttelt und ihnen erklärt, dass die Republikaner um ein Haar erneut die Schließung der Gedenkstätten erreicht hätten, sind tags darauf auf vielen Titelseiten. Die erstaunlichen Erfolge der Tea-Party-Newcomer, die Obama zu massiven Kürzungen zwangen, rücken so nach hinten. Doch auch wenn das Weiße Haus die Tagesmeldungen so noch ein wenig steuern konnte: Das Kräftemessen hat damit erst begonnen.

»Wir müssen noch viel weiter gehen«, sagt der wohl angesehenste Tea-Party-Mann, der Vorsitzende des Haushaltsausschusses Paul Ryan. »Bald werden wir nicht mehr Milliarden streichen, sondern Billionen.«

Fluchtburg Illinois

In den Parlamenten mancher Bundesstaaten toben ähnliche Machtkämpfe – mit Nebenfolgen, die an Wildwest-Drehbücher erinnern. In der Kleinstadt Urbana, die im Bundesstaat Illinois nah an der Grenze zu Indiana liegt, suchen wir in diesen Tagen 40 demokratische Abgeordnete auf, die aus ihrem heimatlichen Sitzungssaal der Hauptstadt Indianapolis dorthin geflohen sind. Weil sie als Minderheit gegen die Republikaner kaum noch etwas ausrichten konnten, verschwanden sie einfach über Nacht. Seitdem ist dort das Parlament nicht mehr beschlussfähig, weil die Mehrheit allein die vorgeschriebene Mindestzahl anwesender Abgeordneter nicht erreicht.

Um ihre Staatsausgaben leichter senken zu können, wollen Indianas Republikaner, ähnlich wie ihre Parteifreunde in den Nachbarstaaten Wisconsin und Ohio, das Verhandlungsmandat der Gewerkschaften für den öffentlichen Dienst beschneiden. Betroffen wären, je nach Vorschlag, vor allem Lehrer, aber auch Polizei und Feuerwehr. Für Indianas Demokraten-Führer Pat Bauer lag das jenseits des Zumutbaren. Deshalb berät er sich mit seiner Fraktion nun täglich im tristen Frühstücksraum ihrer Hotel-Fluchtburg.

Warum sie dafür den Bundesstaat wechseln mussten, frage ich und erhalte zur Antwort, dass zu Hause in Indiana der Sheriff Abgeordnete auch zwangsweise ins Parlament verfrachten könne. An der Staatengrenze aber ende seine Befugnis. Stattdessen müsse nun erst der Gouverneur den Nachbarstaat um Amtshilfe bitten, was wenig Aussicht auf Erfolg habe, denn in Illinois regierten Demokraten.

Meine Reportage beginne ich mit Fahraufnahmen von der Autobahn zwischen Urbana und Indianapolis, auf der Pat Bauer nun seine Emissäre hin- und herschickt. Grenzschilder huschen vorbei, untermalt mit Musik des Serienklassikers »Dr. Kimble auf der Flucht«. Dann schneiden wir um auf die Turnschuhe von Pat Bauers Mitstreitern, die sich auf dem Hotel-Laufband fit halten. »Wir hatten das alles auch schon umgekehrt«, gibt er sich gelassen. »Damals war ich noch selbst Parlamentschef, und die Republikaner blockierten die Abstimmungen.«

Vom Frühstückstisch aus führt er nun die Geschäfte. Ein Schlachtross der Landespolitik, erfahren und ausgebufft. Wer die Gewerkschaft knebeln wolle, lege Hand ans Gemeinwesen, sagt er bestimmt. Dagegen müsse man sich schon mal auf außergewöhnliche Weise wehren. Zur Fraktionssitzung der Exilanten sind via Skype-Leitung Bürger aus Indiana zugeschaltet, die sich als Unterstützer des Protests in einer Kirche eingefunden haben. Nach drei Wochen Ausharren fern von zu Hause gelten Bauer und seine Kollegen vielen als Helden. Auch Kaffee und Gebäck bekommen sie zugeschickt, samt Postkarten mit Durchhalteparolen.

»Die Republikaner wollen das Ende der öffentlichen Schulen«, erklärt einer der Abgeordneten den zugeschalteten Kirchenbesuchern. »Und sie wollen das Einkommen der Mittelschicht senken.« Der Zuspruch der Bürgerversammlung ist ihm sicher.

»Ich danke euch für eure Unterstützung«, ruft seine Nebenfrau in Richtung Heimat, »auch wenn wir derzeit nur auf diese Weise zusammenfinden können.«

Je länger die Aktion andauere, meint Pat Bauer danach, desto mehr werde über die Details der umstrittenen Gesetzentwürfe berichtet. Das sei gut für die Demokraten und schlecht für den Mehrheitsführer.

Wie er selbst denn als Parlamentschef damals mit Boykotteuren umgegangen sei, will ich wissen.

»Die Zeit heilt vieles«, lächelt er vieldeutig. »Du musst Geduld haben und Ausdauer.«

Sein jüngerer Gegenspieler im halb leeren Parlament von Indianapolis kann nach der Sitzungseröffnung tags darauf erneut nur die Beschlussunfähigkeit feststellen und ist entsprechend grimmig, als unsere Kamera dort durch den Saal schwenkt. »Uns bleiben noch zwei Mittel, um die Abtrünnigen wieder zur Vernunft zu bringen«, sagt er mir, »eine öffentliche Rüge oder Geldstrafen.«

Oder ein Kompromiss, wenden wir ein. Nur mit wem, fragen wir die Abgeordneten, wenn einem die Opposition abhandenkommt?

»In einer Demokratie hat jeder auch das Recht, gegen etwas zu sein«, belehrt mich da ein Republikaner-Senior. »Leider ziehen es unsere demokratischen Kollegen vor, dabei die Hotelwirtschaft im Nachbarstaat Illinois zu unterstützen.«

Ob man denn Ortskenner sein müsse, um das zu verstehen, frage ich weiter.

»Nein, Sie müssen nur Demokratie verstehen«, entgegnet er schnippisch.

Aber die hätten wir Deutschen auch, antworte ich. Trotzdem fliehe die Opposition nicht über die Grenze.

»Noch nicht«, lacht er nun. »Vielleicht lernt ihr das ja jetzt von uns.«

Tatsächlich sind auch die Republikaner angespannter, je länger die Zwangspause sie mit blamiert. In den Wandelhallen haben sich längst Schaulustige versammelt, um das ratlose Restparlament zu sehen. Manche schießen Fotos. Dazu kommen die Dauerproteste der Staatsdiener, die den neuen Hardlinern in Wisconsin, Ohio und Indiana derart kämpferisch entgegentreten, dass sie bereits

Vermächtnis in Marmor: Präsidentenhand im Lincoln-Denkmal

Amerika auf Kurs: Trecker-Ausflügler in Iowa

Stabswechsel: Soldaten in Kansas zwischen den Kriegseinsätzen

»Keiner versteht das«: Veteran David mit Lebensretter

Shanksville: Neue Trauerstätte für Flug UA 93

Von Gold und Geduld: Geisterstadt Garnet City

Default Service Selling

* SERVICE SELLING CVV

-CVV2:

Visa/Master: 1$/1each

Amex/Discover: 3$/1eac

Von Gold und Cyber-Gangstern: Kreditkarten zu je 1 Dollar

Täglich neue Waffen: Viren-Abwehrzentrum in Alexandria

Wildes Neuengland: Insel-Klippen am Atlantik

Ein Leben für Indianer-Pferde: Bei Frank Kuntz in North Dakota

Warten auf den Frühling: Schubkarre vor Buschflieger

Schwesterinseln: Anflug auf Groß- und Klein-Diomedes

Kulturgut: Alaskas Inuit beim Trommelgesang

Kalter Krieg: Blick auf die geräumte russische Diomedes-Insel

die nationalen Nachrichten füllen. Auch in Washington beobachten die Parteistrategen aufmerksam die Kraftproben. Führende Demokraten ziehen schon allzu kühne Parallelen zum Volksaufstand in Ägypten gegen den starrsinnigen Diktator Mubarak. Obwohl auch sie wissen, dass ohne glaubwürdigen Sparkurs das Land kaum noch zu retten ist.

»Wer sehen will, wie man parteiübergreifend den Haushalt saniert, kann das von unserer Stadt lernen«, sagt uns schließlich Urbanas Bürgermeisterin Laurel Lunt Prussing, die wir als Letzte besuchen. »Wir haben das in Ruhe gemacht und gemeinsam, in kleinen, vernünftigen Schritten. Schon vor Jahren fingen wir damit an, als es noch nicht so wehtat.«

Ob die Exilanten aus Illinois vorab um Aufnahme gebeten hätten, frage ich. »Wir haben eine lange Tradition als Fluchtburg«, schmunzelt sie da, »wenn auch bislang eher für Menschen aus Drittweltländern. Aber wir sagten im Stadtparlament gleich, Politiker aus Indiana sind uns natürlich ebenfalls willkommen.«

Dann weist sie uns auf die zahlreichen Gedenkbüsten für den Republikaner Abraham Lincoln hin, die sowohl in Illinois als auch in Indiana an ihn erinnern. »Sie wissen es vermutlich nicht, aber Lincoln hat als junger Abgeordneter ebenfalls einmal auf Fluchttechniken zurückgegriffen.« Um den Demokraten, die damals schon weitsichtig die Saaltür des Parlaments abgeschlossen hätten, noch ihre Mehrheitsentscheidung zu verderben, sei er kurzerhand aus dem Fenster gesprungen – und mit ihm die Beschlussfähigkeit.

»Er fiel nicht tief, denn die Abgeordneten tagten fast ebenerdig«, lacht sie. »Danach aber verlegte der Parlamentschef die Sitzungen ein Stockwerk höher.«

Kein Deal an Loch 18

Im Frühsommer versuchen die Kontrahenten Boehner und Obama, die faktisch nun das Land gemeinsam lenken, den Schulterschluss. Denn trotz allen Pulverdampfs, den sie verbreiten, wissen beide längst, dass sie im gleichen Boot sitzen. Beide wollen aus der Krise führen, ohne selbst Schaden zu nehmen. Der eine muss das Land zusammenhalten, der andere den Kongress und seine zerstrittene konservative Partei. Und beide brauchen einander, denn wirkliche Erfolge wird es bis auf Weiteres, das ahnen sie, nur miteinander geben.

Bald erregen Bilder von Obama und Boehner Aufsehen, die sie gemeinsam auf dem Golfplatz zeigen. Schon erwarten manche in Washington, dass sie sich nun auch in der Tagespolitik näherkommen oder gar an einer großen Lösung für das Schuldenproblem feilen, obwohl Regierungssprecher Jay Carney Hoffnungen vorab gedämpft hat: »Rechnen Sie mal nicht damit«, hatte er den Korrespondenten im Weißen Haus gesagt, »dass an Loch 18 ein Deal fertig ist.«

Der Fototermin der beiden Staatslenker im sportlichen Dress, gemeinsam entspannt, sollte jedoch genau jene Erwartung wecken. Als Boehner, der die Einladung des Präsidenten zur Golfpartie kaum ausschlagen konnte, wegen so viel Nähe zu Obama bei seinen Ultrarechten schon als Verräter in Verdacht geriet, verbreitete er vorsichtshalber, jeder Fehlschlag werde Obama eine Billion Dollar im Haushalt kosten. Und das Weiße Haus beschwichtigte, es gehe doch nur um eine Auszeit im Grünen vor neuen, großen Aufgaben.

Damit ist vor allem die neue Kraftprobe um den US-Haushalt gemeint, denn in wenigen Wochen endet erneut die Einigungsfrist, um die nationale Schuldenobergrenze zu erhöhen, damit das Land zahlungsfähig bleibt. Dabei ist unklar, wer für ein Scheitern mehr verantwortlich gemacht würde: der Präsident, weil er nun mal für die Geschicke des Landes die letzte Verantwortung trägt, oder die schon notorischen Neinsager der Opposition, falls ihnen der Totalboykott Obamas sogar den Staatsbankrott wert ist.

Tatsächlich wächst Amerikas Schuldenstand jede Minute um eine halbe Million Dollar. Da erneut das Limit anzuheben, obwohl dies bisher stets eine Routineabstimmung war, ist schwer zu vermitteln. Doch ohne Einigung droht der Regierung die Herabstufung ihrer Kreditwürdigkeit durch Ratingagenturen, mithin müsste sie künftig höhere Kreditzinsen bezahlen, um die Schulden zu stemmen, und nichts wäre gewonnen. Die Republikaner, allen voran der Tea-Party-Flügel, wollen radikal Ausgaben kürzen, während die Demokraten sich sorgen, dass allein die sozial Schwachen und die Mittelschicht dafür geschröpft würden. Denn zahlreiche Republikaner haben sich inzwischen intern sogar per Unterschrift dazu verpflichtet, als Abgeordnete nie einer Steuererhöhung zuzustimmen – als seien sie nicht dem Parlament, sondern einer Sekte beigetreten. Ihr Initiator, der konservative Lobbyist Grover Norquist, drängt Neuparlamentarier wie ein Guru zu solchen Gelöbnissen. Unterschrieben wird vor Zeugen, Kopien legt er sorgfältig ab. Falls ein Mandatsträger wortbrüchig wird, kann die Tea Party ihn damit genüsslich überführen. »Ich bin Teil der Antisteuerbewegung, sie ist das Richtige für unser Land«, glaubt Norquist. Seine markanteste Publikation lässt wenig Zweifel daran, wie sein Wunsch-Amerika aussieht: »Lasst uns in Ruhe: Wie wir der Regierung beibringen, die Finger von unserem Geld, unseren Waffen und unserem Leben zu lassen.«

Auch Ökonomen zeigen sich indessen kämpferisch. So eindeutig wie die einen – allen voran Wirtschaftsnobelpreisträger Paul Krugman – davor warnen, mitten in der Rezession die Staatsausgaben zusammenzustreichen, reklamieren andere, dass man in einer Flaute eben auch keine Steuern erhöhe.

Um all dem mit einem offensiven Vorschlag zu begegnen, verständigen sich Boehner und Obama auf eine große Lösung. Sie wollen das Defizit in den nächsten zehn Jahren um vier Billionen Dollar verringern, vor allem durch Kürzungen von Sozialausgaben, aber auch durch Mehreinnahmen für die Steuerkasse. Die Aussicht auf eine Beteiligung der Reichen soll den Linken die Zustimmung erleichtern. Umgekehrt könnte der Köder einer Billionenkürzung auch die Ultrarechten einer maßvollen Steuererhöhung für Vermögende zustimmen lassen – zumal die letzten Jahre deutlich machten, wie sehr sich die Kluft zwischen Arm und Reich vergrößert hat.

Selbst Tea-Party-Mann Paul Ryan reagiert zunächst verhalten zustimmend. »Lasst uns Steuerschlupflöcher stopfen«, sagt er. »Wir haben Firmen im Land wie General Electric, die nicht einen einzigen Dollar Steuern zahlen, während andere mit 34 Prozent belastet werden. Fair ist das nicht.«

Auch John Boehner würde ein Befreiungsschlag zugutekommen. Er hätte dann nicht nur bewiesen, dass das Parlament unter seiner Führung Reformen stemmen kann, sondern wäre auch maßgeblich an einer Haushaltssanierung beteiligt. Doch es gelingt ihm nicht, seine Partei hinter sich zu scharen. Zu vielen ist ein anderer Preis zu hoch: Zwar würden sie Boehner den Erfolg gönnen, nicht aber Obama. Den wollen sie bis zur Wahl lieber weiter als Schuldenmacher brandmarken, der für ein Rekorddefizit stehe.

Der Minderheitenführer im Senat, Mitch McConnell, der stets als sein erstes Ziel nennt, Obamas Wiederwahl zu verhindern, gibt die neue Sprachregelung der Konservativen vor. Keiner redet nunmehr von Reichen, sondern nur noch von »Jobschaffenden«, die man nicht stärker besteuern dürfe. Später warnen sie ebenso einhellig vor einem »Klassenkampf«, den Obama schüre. Auf der anderen Seite schlagen die Linken Alarm, einen Kompromiss ohne Lastenanteil auch für Millionäre dürfe Obama nicht mittragen. Als seine Unterhändler daraufhin noch einmal bei Boehner vorfühlen, ob sich die Summe noch erhöhen lasse, die das Stopfen von Schlupflöchern erbringen soll, nutzt dieser die Gelegenheit, Obama Wortbruch vorzuwerfen – und die große Lösung für gescheitert zu erklären.

Damit ist klar, dass die Tea Party die Parteilinie vorgibt. Keiner in der Partei hat Statur und Mut genug, den Abgeordneten klarzumachen, dass sie den Bogen zum Schaden des Landes überspannen. Auch Senator John McCain, der als Parteisenior mehr Gehör finden könnte, weiß nicht anders zu reagieren, als Präsident Obama Führungsschwäche vorzuwerfen – um so von der Führungskrise in der eigenen Partei abzulenken. Selbst die Präsidentschaftskandidaten der Konservativen, vom erfahrenen Exgouverneur Mitt Romney bis zur unbedarften Kongressabgeordneten Michele Bachmann, buhlen derart um die Gunst der Ultrarechten, dass sie im Fernsehen nicht nur Obamas Lösungsvorschlag ablehnen, für jeden Dollar Reichensteuer drei Dollar im Staatsaushalt zu kürzen. Nein, versichern sie dem Moderator, sie würden auch bei zehn Dollar Kürzung keinem Extra-Dollar Mehreinnahmen zustimmen. Weltweit schüttelt darüber jeder Finanzpolitiker fassungslos den Kopf.

Am Ende scheitert auch die kleinere Lösung, die Obama

anbietet. John Boehner muss mehrmals die Abstimmung im Parlament verschieben, weil ihm seine eigene Partei erneut nicht folgt. Schließlich einigen sich beide Seiten darauf, das Schuldenlimit zwar längerfristig zu erhöhen, um eine Staatspleite abzuwenden. Allerdings solle parallel ein paritätisch besetztes »Superkomitee« Sparziele ausarbeiten. Falls dies nicht gelinge – was sich bald bestätigt –, träten automatisch Kürzungen sowohl im Sozial- als auch im Verteidigungsetat ein.

Damit hat Obama immerhin erreicht, dass der Streit um die Schuldengrenze ihn im Wahlkampf nicht noch einmal einholt. Seine Strategie aber, auf Gegner zuzugehen und zugleich das eigene Lager von großen Lösungen zu überzeugen, ist gescheitert. Was mit einer Golfpartie begonnen hatte und ein gemeinsamer Erfolg der beiden wichtigsten US-Politiker hätte werden können, endet so im Dauerstreit zwischen Weißem Haus und Tea-Party-Ideologen, denen sich Boehner beugen muss. Analyst Stephen Hess vergleicht Obama und Boehner bereits mit einem zerstrittenen Ehepaar, das man zwar aus Gewohnheit schätze, aber vorsichtshalber lieber nicht mehr auf Partys einlade – weil klar sei, dass sie dort nur ihr Gezänk fortsetzten.

Dabei hätten sie nur vom Kapitolshügel herunterblicken müssen, um zu sehen, wie es geht: Ohne großes Aufsehen erhöht Washingtons Distriktparlament in jenen Wochen den Satz der örtlichen Zusatzsteuer auf Jahreseinkommen über 350 000 Dollar von 8,5 auf 8,95 Prozent. »Wir haben in den städtischen Hilfsprogrammen zuletzt Millionen gestrichen«, verteidigt ein Abgeordneter den Beschluss. »Wie viele Kinder haben hier keine Schuhe? Wie viele bekommen kein Abendessen? Wir sollten ihnen eine Hand reichen.«

»Das ist Mathe«

»In Zeiten, in denen sich die reichsten Haushalte Amerikas über die niedrigsten Steuersätze seit Jahrzehnten freuen und Firmen kontinuierlich vermeiden, überhaupt Steuern zu zahlen, sollte klar sein, wer künftig mehr Lasten tragen muss«, rügt die *New York Times* in einem Editorial die Republikaner – und beklagt, wie viele Landsleute ohnmächtig in die Armut rutschten. Auch andere Blätter rechnen vor, dass Amerikas Top-Verdiener fast die gesamten wirtschaftlichen Zugewinne der letzten 30 Jahre unter sich aufteilten. Während die Produktivität im Land deutlich gestiegen sei, stagnierten die Löhne der meisten Amerikaner, ohne an der Entwicklung teilzuhaben. Dann erhält Obama auch von unerhoffter Seite Zuspruch: Multimilliardär Warren Buffett wendet sich in donnernden Exklusivinterviews an Amerikas verwöhnte Oberschicht. Es sei schon lange an der Zeit, sie die Bürde der Krise mittragen zu lassen. »Uns Reichen ging es in Wahrheit noch nie so gut wie jetzt«, sagt er. »Es muss endlich Schluss sein mit dem Verhätscheln der Millionäre durch die Politik.«

Obama wählt daraufhin erneut die Rolle des aktiv Handelnden, trotz der Blockade des Kongresses. In einer kämpferischen Rede vor dem Parlament stellt er ein neues »Job-Gesetz« vor, das Arbeitsplätze schaffen soll, etwa indem das Land von seinen unterbeschäftigten Bauarbeitern die marode Infrastruktur reparieren lässt, statt ihre Arbeitslosigkeit zu finanzieren. Dem Gesetzentwurf gibt er den Namen »Buffett-Initiative« – und er wirbt weiter für eine Beteiligung der Reichen an der Staatssanierung. »Das ist nicht Klassenkampf«, mahnt er die Republikaner-Spitze. »Das ist simple Mathematik.«

Der starre Blick vieler Außenstehender allein auf Obama hat da schon erstaunlich lange verhindert, dass ein anderes Problem Amerikas mehr Aufmerksamkeit erhält: die faktische Orientierungslosigkeit der Republikaner. Auf eine derart krachende Niederlage wie bei der Präsidentschaftswahl 2008 reagieren politische Parteien gewöhnlich mit einer Neubesinnung. Sie leiten einen Generationswechsel ein, modernisieren ihr Programm und melden sich irgendwann mit neuem Führungspersonal zurück. Zu all dem haben die Republikaner die Zeit nicht nutzen können. Stattdessen fielen sie zurück in alte Faustformeln wie »für Waffen« und »gegen Steuern« und ließen sich von Sozialismus-Kritikern treiben, die in Wahrheit nur Obama-Kritiker waren. Sie freuten sich über die neu gewonnene, schrille Stimme, die ihnen bei den Midterm-Wahlen einen trügerischen Erfolg bescherte, und ließen sich auf eine Blockadepolitik ein, die den Kongress samt ihrer Abgeordneten noch unbeliebter gemacht hat als den Präsidenten.

Warum aber ergreift keiner der etablierten Konservativen das Wort und springt John Boehner öffentlich zur Seite? Warum nutzt keiner der Präsidentschaftskandidaten die Gelegenheit und bekennt sich zu der schlichten Logik, dass zehn gesparte Dollar für einen Dollar Steuermehreinnahmen ein hervorragender Deal wären? Und warum häuten sich die Tea-Party-Abgeordneten nicht, um einen radikalen Wandel einzufordern, der aber zugleich auch machbar ist? Diese Fragen stellen wir gleich mehreren Parteikennern, unter ihnen zwei langjährige Abgeordnete. Wir wollen wissen, welche Erwartungen sie noch haben, welche Ursachen und welche Auswege sie sehen.

Die Angst der Moderaten

In einem Anwaltsbüro in Washingtons Downtown besuche ich als Ersten Mike Castle, einen imposanten Mann, der einmal eine verlässliche Konstante der Republikanischen Partei war. Jahrzehntelang saß er für den Bundesstaat Delaware im Repräsentantenhaus. Dann sollte er in den Senat aufrücken. Doch die Tea-Party-Rebellin Christine O'Donnell warf ihn überraschend aus dem Vorwahlrennen. Sie verlor zwar anschließend gegen den demokratischen Gegenkandidaten, doch Castle war am Boden zerstört. Und als ich ihn nach jenen Tagen frage, spüre ich schnell, dass er es noch immer ist.

»Ich hatte eine lange Laufbahn als Politiker hinter mir«, sagt er, »hatte Dutzende von Wahlen in Delaware gewonnen, mit den klarsten Mehrheiten, die ein Republikaner dort je erzielt hatte.« In den Umfragen habe er auch lange sowohl vor dem demokratischen Amtsinhaber als auch vor O'Donnell gelegen.

»Wir waren zu überzeugt davon, ich inbegriffen, dass wir nur durchhalten müssten und sowieso gewinnen würden. Darüber bin ich bis heute unglücklich. Wir alle haben nicht rechtzeitig reagiert. Diese Leute haben mir nie dagewesene Vorwürfe gemacht, haben mein Abstimmungsverhalten zum Waffen- oder Abtreibungsrecht umgedeutet, wie ich es nie geahnt hätte, allen voran Glenn Beck in seiner Show auf Fox News. Es war ein sehr unwürdiges Ende einer Abgeordnetenlaufbahn. Meine Frau würde vermutlich ein Messer ziehen, wenn ich ihr sagen würde, dass ich noch einmal in die Politik zurückwollte.«

Ob Amerikas Vorwahlen für solche Angriffskampagnen anfälliger seien als das Wahlsystem anderer Länder, frage ich.

»Ich glaube ja«, antwortet Castle, »zum einen, weil die neuen Kommunikationstechniken mittlerweile jedem erlauben, als Experte aufzutreten. Aber vor allem, weil unsere Medien nichts lieber tun, als Kontroversen zu inszenieren. Sogar in den besten Politiksendungen sehen Sie nur noch, wie sich ein äußerst linker Abgeordneter mit einem äußerst rechten streitet. Die US-Medien machten aus Sarah Palin eine Heldin. Das lag nie am politischen Gehalt. Das teilt das Land. Schon im Internet, in Chats und Blogs, wird alles nur zerrissen. Und im Fernsehen dominieren mehr und mehr die Sender, die sich als sehr konservativ oder als sehr liberal verstehen. Das ist ein Problem für Amerika. Man wirft das schnell den Parteien vor, aber es geht auch darum, wohin die Medien sie treiben und wie diese die Wahrnehmung der Menschen mit beeinflussen.«

Den jüngsten Vorwurf seiner Partei an Obama, er betreibe Klassenkampf, teilt Castle nicht. »Es ist ein leichtfertiger Vorwurf«, sagt er. »Die Republikaner haben sich in eine derart extreme Position zu Steuern manövriert, dass sie jede Form von Mehreinnahmen ablehnen. Deshalb verunglimpfen sie alles, was andere dazu vorschlagen. Ich glaube, gerechtere Steuersätze für Bürger und Firmen gehören ebenso auf den Verhandlungstisch wie Reformen, mit denen sich umgekehrt die Demokraten schwertun, etwa bei den Gesundheitsausgaben.«

Für das größere Problem in Amerikas Politik halte er aber etwas anderes: Die Tatsache, wie er sagt, dass keiner mehr mit dem anderen spreche und keiner mehr zuhören wolle. »Man setzt sich nicht mehr hin und versucht wirklich, über Differenzen hinweg Auswege zu finden«, klagt er.

Aber Obama und Boehner waren doch kurz davor, erwidere ich. Bei einer Präsidialverfassung, die auf Kompromisse mit dem Parlament abzielt, sei das doch der einzige Weg, der letztlich bleibe. Was könne denn sonst noch funktionieren?

»Nichts, fürchte ich«, antwortet er resigniert. »Auch ich glaube, dass es ein guter Plan war, auf den die beiden sich verständigt hatten. Es gab weitere gute, die von vernünftigen Abgeordneten vorgeschlagen wurden, mit Zugeständnissen von beiden Lagern. Das ist es, was wir eigentlich brauchen. Aber dann scheitert es an Republikanern, die sich verpflichtet haben, nunmehr alles als Steuererhöhung abzuschmettern, was dem Staat Einnahmen bringt.«

Mit wem sollte Obama dann noch reden, frage ich. Wenn er direkt mit der Tea Party spricht, wirft ihm das eigene Lager vor, er verhandle mit Extremisten. Tut er es nicht, kann man ihm vorhalten, er ignoriere immerhin gewählte Abgeordnete und ein neues Kräftezentrum im Kongress. Was immer er tut, gilt er den einen als zu links, den anderen als zu rechts oder allen als zu unentschlossen. Was bleibt ihm noch?

»Man kann nicht einfach Obama für alles verantwortlich machen«, sagt Castle. »Es reicht nicht, wie die Tea Party immer nur über Werte und Verfassung zu reden und nicht über die Details, um Probleme auch kurzfristig zu lösen. Der Aufstieg der Tea Party macht es dem Präsidenten sehr schwer. Seien Sie versichert, dass auch viele Republikaner tief verängstigt sind vor einer Tea-Party-Opposition in ihrem Wahlkreis. Diese Angst bestimmt ihr Verhalten im Kongress. Und ihr Verhältnis zu Obama.«

Warum gibt es nicht mehr Gegenstimmen in der Partei, frage ich weiter. Warum meldete sich allein Karl Rove zu Wort, um wie in Ihrem Fall Christine O'Donnells Fragwürdigkeit zu beklagen? Wo sind die Altvorderen, die sagen, lasst uns erwachsen sein, wo die Konservativen, die sagen, zehn zu eins ist kein schlechter Deal?

»Das ist eine gute Frage. Ich weiß es nicht. Ich glaube, Obama wird deshalb als Favorit in die Wahl gehen. Und die Republikaner dürften für ihre Unfähigkeit bestraft werden, sich zu bewegen. Trotzdem wird es für ihn eine völlig andere Konstellation sein als vor vier Jahren. Er kann sich nicht mehr als der große Hoffnungsträger verkaufen. Er wird weiter als guter Redner punkten, auch in den Debatten. Aber sein Image als einer, der Amerika neu erfinden kann, wird überlagert sein von all den Schwierigkeiten, die wir in seiner Amtszeit hatten. Es wird nicht damit getan sein, ein paar Fernsehspots zu schalten und wieder der strahlende Held zu sein. Die Zeiten sind vorüber.«

Verschluckte Maikäfer

Auch Robert Bennett war ein Urgestein der US-Innenpolitik. 18 Jahre lang sprach er für den Bundesstaat Utah im Senat. Er war Stellvertreter, später Berater des amtierenden Minderheitenführers Mitch McConnell. Bis auch Bennett im turbulenten Jahr 2010 überraschend sein Mandat verlor – wie Mike Castle gegen einen Ultrarechten. In all den Jahren aber habe er schon selbst erlebt, dass der politische Alltag immer schwieriger geworden sei, sagt er mir mit sonorer Stimme in einem Café nahe des Weißen Hauses. »Das lag vor allem daran, dass die Zusammenarbeit nicht mehr funktioniert hat. Normalerweise steht fest, wie beide Parteien Schritt für Schritt gemeinsam etwa an den Haushaltsentwürfen arbeiten und so zu Einigungen kommen. Heute geht keiner mehr diese Einzelschritte. Stattdessen beharrt jeder von Anfang an auf einer harten ideologischen Position, die mit der des Gegners unvereinbar ist. So finden beide Seiten kaum noch zusammen.«

Er möge den Präsidenten, kenne ihn noch aus dessen Senatorenzeit, sagt Bennett. Aber Obama seien die Dinge über den Kopf gewachsen, und er habe schlechte Ratgeber.

»Es war ein grober Fehler, dass Obama an der Gesundheitsreform festhielt«, sagt er wie viele Präsidentenkritiker. »Ich hörte davon, dass ihn manche Berater noch umstimmen wollten und sagten, er solle sich mehr um die Wirtschaft kümmern und um Arbeitsplätze. Er entschied sich anders und verabschiedete stattdessen ein Gesetz, das sowohl die Lager auseinandertrieb als auch das Land. Darauf haben die Wähler in den Midterm-Wahlen reagiert. Ohne die Gesundheitsreform hätte es den Erfolg der Tea Party nicht gegeben. Das Gesetz hat eine Verbitterung verursacht, die Obama nie überwinden konnte.«

Aber die Gesundheitsreform war sein Hauptanliegen im Wahlkampf, sage ich. Hätte er sie aufgegeben, wäre er wiederum dafür kritisiert worden. Als einer, der nicht Wort halte, der den Wählerauftrag ignoriere, als Feigling.

»Trotzdem, ich hätte ihm geraten: ›Herr Präsident, sagen Sie, ich weiß, ich habe im Wahlkampf viel über die Gesundheitsreform geredet, sie ist mir auch immer noch wichtig, aber nun gibt es etwas, das noch wichtiger ist, das geht vor. Danach kümmern wir uns um die Reform.‹ Ich glaube, das hätte er vermitteln können.«

Nur hätte er sie dann wohl gar nicht mehr durchs Parlament bekommen, entgegne ich. Zudem hat er mit ähnlicher Begründung andere Vorhaben zurückgestellt und wurde auch dafür von Anhängern getadelt, wie beim Gefangenenlager in Guantanamo, das er nicht geschlossen hat, und bei Klimagesetzen, die er nie auf den Weg brachte.

»Das stimmt sicherlich, aber seien wir offen«, lächelt Bennett, »den Amerikanern, zumal in der Wirtschaftskrise, war weder Guantanamo wichtig noch der Klimawandel. Sie wollten wissen, wie die Arbeitsplätze zurückkommen.«

Ob er die Gesundheitsreform tatsächlich als Problem ansehe, frage ich, oder eher die Art, wie Obama sie durchsetzte.

»Ich könnte ein Seminar abhalten über all die Fehler, die dabei gemacht wurden«, antwortet er. »Der schwerwiegendste war, dass Obama sagte, wir machen es besser als Bill Clinton, dessen Frau Hillary sie faktisch allein im Weißen Haus verfasst hatte, ohne dass jemand Einblick erhielt. Nun sagte Obama, wir geben nur ein paar Leitlinien vor und überlassen dem Kongress, das Gesetz zu formulieren. Stellen Sie sich das mal vor. Ohne Führung des Präsidenten und ohne jemand Drittes am Verhandlungstisch lassen Sie die Demokraten Nancy Pelosi und Henry Waxman, die ihre ganz eigene Version des Gesetzes vor Augen hatten, das Gesetz schreiben. Das sind die ideologischsten Figuren im ganzen Kongress. Es war so schlecht, dass wir anfangs im Senat sogar die Demokraten dazu brachten, dagegen zu stimmen. Also mussten sie noch mal von vorne anfangen, verloren den Elan im Repräsentantenhaus, und das Weiße Haus war noch immer kaum involviert. Als sich dann endlich der Präsident einschaltete, war da nur noch Chaos.«

Dann beugt er sich nach vorn und fragt mich, ob ich schon einmal Motorrad gefahren sei. Ich bejahe und frage mich, worauf er hinauswill.

»Was machen Sie, wenn Ihnen bei voller Fahrt ein Maikäfer in den Mund fliegt?«, fragt er verschmitzt. »Wir sagen da, schluck ihn hinunter«, erklärt er mir, »es ist der schnellste Weg, ihn loszuwerden. Das ist kurz unangenehm, aber dann ist es vorbei. Wenn Sie ihn dagegen jeden Tag unterm Vergrößerungsglas betrachten, dann wirkt er irgendwann bedrohlich. Genau das ist mit Obamas Gesundheitsreform passiert. Die Republikaner konnten sie monatelang in Riesengröße hochhalten. Für die Wähler wurde es der dicke Käfer, den sie fürchten lernten, anstatt ihn schnell zu verdauen.«

Regierung oder Markt

So viel über die Missgeschicke der Demokraten, leite ich erheitert über. Wie zufrieden sind Sie mit Ihrer eigenen Partei?

»Ich muss anerkennen, dass die Tea Party ihre Verdienste hat«, sagt Bennett, »weil sie alte republikanische Tugenden wiederbelebte wie das Streben nach einer schlankeren, billigeren und effizienteren Regierung. Aber die Kandidaten, die sie für die Vorwahlen aufstellten, waren teilweise nicht wählbar. Die Herausforderung für uns ist, gute Sachpolitik zu machen. Eine effiziente Regierung lässt sich leicht fordern. Aber zu viele in meiner Partei machen ausgerechnet jetzt eine Tugend daraus, dass sie keine Ahnung von Tagespolitik haben. Wenn wir mitregieren wollen, müssen wir ein wenig darüber wissen, was das heißt. Sonst sind wir selbst ineffizient.«

Das Hauptproblem im Steuerstreit sieht Bennett in veralteten Gesetzen. Das System stamme aus den Dreißigerjahren. »Seitdem wurde es hier und da geändert, aber nie modernisiert«, klagt er. »Kein Geschäftsmann kann hierzulande langfristig planen. Was ich an Obamas Plan mochte, war seine Absicht, eine große Lösung anzugehen.«

Er hatte John Boehner im Boot, antwortete ich, was wollen Sie mehr?

Den sieht denn auch Bennett in einer schwierigen

Lage. »Während der Verhandlungen sagten ihm die Tea-Party-Abgeordneten klar, sie würden keinem Kompromiss zustimmen«, erzählt er uns. »Also hätte er sich eine Mehrheit aus den übrigen Republikanern und den Demokraten suchen müssen. Aber die Demokraten sagten, warum sollen wir die Konservativen raushauen? Wir lassen die Gespräche platzen, dann werden es die Wähler den Republikanern anlasten. Nur so konnte die Tea Party als Minderheit Boehner daran hindern, sich mit Obama zu verständigen.«

Glauben Sie nicht, frage ich nach, dass Obama und die Demokraten eine parteiübergreifende Mehrheit gerade begrüßt hätten?

»Unterschätzen Sie nicht die Auswirkung der Parlamentswahl von 2010«, antwortet er wie Castle zuvor. »Gerade jene Demokraten, von denen Sie denken würden, sie seien moderat oder aus der politischen Mitte, wurden da ja von unseren Herausforderern in konservativen Wahlkreisen besiegt, wo Leute protestierten und sagten, der beste Weg, den Protest zu zeigen, ist wieder Republikaner zu wählen. Die Demokraten, die den Protest überlebten, waren die aus linken Bezirken. Nancy Pelosi konnte in San Francisco nichts geschehen, was immer sie tat. Und sie führt nunmehr, grob gesagt, eine ausgewiesene linke Minderheit im Repräsentantenhaus an, die nun ebenfalls keine Kompromisse will.«

Doch Bennett beklagt auch die Ungeduld der Bürger. »Es ist neu in der amerikanischen Politik, dass sich deren Toleranzspanne so sehr verkürzt hat. Die Wähler mochten nicht, was unter der Bush-Administration geschah, aber sie gaben ihr acht Jahre, dann wollten sie etwas anderes. Ihre Geduld mit Obama endete schon nach einem Jahr. Er gewann mit dem Slogan des Wandels, dann erreichte ihn selbst die Forderung nach etwas Neuem, nun durch die Tea Party. Dabei waren deren Wortführer wie Michele Bachmann nie ernst zu nehmen. Sie hätte nie eine Chance, auch nur einen einzigen Bundesstaat zu gewinnen, nicht zu reden von der Nominierung. Aber die Medien liebten sie, weil sie Gesprächsstoff bot.«

Ob denn Obamas Hauptgegner eher die Wirtschaftslage sein werde, frage ich.

»Jeder Präsident, der in einer solchen Situation wiedergewählt werden will, hat vollen Gegenwind«, meint Bennett. »Auch Jimmy Carter scheiterte an schlechten Wirtschaftsdaten. Obama ist ein weitaus besserer Politiker als Carter, er kann besser mit Menschen kommunizieren und ist ein besserer Redner. Also muss er nicht scheitern. Aber Mitt Romney, den ich unterstütze, ist ein starker Kandidat gegen ihn. Ich halte ihn für den einzigen, der Obama schlagen kann. Was der Präsident nun versucht, ist, den alten Enthusiasmus seiner Basis wieder zu entfachen. Ich weiß nicht, ob ihm das am Ende hilft. Ich würde ihm eher raten: ›Herr Präsident, Ihre Basis haben Sie so oder so. Überzeugen Sie lieber die breite Bevölkerung davon, dass Sie ihre Sorgen verstehen. Sie sind cool, Sie sind ein Star, jeder im Land möchte Ihnen nah sein, aber er fühlt zugleich auch diese seltsame Distanz.‹«

Aber was spricht dagegen, frage ich weiter, dass Obama seine eigenen Anhänger mobilisiert?

»Sie werden am Wahltag nicht zu Hause bleiben«, ist sich Bennett sicher. »Sehen Sie, die Demokraten sind die Partei der Regierung. Sie glauben an die Regierung und daran, dass sie die beste Lösung für alle Probleme ist. Die Republikaner glauben das nicht. Sie glauben an den freien Markt. Wenn konservative Wähler mit ihrem Kandidaten unzufrieden sind, gehen sie gar nicht zur Wahl. Es sei denn, sie befürchten, dass der Demokrat ihnen noch weit mehr Regierung aufzwingt als bisher. Es gibt viele Wähler, die jede Regierung hassen. Je öfter sie Obama nun seine Pro-Regierung-Basis anfeuern hören, desto wütender werden sie. Und desto eher gehen sie wählen.«

Bolschewiken gegen Sozialismus?

Um das andere Lager zu hören und zu verstehen, wie Amerikas Linke auf Washington blickt, bitten wir in New York die Herausgeberin der liberalen Zeitung *The Nation*, Katrina vanden Heuvel, um Antworten. Sie ist eine der erfahrensten Beobachterinnen der US-Politik. Auch sie rechnet eher weiter mit Stillstand als mit Bewegung. »Die Republikaner sind auf Dauer von der Tea Party gekapert, die damit indirekt das Repräsentantenhaus kontrolliert«, sagt sie, »mit der einzigen Mission, Obamas politische Agenda zu sabotieren. Obamas einzige Option ist wiederum abzuwarten, bis die Wähler Ende 2012 selbst darüber urteilen. Er kann bis dahin weder große noch kleine Erfolge erzielen. Das Ziel seiner Gegner ist es ja gerade, dass die Regierung nichts zustande bringt. So wollen sie sie als solche in den Augen der Amerikaner diskreditieren.«

Aber warten ist keine gute Option für einen Präsidenten. Er sollte Alternativen haben, wenden wir ein.

»Er kann in kleinerem Maßstab sicherlich Dinge verfügen, etwa um der Wirtschaft zu helfen, aber wichtiger ist jetzt wohl, dass er sich im Land bewegt und den Menschen klarmacht, woran es liegt, dass so viel stillsteht. Viele unserer Medien haben da allzu sehr ihre Neutralität kultiviert, sodass die Amerikaner tatsächlich denken, beide Seiten seien gleichermaßen für alles verantwortlich. Dabei sehen wir seit Monaten, wie die Demokraten ständig Kompromisse anbieten, dass der Präsident im

Grunde schon ein wandelnder Kompromiss ist, aber die Republikaner ihn immer wieder abblitzen lassen.«

Wie schafft es die Tea Party, fragen wir vanden Heuvel, solchen Einfluss zu haben?

»Das sind Bolschewiken«, sagt sie da, »eine kleine Gruppe, die ihr Kapital aus der Wirtschaftskrise zieht, die das Land noch immer erleidet, und die propagiert, die Regierung sei korrupt. Das mag nicht in jedem Fall falsch sein. Aber es ist keine Begründung, um die Regierung abzuschaffen. Dennoch ist es der Tea Party weithin gelungen, eine Angst davor zu schüren, dass die Regierung das ganze Leben der Menschen übernehmen könnte, dass Obama ein Sozialist sei.«

Dann verweist sie auf die inneren Widersprüche der Ultrarechten, die sich einerseits dem Gemeinwohl verpflichtet fühlten und gegen das große Geld seien, das andererseits aber die Tea Party nicht unwesentlich finanziere. »Oder nehmen Sie die sozialen Sicherungssysteme, die vor allem Paul Ryan als Tea-Party-Mann beschneiden will. Wenn Sie sich an die Bürgerversammlungen vor der Gesundheitsreform erinnern, da waren es genau diese Wähler, die zornig riefen, die Politik solle die Finger von ihrer Krankenversicherung lassen.«

Anders als Bennett findet sie richtig, dass Obama seine Basis neu belebt. Das Risiko zu scheitern liege eher bei den Rechten. »Ich halte es für möglich«, endet sie, »dass dieselben Wähler, die 2010 aus Unzufriedenheit Washington abstraften, das Gleiche auch 2012 mit den Tea-Party-Abgeordneten tun.«

»Zeiten der Inquisition«

Ebenfalls in New York suchen wir ihren Pressekollegen Matthew Bishop auf, der für den konservativen *Economist* schreibt. Auch er sieht die Hauptschuld an der Politikflaute nicht im Weißen Haus. »Amerika leidet an den Konsequenzen aus 30 Jahren verfehlter Wirtschaftspolitik«, findet er, »die viel zu sehr auf Kredite setzte und viel zu wenig auf Einkommen und Sparguthaben.« Nun sei es umso schwerer, den Kurs zu korrigieren. In Wahrheit sei beiden Parteien klar, dass sie keine Sympathien damit gewännen, wenn sie das Defizit durch Einschnitte senkten. Also positionierten sie sich lieber so, dass sie jeweils die Gegenseite für das Scheitern verantwortlich machen könnten. »Diese Nicht-Politik macht allerdings die Lage noch schlimmer«, glaubt er, »weil die Ratingagenturen nun amerikanische Staatsanleihen abwerten. Das schockiert dann wieder alle, die annahmen, es gebe auf der Welt nichts Sichereres.«

Auch Unternehmer sähen die Zukunft unsicher, wegen der nervösen Weltwirtschaft und weil sie nicht wüssten, wohin Amerika steuere. Normalerweise fänden die Lager gerade in Krisenzeiten zusammen und verständigten sich auf nötige Maßnahmen, sagt er. Diesmal aber seien die Differenzen grundsätzlicher. »Um Amerika zu modernisieren, sind schmerzhafte Reformen fällig, das betrifft die Renten und die Alten- und Armenfürsorge, und es wird viele Arbeitsplätze im öffentlichen Sektor kosten. Zudem dürften höhere Steuern nötig sein, was in Amerika immer extrem unpopulär ist.«

Was macht es denn so schwer, fragen wir, hierzulande den Spitzensteuersatz wieder auf das Niveau der Clinton-Zeit anzuheben?

»Ich glaube«, sagt Bishop, »es gibt hier eine andere Grundeinstellung als in Europa. Auch wenn einer gar nichts verdient, sagt er hier eher, auch ich werde es noch schaffen, dann werde ich zum Millionär und will auch nicht all mein Geld an die Regierung abführen. Das ist in Gesellschaften anders, die nicht diesen Glauben kultivieren, die Erwartung, dass jeder reich werden kann. Die sind viel schneller an dem Punkt zu sagen, okay, lasst uns die Reichen höher besteuern als die anderen.«

Bishop stimmt der Klage zu, dass Washingtons Politiker weniger verbinde als früher. Das habe ganz profane Gründe. »Früher verbrachten sie nur die Wochenenden in Washington und waren die Woche über in ihrem Bundesstaat mitten im Leben, bei Bürgern und Wählern, sie respektierten einander, auch in schwierigen Zeiten. Heute verbringen sie allenfalls die Wochenenden in der realen Welt, und der Respekt ist verflogen. Dass auch die Fernsehsender, die über Politik berichten, parteiischer geworden sind, legt die Abgeordneten in ihrer Wahrnehmung noch mehr auf die Parteilinie fest. All das erschwert Kompromisse.«

Auch er hält den Schaden durch die Tea Party für größer als ihre Verdienste. »Sie wollen das Staatsdefizit senken, so schnell wie möglich, um die Kluft zwischen der Einnahmen- und Ausgabenseite zu verkleinern, und zwar ausschließlich durch Kürzen von Ausgaben. Es ist ein bisschen wie zu Zeiten der Inquisition. Sie drohen den alteingesessenen Politikern in Washington, die bisher Deals erzielten, sie als prinzipienlos und ohne Rückgrat darzustellen. Das ist möglich, weil die Tea Party eng mit Fox News verbunden ist, den konservative Wähler bevorzugen und der deshalb Tea-Party-Kandidaten so durch die Vorwahlen helfen kann. Konservative, die einmal mit Obama Kompromisse machten, müssen stets Sorge haben, Ziel einer Medienkampagne zu werden und, wie Mike Castle, ihr Mandat zu verlieren.«

Es habe selten eine so mächtige Randgruppe in Amerika gegeben, sagt Bishop. Zwar hätten schon immer Hardliner die Wählbarkeit von Kandidaten an ihre Haltung etwa zu Abtreibungen geknüpft. Oder linke Gewerkschafter hätten für Demokraten Prüfsteine aufgestellt. Dennoch sei es ungewöhnlich, ein Kernthema wie Steuern derart von einer radikalen Minderheit besetzt zu sehen.

Auch ihn fragen wir am Ende, welche Optionen er nun für Obama sieht.

»Es scheint, als würde er ins alte Lager zurückkehren und sagen, alles hänge von einer Reichensteuer ab«, antwortet er, »von einer gerechten Lastenverteilung in der Krise, um so die Tea Party als halsstarrige Blockierer erscheinen zu lassen, die das Land lieber in Trümmern sähen. Das könnte sogar funktionieren.« Er glaube zwar, dass die große Mehrheit der Amerikaner nichts wolle, was nach Klassenkampf klinge. »Vieles hängt aber davon ab«, sagt er, »mit welcher Strategie die Republikaner antreten. Denn deren Glaubwürdigkeit ist ein viel größeres Problem.«

Geist aus der Flasche

»John Boehners Lage ist schwieriger als die wohl aller seiner Vorgänger der letzten 100 Jahre«, glaubt der Letzte in unserer Expertenreihe – der konservative Blogger Stan Collender, ein ausgewiesener Kenner der Finanzwelt zwischen Washington und Wall Street. »Der Streit um die Seele der Partei dauert zwar schon Jahre, doch nun entfacht er sich an der Haushaltsdebatte neu, weil für die Tea

Party da jedes Nachgeben als Sündenfall gilt. Boehners Problem ist, dass die Tea Party auch die eigene Parteiführung bekämpft.«

Wenn dieser mit Obama eine Einigung erziele, gelte das für die Parteirechte als Kollaboration mit dem Feind. Die Frage sei, ob sich auch Boehner auf die Seite der rechten Aktivisten schlage, zumal sie rührige Anhänger und spendable Unterstützer hätten. Oder ob er sich entscheide, lieber politische Ergebnisse zu erzielen, was seine Rolle als Parlamentschef eigentlich verlange.

»Was viele von uns frustriert zu sehen«, sagt Collender, »ist, wie diese Abgeordneten ihr Mandat überbewerten. Wenn man die Umfragen betrachtet, unterstützen nicht einmal die Tea-Party-Anhänger die radikalen Kürzungen, die ihre Parlamentarier verlangen. Doch viele Abgeordnete würden sogar den Kollaps der US-Wirtschaft einer Erhöhung des Schuldenlimits vorziehen. Als ich ihnen zuletzt als Referent erklärte, dass wir ohne Limiterhöhung noch in diesem Jahr anderthalb Billionen Dollar einsparen müssten, also fast ein Drittel des Haushalts, und dass das die Wirtschaft mit Sicherheit in eine neue Rezession stürzen würde, schauten die mich nur kurz an und sagten, dann nähmen sie eben eine Rezession in Kauf.«

Eine Wortführerin sei Michele Bachmann, die auch als Präsidentschaftskandidatin jeden Haushaltskompromiss ablehnt. Collender vergleicht die Abgeordneten mit Feldherren, die darauf verzichteten, in ihren Schlachten Kriegsgefangene zu machen, und deshalb mehr Opfer hinterließen. Er verstehe gut, warum Europäer sich die derzeitige US-Politik befremdet oder amüsiert ansähen. »Aber wir haben hier nun mal kein parlamentarisches System wie Sie«, sagt er. »Dort hätte es längst eine Vertrauensabstimmung gegeben. Hier schleppt sich eine

Regierung gegen die Mehrheit oder die Sperrminorität durch bis zur nächsten Wahl.«

An welchen Wahlausgang er glaube, fragen wir.

»Die Antwort ist, dass keiner es weiß. In all den Jahren, in denen ich mich mit Haushaltspolitik befasse, gab es nie solch eine Konstellation. Ich halte es für möglich, dass sich die Republikaner spalten und eine dritte Partei entsteht. Die Ultrarechten sind wie ein Geist, der nicht mehr in die Flasche zurückkann. Mag sein, die Wähler sind da längst weiter. Sie sind zwar unzufrieden mit Obama, aber die Opposition kommt noch viel schlechter weg.«

Boehners Flugmanöver

Als das Jahr endet, bringen in Umfragen erstmals mehr Amerikaner dem Präsidenten Vertrauen in der Steuerpolitik entgegen als John Boehners Konservativen. Obamas Sympathiewerte steigen wieder. Der Kongress hingegen, den Boehner führt, sinkt in der Wählergunst auf Rekordtiefstände unter zehn Prozent.

Tatsächlich sind die Bürger nicht nur seit Monaten vom Hickhack im Parlament enttäuscht, sie machen inzwischen auch überwiegend die Republikaner dafür verantwortlich. Zudem hat eine neue soziale Bewegung vor allem junger Menschen deutlich gemacht, dass viele die wachsende Distanz zwischen den Top-Verdienern und dem Rest des Landes nicht mehr kritiklos hinnehmen wollen: die »Occupy Wall Street«-Aktivisten.

Zwar sind sie im Vergleich zur Tea-Party-Protestwoge nur eine kurz durchs Land schwappende Welle. Dennoch machen sie den Ultrarechten das Wutbürger-Monopol streitig. Manche Tea-Party-Anhänger bekunden sogar

Sympathie für die linken Protestierer und bescheinigen ihnen eine moralische Berechtigung.

Zudem macht John Boehner, der im zurückliegenden Jahr Obama mehrfach zum Einlenken gezwungen hat, seinen ersten groben Fehler. Wie zwei Kriegspiloten im Luftkampf haben sich beide das Jahr über umflogen, immer bemüht, den anderen ins eigene Fadenkreuz zu zwingen. Dann, als Boehner sich an die Achtungserfolge schon gewöhnt hat, wird er übermütig. Als vor Weihnachten der Haushalt bis zum Herbst des Wahljahres 2012 endlich verabschiedet ist, der wieder einmal in letzter Minute die Zahlungsunfähigkeit der Regierung abwendet, lässt Boehners Mehrheitsfraktion überraschend einen zweiten Kompromiss schlicht platzen, der Steuerermäßigungen für die Mittelschicht um zwei Monate verlängern sollte. Die Schlachtordnung in jenem letzten Luftkampf des Dezembers war denkbar unübersichtlich. Zwar hatte sich auch Obama über den Minimalkonsens enttäuscht gezeigt und angemahnt, er erwarte vom Kongress bald eine weitere Verlängerung. Doch im Senat konnten sich Mehrheitsführer Harry Reid und Republikaner-Chef Mitch McConnell nur auf eine Finanzierung der Maßnahmen für jene zwei Monate verständigen.

Offenbar erneut von seinen Tea-Party-Rebellen getrieben, verlangt Boehner plötzlich Nachverhandlungen und fordert eine Lohndeckelung im öffentlichen Dienst und neue Limits beim Arbeitslosengeld. Prompt nutzt Obama die Gelegenheit, Boehner die übliche Blockadehaltung vorzuwerfen, die nun dazu führen könne, dass zum Neujahrstag für 160 Millionen US-Arbeitnehmer die Steuersätze stiegen. Nichts spreche dagegen, die Folgeverhandlungen erst nach den beschlossenen zwei Monaten zu führen.

Zudem übersieht Boehner, dass noch ein dritter Kampfpilot in der Luft ist: Mitch McConnell. Dessen Senatskollegen sind bereits im Weihnachtsurlaub und zeigen wenig Neigung, für Boehners Tea-Party-Rebellen die Feiertage in Washington zu verbringen. Zwei Tage vor Heiligabend wird Boehners Angriffsstaffel für alle sichtbar nicht nur von Obamas, sondern auch von republikanischen Abfangjägern zu Boden gezwungen. Es ist das erste Mal, dass John Boehner, den seine eigene Fraktion zur Jagd getrieben hat, offen kapitulieren muss.

Unabhängig vom Ausgang in der Sache, die so bedeutend gar nicht war, macht der Konflikt deutlicher als je zuvor, wie zerstritten die Republikaner sind. Der Aufwärtstrend, der Obama plötzlich zugeschrieben wird, macht sie zudem nervös. Erstmals melden sich nun tatsächlich jene Altvorderen zu Wort, nach deren Verbleib wir so oft fragten. John McCain kritisiert Boehners Konfrontationskurs plötzlich ebenso offen wie Präsidentschaftskandidat Newt Gingrich, der ihn kühl auffordert, den Zwei-Monats-Deal doch bitte »still und glücklich« durchzuwinken, wenn Obama seine Wiederwahl nicht schon vorzeitig feiern solle.

Boehners Fraktion »beugt sich der Wirklichkeit«, analysiert die *Washington Post* und spricht von einer »bemerkenswerten Kapitulation«. Boehners Stil, mit Boxhandschuhen Politik zu machen, nur weil ihn andere dazu drängten, habe ihn nun selbst blamiert.

Tatsächlich hatte allein er das Gefecht öffentlich geführt, mit markigen Worten, die an seinen inszenierten Wutausbruch vor der Gesundheitsreform-Abstimmung erinnerten. In Wahrheit wolle Boehner geliebt werden, nicht gefürchtet, glaubt der Kommentator. Nun räumt der Parlamentspräsident offen ein, dass seine Strategie »vielleicht nicht die politisch klügste« war.

Der Riss in seiner Partei hatte sich lange abgezeichnet.

Allein das gemeinsame Ziel, Obama jede Erfolgsaussicht zu nehmen, hatte ihn dürftig bedeckt. Dass ausgerechnet Mitch McConnell, der es am lautesten ausgerufen hatte, Boehner nun im Stich lässt, ist für ihn doppelt tragisch.

Denn er selbst hat damit beides verspielt: die Aussicht, gemeinsam mit Obama große Lösungen voranzubringen; und die zweifelhafte Perspektive, dauerhaft gegen ihn zu arbeiten. Vielmehr setzt nun Obama, teils am Kongress vorbei, einen Großteil seiner Job-Initiative durch. Und vieles spricht dafür, dass sich nicht Obama neu erfinden muss, sondern John Boehner.

Auch Politikbeobachter Stephen Hess, den wir dazu befragen, sieht den Präsidenten im Vorteil. Er könne nun fast dabei zuschauen, wie die Republikaner sich aufrieben. »Wenn dein Gegner Selbstmord begeht«, zitiert er eine Strategenweisheit, »solltest du ihm nicht eben in den Arm fallen.«

Gelehrter Bush

Noch peinlicher verlaufen für die Republikaner die ersten Fernsehauftritte ihrer Präsidentschaftsanwärter. Ihr früher Shooting-Star, Michele Bachmann, blamiert sich, weil sie lauthals verspricht, als Präsidentin zuallererst die US-Botschaft im Iran zu schließen. Dabei geschah dies schon vor 30 Jahren.

Der Texaner Rick Perry stürzt stammelnd über die Frage, was er als Präsident tun würde, wenn Pakistans Atomwaffen in Rebellenhand fielen, und verirrt sich in Sätzen über gebrauchte US-Kampfjets, die man nicht hätte an Indien verkaufen dürfen. Später schafft er es nicht, die drei Bundesbehörden aufzuzählen, die er selbstredend abschaffen wollte. Fortan gilt er als »Blackout«-Bewerber, der für keine TV-Debatte tauge, schon gar nicht gegen den eloquenten Amtsinhaber. Dazu scheitert der ehemalige Pizzaketten-Mogul Herman Cain an nach und nach enthüllten Vorwürfen, er habe vier Frauen sexuell genötigt – was eine von ihnen öffentlich mit schlüpfrigen Details belegt. Nach wochenlangem Leugnen folgt der Paukenschlag, dass er seine ahnungslose Ehefrau zudem mehr als zehn Jahre lang mit einer Liebhaberin betrogen habe, was Letztere bestätigt. Daraufhin gibt Cain bekannt, dass er nach vielen Gebeten und der Prüfung seines Gewissens seine Wahlkampagne »unterbricht«.

Dabei hat auch er sich politisch schon hinreichend unbedarft gezeigt, etwa als er bei einem Presseinterview auf die Frage nach Obamas Umgang mit Libyen zuerst sichtlich verlegen auf dem Stuhl hin und her rutschte und dann von dort mitregierenden Taliban redete – die es in Tripolis nie gab. Oder als er ein bürgerfreundliches Steuerkonzept vor sich her trug, das Beitragssätze durchweg auf neun Prozent festlegen sollte, was jedoch nicht der Mittelschicht geholfen hätte, wie ihm bald Experten vorrechneten, sondern zuallererst den Reichen.

Alle drei, Bachmann, Perry und Cain, feiert die Tea Party nacheinander als heldenhafte Frontkämpfer, während die fiebrigen Nachrichtenkanäle jeweils schon deren Favoritenqualitäten preisen. Bis ihre Strohfeuer niedergebrannt sind – Funken sprühend zuerst, dann noch etwas Rauch hinterlassend, aber nie Substanz. So wie ihr Vorbild Sarah Palin eben, nur schneller. Einem meiner Online-Kollegen platzt einmal lesbar der Kragen: »Sie lügen, heucheln, poltern und reden dummes Zeug daher«, bilanziert er. »Und sie beweisen eine politische, wirtschaftliche, geografische wie historische Unkenntnis, die George W. Bush als Gelehrten erscheinen lässt.«

Tatsächlich reicht ihre Argumentationskraft von Beginn an kaum über das Plädoyer Michele Bachmanns hinaus, mit dem sie dem Publikum einer TV-Debatte darlegen wollte, was ihre Politik von der Obamas unterscheide. »Was ich sagen möchte, ist dies«, holte die einzige Frau in der Bewerberriege aus, »ich bin jeden Tag in den Vereinigten Staaten von Amerika unterwegs, und meistens rede ich mit Müttern in diesem Land. Ich bin eine Mutter. Ich möchte heute Abend etwas zu all den Müttern draußen im Land sagen. Präsident Obama hat versagt. Ich werde nicht versagen. Harrt aus, Mütter. Es ist noch nicht zu spät.«

Hüpfer und Schaumschläger

Zuvor schon hatte Sarah Palins Dauerkoketterie um die Frage, ob sie denn nun antreten wolle oder nicht, die Medien über Gebühr beschäftigt. Ebenso wie der schillernde Bauunternehmer Donald Trump, der den alten Vorwurf der Obama-Hasser wieder ausgrub, dass dieser nicht in den USA geboren sei und somit nie hätte gewählt werden dürfen. Es sind sehr durchsichtige Manöver, allein um die Aufmerksamkeit der Sender zu erheischen, inhaltlich jedoch längst durchberichtet, irrelevant und abwegig. »Ich habe noch nie so viele Kandidaten in Umfragen hochschießen und wieder abstürzen sehen«, wundert sich US-Historiker Allen Lichtman. »Es ist wie der Aufstieg und Fall des Römischen Reiches im Zeitraffer.«

Mich erinnert das öffentliche Schaumschlagen an eine Veranstaltung, die in Deutschland der Bundeswahlleiter gewöhnlich abhält, um seriöse von unsinnigen Parteibewerbern zu trennen. Als ich einmal darüber berichtete, behaupteten dort Menschen, es sei ein politisches Programm, auf Gummibällen zu hüpfen. Aber immerhin war der Spuk an einem Tag vorbei. Hier hält er sich dank der Dauerhysterie der US-Medienmaschinen schon mal über Wochen in den Schlagzeilen.

Unterdessen kann sich der Präsident vorsichtig über die Aussicht freuen, dass sich der Arbeitsmarkt langsam erholen könnte. Nun endlich fällt die Arbeitslosenrate unter neun Prozent. Für einen Amtsinhaber zwar immer noch zu hoch, um wiedergewählt zu werden. Aber eine Trendwende gäbe ihm das Argument, dass sich seine Beharrlichkeit auszahle. Und Wählern womöglich die Zuversicht, dass sich auch ihre Lage nun bald bessern könnte, auch ohne ein neuerliches Experiment im Weißen Haus.

»Ironischerweise kämpft Obama gegen eine Entwicklung an, die Deutschland aus den Achtziger- und Neunzigerjahren kennt«, erklärt uns Howard Rosen vom Petersen Institut für internationale Wirtschaft. »Damals gab es dort viele Langzeitarbeitslose und wenig Bewegung auf dem Jobmarkt. In den USA dagegen verloren Menschen eher kurzzeitig den Job und wurden rasch wieder eingestellt.« In den letzten 20, 30 Jahren sei jedoch in Amerika die strukturelle Arbeitslosigkeit gewachsen, weil der Bedarf sich wandelte, Ausbildungs- und Umschulungsprogramme aber – anders als in Deutschland – fehlten. »So etwas hatten wir nie nötig«, sagt er, »das ist unser Hauptproblem.«

9 Drei-Küsten-Tour

Das andere Amerika

Am Neujahrstag 2012 liefere ich dem heimischen Fernsehprogramm eine winterliche Reisereportage zu, in der wir jenseits der parteipolitischen Querelen Washingtons, des Steuer-, Schulden- und Tea-Party-Gezänks, nach einem anderen, unaufgeregten Amerika suchen. Wir sparen die Großstädte aus, über die wir schon genug berichten. Stattdessen durchqueren wir die USA auf ihrer nördlichsten Route. Schon der Bilder wegen wird es eine lohnende Reise durch die Großlandschaften Nordamerikas: die wilde Atlantikküste Maines, die Hügel von Neuengland, die Großen Seen und Ebenen, die Rocky Mountains, die Buchten des Pazifiks. Und dann weiter nach Nordwesten, durch Alaskas »letzte Wildnis«, wie es hier heißt, bis ins Niemandsland der Beringstraße. Zwei Inseln, eine noch amerikanisch, die andere schon russisch, sollen unser Fernziel sein: Klein- und Groß-Diomedes, wo nur noch wenige Inuit-Familien leben – und beklagen, dass der Krieg zwischen den Großmächten ihren Lebensraum bis heute geteilt hat.

Es wird eine Reise, die uns zu vielen Menschen führt, die tagtäglich ihr Leben meistern, trotz aller Widrigkeiten. Die eigene Wege gehen wie einst die Pioniere des neuen Amerika. Nicht hasserfüllt, sondern zuversichtlich und auf die eigenen Fähigkeiten vertrauend oder auf die

Fülle der Natur. Die das Land vielleicht noch immer mehr ausmachen als das, was wir Washington-Korrespondenten gewöhnlich für so viel wichtiger halten.

Gegen den Strom

Zwischen den Klippen der Insel Monhegan, weit vor der Küste Maines, beginnt unsere Reise. Hinter grauen Wolken ist gerade die Sonne aufgegangen, als die Hummerfischerin Chris Cash mit ihrem Helfer Travis ihr Boot aus der kleinen Hafenbucht lenkt. Der Drehtag ist nicht eben einladend, sondern kalt, windig und verregnet. Chris rechnet mit Schnee, doch da müsse man durch, sagt sie und lacht. Sie ist eine Frohnatur, die als Studentin auf der Insel hängen blieb, nachdem sie einen Sommer lang im einzigen Hotel des Ortes gejobbt hatte, das nun nach der Saison geschlossen ist und hinter uns mit jeder Meile kleiner wird, die wir zurücklegen.

Als wir die ersten orangefarbenen Bojen erreichen, die Chris gehören, hat Travis die Köder aus altem Hering verschnürt. Andere Fischer nähmen lieber Thunfischköpfe, erklärt er uns. Jeder habe seine eigene Theorie, was mehr Fangerfolg verspreche. Dann holen sie die Drahtkäfige aus der Tiefe hoch, die unterhalb der Bojen angeseilt sind.

»Wir fangen um diese Jahreszeit nur die wenigen Tiere, die sich dort unten noch hin- und herbewegen«, sagt Chris. »Die meisten verkriechen sich jetzt im Gestein.« Zudem müssen die Fischer alle eiertragenden Weibchen ins Wasser zurückwerfen und jeden Hummer, der sich unter der Schieblehre als kleiner erweist, als die Sollmaße es vorgeben. Zu Schichtende hat Travis ein Dutzend Hummerscheren mit Gummibändern stillgelegt. Kein schlechter Tag, meint Chris.

Normalerweise gehen junge Menschen hier weg, wenn sie aufs College wollen, und kommen nie mehr zurück. Warum sie es umgekehrt gemacht habe, frage ich.

»Ich habe mich schon am ersten Tag in diese Insel verliebt«, sagt sie. »Die Menschen hier sind eigen, klug und voller Lebensfreude.« Als wir zurück sind, führt sie mich auf eine Anhöhe zum alten Leuchtturm. Unter uns kauern nur ein paar graue Häuser. Die kleine Schule, die gerade für die Winterferien schließt, zählte zuletzt zwei Schüler. Die Lehrerin rühmt den familiären Umgang, so könne sie sich jedem mit viel Zeit widmen. Der Tag endet im Lagerraum des dienstältesten Dörflers, dessen Taue, Haken und Bootslampen von Wänden und Decke hängen. Fast täglich sitzt man hier nach Feierabend beisammen und redet von früher. Zwei Frauen und zwei Männer sind es heute.

»Meinem Sohn habe ich geraten«, sagt uns der Alte, »er solle sich gut überlegen, ob er wirklich auch Fischer werden will. Wer weiß, wie lange wir noch Hummer fangen? Nun ist er Zahnarzt geworden. Zähne gibt's immer.«

Die Runde lacht, isst Krabben und trinkt Bier. Weit über 100 Inseln lägen hier draußen, erklären sie mir, nur wenige seien noch bewohnt. Die Schulen machten bisweilen dicht, aber eine Nachbarinsel habe derzeit sogar vier Kinder in der Klasse.

»Stimmt es denn«, zitiere ich Chris, »dass die Leute hier fröhlicher sind als anderswo?«

»Wenn du Fischer bist, weißt du, dass auch dein Boot irgendwann mal einen Motorschaden hat«, lacht da mein Nebenmann. »Wer dann nur noch von Feinden umgeben ist, hat einen Fehler gemacht. Schon deshalb ist es besser, wenn man zueinander nett ist.«

Auch wenn es der Mann eher augenzwinkernd als Erklärung anbot, es sind diese einfachen Lehren des Alltags, auf die wir während der Reise immer wieder stoßen: Respekt, Rücksichtnahme, Gemeinsinn. Fast scheint es, als sei den Eliten im US-Kongress das alles nur abhandengekommen, wie es die Exparlamentarier in unseren Interviews beklagten.

»Fühlen Sie sich denn hier draußen noch als Amerikaner?«, frage ich Chris, als sie am nächsten Morgen vor ihrem Geräteschuppen Bojen streicht.

»Ja und nein«, antwortet sie unter kaltem blauem Himmel. »Wenn wir zum Festland fahren, sagen auch wir seltsamerweise, dass wir nach Amerika reisen. Aber bei Wahlen geben natürlich auch wir hier unsere Stimmen ab.« Obwohl die erst gezählt würden, lacht sie, wenn die Wahl längst vorüber sei. Trotzdem hofften sie, dass auch die Fischer von Monhegan Wahlen entscheiden könnten, wenn es denn wirklich einmal knapp würde.

Bevor wir weiterreisen, zeigt uns Chris zu Hause, wie sie ihre Inselromantik durch Nebenjobs absichert. In der Büroecke des Wohnzimmers, mit Blick auf Meer und Felsen, gehen sie und ihr Mann Rich, die sich am College kennenlernten, seit Jahren auch etlichen Internet-Jobs nach, von Buchhalterdiensten für Firmen bis zu Aufträgen in der Erwachsenenbildung. »Als wir uns entschlossen, hier zu bleiben, wollten wir nicht allein vom Fischfang abhängen«, sagen sie. »Früher musste man für solche Nebeneinnahmen zum Festland reisen. Heute geht es online. Das ist ein Riesenvorteil.«

Das Postschiff bringt uns durch schäumende Gischt zum Küstenort Port Clyde an einer der vielen Halbinsel-Spitzen Maines. Von dort fahren wir mit dem Auto Richtung Westen, zunächst durch Dörfer mit weißem, schlankem Kirchlein, Lebensmittelladen, Zwergschule und Friedhof, dann auf dem Highway Nummer zwei, der uns den Kontinent viel ansehnlicher vor Augen führt als die südlichere Route

66. Im Schneegestöber durchqueren wir die Appalachen, bis wir im grünen Bundesstaat Vermont an einer Farm anhalten, von der wir gelesen haben, dass sie vielen im neuen Amerika Modell stehe.

Entdeckung des Kleinbetriebs

Von außen sieht man Bauer Steven Leslie nicht eben an, dass er ein Trendsetter ist. Wir treffen ihn hinter Ställen und Scheunen, wo er einem stämmigen norwegischen Fjordpferd durch den Schnee hinterherstapft und dabei die Zügel hält. Statt eines Pflugs zieht das Pferd einen Traktorreifen. »Wir üben noch«, sagt Steven. »Vor zehn Jahren waren wir hier die Einzigen, die Arbeitspferde einspannten. Heute gibt es viele Bauern, die sie wiederentdecken, nicht nur in Vermont.«

Der Mann mag wie ein Alt-Hippie daherkommen, mit schulterlangem Haar und Bart, dennoch ist er alles andere als ein Aussteiger. Bald reicht er mir eine Fachzeitschrift für Agrarentwicklung, für die er gerade den Leitartikel verfasst hat. Es geht um Biostandards und dorfnahes Leben und Arbeiten, um die Gegenbewegung zur überkommerzialisierten US-Nahrungsindustrie.

Als die Hofgründer vor Jahren den Betrieb aufnahmen, waren sie noch nah an den Landkommunen alten Stils. Inzwischen haben sie sich ein ganzes Dorf gebaut, solarbeheizt, mit Kindergarten und neuerdings auch einem Altenteil für die ergrauten Gründer. Steven bewirtschaftet mit seiner Frau die Felder und zieht Rinder groß. Andere kneten in der Käserei Vermonts berühmten Cheddar oder ebenso schmackhafte Varianten von Schweizer Alpenkäsen. Wieder andere entwerfen am Computer wissenschaftliche Beiträge für die nächste Weltklimakonferenz.

»Über die Jahre haben wir gelernt, dass 44 Erwachsene nicht ständig über alles reden und mitentscheiden können«, sagt Steven, als wir in einer Pause andere Genossenschaftler treffen. »Sonst wäre hier nur Chaos.« Ein jeder müsse Einnahmen erwirtschaften und eigenverantwortlich Betriebsteile führen. Nur Grundsätzliches entscheide nach wie vor das Plenum. Als ich nach einem Beispiel frage, kommen sie auf den letzten Dauerstreit, den sie seit WG-Zeiten mitschleppen. »Wir sind uns nie einig geworden, ob wir Neumitgliedern erlauben sollten, Haustiere mitzubringen oder nicht«, sagt einer lachend, während alle nicken. »Das ist unsere härteste Nuss.«

Was der Kooperative entgegenkommt, sind Vermonts ländliche Traditionen, die das Genossenschaftswesen immer pflegten. So mancher US-Mischkonzern wollte sich hier schon einkaufen, scheiterte aber am Widerstand der bäuerlichen Inhaber, deren Mehrheit stets gegen Verkäufe stimmte. Nach all der Berichterstattung über die angebliche Sozialisten-Angst im Amerika Barack Obamas habe ich mit derart soliden Alltagskollektiven gar nicht mehr gerechnet.

Der Trend zurück zum ganzheitlichen Kleinbetrieb und zu gesundem Essen werde anhalten, sagt Steven. Dann bringt er mich zum Stall, wo ich mit seiner Frau Cary die neuen Kälbchen füttere, die mich aus ihren braunen Augen anblicken wie Rehe.

Ob sie die alle behielten, frage ich Cary.

»Wir verkaufen einen Teil davon an einen Großhändler oder an Abnehmer im Umland«, antwortet sie.

Mir fiele schwer, die auszuwählen, die ich hergeben würde, sage ich, als ich die Trinkflasche durchs Gitter halte.

»Glaub ja nicht«, seufzt sie da, »dass es mir anders geht.«

Im Wind von North Dakota

Entlang der kanadischen Grenze setzen wir die Reise fort, durchqueren bald Weinberge und blicken in die steilwandige Schlucht des Niagara-Flusses. Wir erfahren von letzten Gefechten zwischen Amerikanern und Franzosen am Ufer der Großen Seen, wo sich heute ein viktorianisches Dorf als schönster Ort Kanadas rühmt. Der lizensierte Rettungspilot fliegt uns kühn bis über die vereisten Ränder der Niagarafälle, bis der Kameramann freudig den Daumen reckt. Vom Bundesstaat New York aus erreichen wir Michigan, wo wir uns Schneeschuhe um die Füße schnallen, um über den gefrorenen Lake Superior zu wandern, den nördlichsten der Großen Seen. Unser beleibter Gastgeber ist Clarence Iverson, in dessen naher Werkstatt zwei Arbeiter noch solches Flechtwerk produzieren – als letzte in den USA. Der füllige Firmenchef, der mir vorausgeht, ist selbst sein bester Warentester. Denn wenn seine Schneeschuhe ihn tragen, tragen sie jeden.

»Frühmorgens können Sie hier Füchse sehen und Kojoten«, sagt er, »Raubvögel und Rehe.« Von Felskanten rinnt Wasser an mächtigen Eissäulen herab, vor denen ich klein wie ein Zwerg erscheine. Dann rötet die Sonne den Horizont der Seenlandschaft wie in einem Aquarell.

Iversen trotzt schon aus Prinzip den Billigimporteuren, die Schneeschuhe nicht wie er aus Holz und Lederriemchen fertigen, sondern nur noch aus Leichtmetall, Plastik und Kunstfasern. »Wir Amerikaner können doch der Welt nicht nur Finanzprodukte verkaufen«, schimpft er. »Das hat uns doch die Krise eingebrockt. Wir müssen Dinge herstellen aus dem, was wir haben. Wir haben es doch.«

Das Holz bezieht er aus dem Inland, die Tierhäute aus

Kanada. Wie lange sein Betrieb noch überlebt, ist offen. Doch nie würde der knorrige Unternehmer um einen »Bailout« durch die Regierung bitten, selbst wenn sie auch existenzbedrohte Schneeschuh-Fabrikanten freikaufen würde.

Im Dauerwind von North Dakota, der uns bei Drehpausen fast die Autotür abreißt, checken wir in einem Ort namens Linton ins lokale Motel ein. Unter den Reifen knirscht das Eis. Die Zimmer riechen nach Desinfektionsspray, die Bettlaken sind festgezurrt, als schliefe man in einem Briefkuvert. Linton hat nur 100 Meter Hauptstraße, einen Saloon und eine Frühstücksbar, die nach Bratfett stinkt und in der grimmige Männer unter Cowboyhüten dünnen Kaffee trinken. Mir fällt der Satz des US-Schriftstellers Howard Frank Mosher ein, wonach Gott das Land geschaffen habe, der Mensch die Metropolen, der Teufel hingegen die Kleinstadt.

»Als ich jung war, habe ich mal andere Orte ausprobiert«, sagt uns Frank Kuntz, als er uns abholt und zu seiner Ranch hinausbringt. Draußen beugt sich gelbes Gras im Wind. Mein Blick streift über sanfte, baumlose Hügel, die sich zu einer Landschaft verbinden, als hätten wir den Planeten gewechselt. »Ich mag ja die Großstädte«, sagt Frank, »aber noch lieber lasse ich sie nach ein, zwei Tagen wieder hinter mir. Dann ist es mir zu eng. Zu viele Menschen. Deshalb kam ich immer wieder hierher zurück. Hier ist nur Weite. Offenes Land.«

Von der Asphaltstraße biegen wir auf einen Feldweg ab. Nach ein paar Meilen taucht hinter einer Kuppe die Ranch auf, die Frank mit seiner Frau bewohnt. In den verschneiten Koppeln ringsum blicken dickfellige Pferde zu uns auf. »Nokotas«, sagt Frank. »Auf ihnen ist schon Häuptling Sitting Bull geritten.«

Seine Idee, hier die letzte Herde von Indianerpferden zu retten, annähernd 500 Tiere, fanden in Linton nicht alle gut. »Kennst du den Unterschied zwischen Farmern und Ranchern?«, fragt er mich. »Ein Farmer weiß genau, wie viele Tiere er besitzt. Ein Rancher weiß es nur ungefähr.«

Dann nennt er mir noch einen weiteren Unterschied. Farmer hätten die Pferde »Heudiebe« und »Nichtsnutze« genannt. Man müsse das verstehen, erläutert uns später Franks Bruder Leo, der die Nokota-Herde mitbetreut. »Als die ersten Siedler hier von der Regierung Land zugeteilt bekommen hatten, zogen sie Holzzäune hoch und legten Felder an. Wenn dann manche einfach darüber hinweggritten, fanden die das nicht lustig.«

Heute sind sich die meisten einig, dass die Kuntz-Brüder ein Kulturerbe bewahren. Eine Stiftung sammelt die nötigen Spenden. Das Heu fährt Frank im Winter in großen Ballen mit dem Trecker auf die Weiden. Als er mich zur Herde führt, will ich die ersten Pferde an Kopf und Mähne streicheln, doch sie weichen zurück, immer gerade so weit, dass meine Hand sie nicht berührt.

»Geh nicht zu ihnen«, lacht Frank. »Warte einfach, dann kommen sie zu dir.« Und so ist es. Bald darauf wollen sie nur noch gekrault werden. Manche von ihnen wechselten das Jahr über die Farbe, sogar von schwarz zu weiß und wieder zurück, erklärt uns Frank und weist uns zudem auf Haarpolster an ihren Läufen hin. Vor allem wenn die Schneedecke des Winters noch eine Eisschicht trage, bewahrten sie diese Polster vor Verletzungen.

»Es sind wunderbare Tiere«, sagt auch Leo, als wir ins Haus gehen, dessen Wände von Indianerschmuck bedeckt sind. »Wir haben alte Aufzeichnungen gelesen, da hieß es, wenn die Armee die Indianer nicht auf den ersten sechs Meilen eingeholt habe, könnten diese einfach so lange vor ihnen herreiten, bis die Armeepferde zusammenbrächen.«

Wie es gekommen sei, möchte ich wissen, dass sie sich der Tiere angenommen haben?

»Es ist unser Leben«, sagt Frank. »Meine Familie hatte immer Pferde. Wir waren zwölf Kinder. Wann immer wir irgendwo hin mussten, stiegen wir auf Pferde.« Sie hätten aber auch ein Zeichen setzen wollen, gegen den Völkermord an den Lakota-Indianern. Denn so wie die Regierung seinerzeit den Stamm nahezu vernichtet habe, so habe sie, um ihn zu schwächen, auch dessen Pferde ausgerottet.

Als Dritter stößt schließlich ihr indianischer Partner Butch Thunderhawk, zu Deutsch: Donnerfalke, zu uns, der abseits von Linton lebt und viele der bunten Bilder gemalt hat, die wir im Haus bewundern. In einem davon reiten Krieger im Federschmuck durch Gewitterblitze. »Diese Pferde gehörten zu den Familien unserer Vorfahren«, erzählt er in feierlichem Tonfall. »Sie waren Quelle unserer Stärke, denn sie waren selbst schnell wie Blitze und hatten die Ausdauer eines Gewittersturms.«

Zum Abschied erhalte ich als Großstädter sogar noch eine Reitstunde. Da ich selten auf Pferderücken saß, bin ich zunächst skeptisch. Doch schnell vergesse ich die Vorbehalte angesichts des wunderbaren Anblicks, der sich uns bald bietet – als die komplette Nokota-Herde mit wild wehenden Mähnen durch den Schnee galoppiert und ihn zur weißen Wolke aufwirbelt. Bevor der Wind von North Dakota ihn mit sich davonträgt.

In den schneereichen Bergen der Rocky Mountains wechseln wir in die Eisenbahn. Auf Strecken, die Gleisarbeiter einst ins Gebirge sprengten, peilen wir die Station Benton im Glacier-Nationalpark an. Das Waldquartier, in dem damals Hunderte von Männern die Nächte zwischen den Tagschichten verbrachten, dient einem rustikalen Landhotel heute als Haupthaus. Ringsum bietet es zudem Quartiere an, die gerade Eisenbahnfreunden das Herz aufgehen lassen – als Hotelzimmer ausgebaute Original-Lokomotiven und Begleitwagen der »Great Northern Railway«, die damals die aufstrebenden Zentren Chicago und Seattle verband.

Wo einst Lokführer am Steuer saßen oder das Zugpersonal die rote Laterne leuchten ließ, beziehen nun Hotelgäste ihr längliches Zimmer, mit Ausblick auf die alte Talstrecke. Der Hotelier hat die Oldtimer auf Schrottplätzen in Kansas eingesammelt und mühsam hierher schleppen lassen. Nun verhelfen sie dem Ort zu neuem Leben.

Durch die Bundesstaaten Idaho und Washington fahren wir in den Folgetagen Richtung Pazifikküste, über weiß glänzende Gebirgspässe, durch moosbehangene Märchenwälder und an vom Frost gezeichneten Apfelplantagen und Kirschgärten vorbei bis zu den verzweigten Buchten nahe der Hafenstadt Port Townsend.

Jack Becker erwartet uns hier in seinem Boot »Emily«, einem Modell des Baujahres 1930. »Traumboot mit Führerhaus« stand damals in den Papieren. Als Jack es mit einem Freund kaufte, studierten beide noch an einer Luftwaffen-Hochschule im fernen Virginia. »Es hatte nichts damit zu tun, was wir am College machten. Wir schmissen sogar das Studium, um das Boot zu bezahlen«, lacht

Jack. »Unsere Eltern wussten nichts davon. Wir machten uns auf zur Westküste und schrieben ihnen unterwegs einfach eine Karte.«

Heute unterrichtet Jack selbst Studenten – an der Bootsbauschule im nahe gelegenen Port Hadlock. Als wir dort anlegen, hören wir schon Hobel schleifen und Hämmer auf Stemmeisen schlagen. Holzplanken schwitzen im Dampfofen, damit sie biegsam genug sind, um auf den Bootsrumpf aufgeschraubt zu werden. »Hier sitzt du in keinem Hörsaal und langweilst dich vor lauter Theorie«, schwärmt eine Studentin mit Kapuze über dem Blondschopf und Bleistift hinterm Ohr, während sich Hobelspäne kräuseln. »Hier legst du gleich Hand an.«

Auch viele Senioren schreiben sich bei Jack ein, manche nach einem ganzen Berufsleben als Kaufmann oder Neurologe. »Wir wollten noch einmal etwas anderes machen«, sagen sie und fühlen sich in der Klasse ebenso wohl wie ihre Teamkollegen, die ihre Töchter und Söhne sein könnten. Nun wohnen sie in alten Kapitänshäuschen, zimmern ein paar Semester lang nach historischen Plänen Holzboote zusammen oder nähen nach alter Schule Segel, mit Fingerhut und Handmanschette. Als sie uns abends in eine Kneipe in Port Townsend bitten, spielen dort zwei der Studenten Seemannslieder. Sie handeln von Heim- und Fernweh. Auch Jack hört ihnen zu. »Ich wünschte«, singen die beiden, »ich würde finden, wonach ich suche.«

Als Jack uns auf seiner »Emily« noch ein Stück weiter nach Norden bringt, frage ich ihn, ob er es denn gefunden habe.

»Ich glaube schon«, nickt er. »Das Klima hier oben ist mild, es wird im Sommer selten heiß und im Winter nicht zu kalt. Und das Wichtigste: Es gibt hier kaum Moskitos.«

Später in Alaska wird es eine Wildhüterin sein, die wir als amerikanische Alltagsheldin porträtieren. Sie siedelte aus Texas ins Umland von Anchorage über, um zwei verwaiste Grizzly-Junge aufzuziehen. Und noch weiter im Nordwesten, am Rand des Goldgräbernestes Nome, ein Ehepaar aus West-Virginia – sie Krankengymnastin, er Gemeindereferent –, das in einer Bausatz-Jurte lebt wie unter einer Zirkuskuppel, weil ihm für ein Haus das Geld fehlte. Beim nächsten Umzug können sie einfach Dach und Außenhaut wegnehmen und das Holzgerüst wie einen Jägerzaun zusammenfalten.

Längst reisen wir nicht mehr auf Verbindungsstraßen. Es sind Motorschlitten oder Buschflieger, die hier Orte verbinden. Die einzige Eisenbahnlinie war nur in Betrieb, als an den Stränden der Gegend Goldklumpen gefunden wurden, die plötzlich all die Glücksritter vom Klondike, vom Yukon und aus Dawson City herüberlockten. Heute ragt nur noch das rostbraune Wrack einer vergessenen Dampflok hervor, als weithin einziger Fleck zwischen Packeisdecke und Inlandschnee.

Die ganze Küste, über die wir später unserem Zielpunkt entgegenfliegen, strahlt so unter der Wintersonne. Nur noch konturloses Weiß ist zu sehen, vom Küstensaum bis zu den Bergkämmen hinauf – und draußen, jenseits der Packeiskante, tiefblaues Meer.

Von Außenposten zu Außenposten hatten wir Amerika ausmessen wollen. Als Pendant zu Maines Insel Monhegan, wo Fischerin Chris ihre Hummer fing, peilen wir nun Alaskas Inuit-Gemeinde auf Little Diomede Island an, das die russische Grenze von der Schwesterinsel Big Diomede trennt. Nachdem der Pilot die Küstenlinie unter uns verlassen hat, verdichten sich die Wolken. Irgendwann zeigt sein Radarschirm die beiden Insel-Punkte an. Dann, unter der Wolkendecke, erkennen auch wir sie: zwei tief eingeschneite Felsenkegel, die sich schroff aus dem Eismeer wölben. Einmal umfliegen wir die Steilhänge der kleineren Insel, an deren Fuß wir die einzigen Hütten erkennen. Fast mediterran hängen sie, von Stelzen gestützt, über dem Ufer. Darüber steigt der karge Berg an, bis ihn die Wolken deckeln. Es ist einer jener Augenblicke, die ich von früheren Abenteuerreisen kenne. Augenblicke, in denen ich mir die Frage stelle, wie hier wohl jemand überleben kann. Als bewegten wir uns im toten Winkel der Welt. Wunderschön zwar, aber unendlich einsam. Und dennoch lernte ich jedes Mal, dass auch diese Orte Menschen schlichtweg Heimat geben.

Mit Kurs auf die Landebahn zwischen den Inseln geht der Pilot zum Sinkflug über, bis er auf dem blanken Eis aufsetzt. Kaum ist der Flieger ausgerollt, düsen die ersten Motorschlitten an, manche mit klobigen Anhängern, um Fahrgäste und Versorgungsgüter abzuholen. Und mit ein paar Fluggästen, die der Pilot nun mit zurück nach Nome nimmt.

»Willkommen auf Diomedes, es wird euch gefallen«, begrüßt uns ein Mann im weißen, pelzgesäumten Parka. Sein kurzes Haar ist pechschwarz, seine Haut blass. Ein dünner Oberlippenbart ziert sein Gesicht, als sei er ein stiller Fan Clark Gables. »Der Ort ist so einzigartig wie die Menschen, die hier leben«, verspricht uns Robert Soolook – so wie es auch Chris über ihr Inseldorf gesagt hatte. Zuerst auf der Landepiste, dann durch eine Spur im Packeis bringen uns die Schneemobile zu den Hütten, die nur durch Pfade und Holztreppen verbunden sind. Im Klassenraum der Schule beziehen wir Quartier – auf Matratzen, die wir morgens vor Unterrichtsbeginn wieder verstauen.

»Viele dieser Kinder haben noch nie einen Baum gesehen«, sagt die junge Lehrerin Adrienne Lee, die sich aus Kalifornien für ein Alaska-Jahr gemeldet hat. »Dafür lernen sie früh, wie man tagtäglich mit 50 Grad Kälte umgeht.« Im Pausenraum frage ich zwei Kinder, die gerade ihre Ration Apfelmus und Zimtschnecken verdrücken, nach ihrem Lieblingsgericht. Beide überlegen kurz und sagen dann das Gleiche: »Pizza.«

Dabei hält die arktische Küche derzeit anderes bereit, wie mir Robert bald zeigt. Auf seinem Motorschlitten nimmt er mich mit hinaus ins Eis, wo er von früh bis spät seine Fangschnüre an ein paar Wasserlöchern überwacht. Nicht in Käfigfallen wie in Maine fängt man hier Krebse, sondern wartet stoisch, bis sie sich an Fischködern festklammern, die an die Schnur geknotet sind. »Manchmal hält sich der Krebs unten an Steinen fest, dann muss man sehr gefühlvoll ziehen, damit man ihn nicht verliert«, erklärt mir Robert, der mit blanken Fingern die Spannung der Schnur prüft und zudem noch Eisstücke aus dem Wasser herausgreift, um bessere Sicht zu haben.

Dabei haben wir fast 30 Grad Kälte. Als ich es einmal versuche, schmerzen schon nach Sekunden ohne Handschuhe die Finger. Außerdem scheint sich der Krebs mit all seinen Beinen am Grund festzuklammern, während er den Fisch genießt. Jedenfalls ziehe ich nie etwas Gewichtiges hoch.

»Was machst du, wenn er den Köder immer wieder loslässt?«, frage ich Robert.

»Geduld haben«, lacht er.

»Ich wäre hier längst verhungert«, grummle ich und gebe auf.

In ihrer Hütte zeigt mir Dorfsprecherin Frances Ozanna Fotos vom Sommer auf der Insel. Darauf sind Pfade zu erkennen, die den Hang hinaufführen, bis er an einer Plateaukante endet. »Dort oben wachsen wilde Kartoffeln und Zwiebeln, Kräuter und Beeren«, sagt sie. »Die Natur ernährt uns. Du kannst hier leben, auch ohne Versorgungsflüge.«

»Wie trefft ihr im Ort Entscheidungen?«, frage ich Frances.

»Wir versammeln uns von Zeit zu Zeit und stimmen ab, über Fragen der Schule, der Landepiste, der gemeinsamen Jagd.«

Walrosse, Robben, Bären und Kleinwale kämen zwischen den Inseln durch, bestätigt Robert. Und der Dorfälteste, Patrick Omiak, der Ende 70 ist, erinnert sich noch daran, dass ihre Vorfahren im Winter stets zwischen den beiden Inseln hin und her gewandert seien. »Drüben konnte man besser die Belugawale jagen«, sagt er. »Alles haben die Inselbewohner miteinander geteilt. Doch dann kam der Kalte Krieg, und die Großmächte machten die Grenze dicht. Die Russen räumten das Dorf auf Groß-Diomedes und siedelten die Bewohner nach Sibirien um. Seitdem ging keiner mehr von uns hinüber. Sie haben Wachposten dort, die dich beobachten, rund um die Uhr.« Dazu hebt er beschwörend die Hände.

Ob das wirklich stimmt, wollen wir lieber nicht herausfinden, obwohl die Schwesterinsel nur einen Steinwurf entfernt scheint. Zudem verdichten sich erneut die Wolken, und es beginnt zu schneien. In der Nacht beginnt ein Sturm um Dorf und Inseln zu fegen, der unseren Rückflug für Tage unmöglich machen wird. Zuerst wegen der schlechten Sicht, dann weil die Piste erst mühselig vom Neuschnee befreit werden muss. Bis dahin führen die Dörfler uns Trommeltänze vor, in denen sie die Bewegungen von Meerestieren imitieren. Dazu fängt die Kameracrew faszinierende Bilder ein von Schneeschleiern über dem Packeis, in denen sich das erste Licht bricht. Und Robert erzählt vom einzigen Wiedersehen, das es zwischen den getrennten Inuit je gab.

»Es war in den späten Sechzigern oder frühen Siebzigern«, schildert er uns. »Da kamen sie einmal aus Russland zurück, und wir trafen uns mitten auf dem Eis, tauschten Geschenke aus und schossen mit unseren Gewehren in die Luft. Da hatten wir kurz eine gute Zeit.«

Er glaube weiterhin, dass die beiden Inseln zusammengehörten, sagt er leise. »Die Russen haben uns einen Teil weggenommen, obwohl wir ein Volk waren, Familien und Verwandte. Bis uns der Eiserne Vorhang getrennt hat.«

Sätze, die ich als junger Berlin-Reporter wortgleich auch von Deutschen hörte. Hier, im Niemandsland der Beringstraße, klingen sie, als habe die Geschichte die Inuit vergessen.

Unpolitisches Amerika?

Annähernd zwölf Stunden, ohne die Zwischenstopps, dauert mein Rückflug nach Washington. In der gleichen Zeit kann man von Frankfurt nach Jakarta reisen, über ganz Europa und Asien hinweg. Wollte einer all die Regionen, die man bis dorthin überfliegt, zugleich regieren, man würde ihn für verrückt erklären.

Auch wenn die USA weit mehr verbindet als Europa und Asien: Die Fliehkräfte der Bundesstaaten, mit denen ein US-Präsident rechnen muss, die Klüfte zwischen Provinz und Metropolen, zwischen Superreich und Bitterarm, Weißen, Schwarzen, Latinos und Ureinwohnern, Mehrheiten und Minderheiten, sind größer als in Gesellschaften, an denen wir Berichterstatter gewöhnlich Maß nehmen.

Wie sollte die Politik aussehen, die hier allen gerecht wird? Und wie konnten umgekehrt so viele Wähler glauben, Obama würde sie fortan nicht wie ein streitbarer Präsident anführen, sondern wie ein Heiland? Als wir die Reise planten, suchten wir nach Amerikanern jenseits unserer üblichen Berichterstattung, als gäbe es ein zweites, weniger aufgeregtes Land. Jetzt frage ich mich, ob das, was wir fanden, nicht das eigentliche Amerika ist.

»Absolut, vergessen Sie die Wutbürger, in Wahrheit sind wir die unpolitischste Demokratie der Welt«, bestätigt mir Altanalyst Stephen Hess. »Wir wählen alle vier Jahre einen Präsidenten, und danach kümmern wir uns wieder um unsere eigenen Dinge, sei es die Kirche, die Familie, der Job oder das, was wir besitzen«, überrascht er mich. »Fragen Sie draußen im Lande, was Amerikaner beschäftigt, dann haben die nicht genügend Finger, um auch nur eine einzige politische Frage mit aufzuzählen. Sie gehen anders mit Politik um. Sie wählen einen Kandidaten, vertrauen darauf, dass er tut, was er verspricht, und wenden sich dann wieder ihrer kleinen Umgebung zu.«

Dazu komme eine »ziemlich ulkige Tradition«, wie er es nennt. »Hier kann jeder morgens in den Spiegel schauen und sagen: ›Ich finde, ich sollte der Präsident der Vereinigten Staaten von Amerika sein.‹ Dann sammelt er Geld und Freunde ein, umgibt sich mit Beratern und startet seine Kampagne. Es folgen Fernsehauftritte, die ihm kostenlos Werbung für sich selbst ermöglichen. Wenn es gut läuft, haben wir einen Wettstreit um Ideen. Wenn nicht, ist es eher eine Realityshow mit drei, vier oder fünf Millionen Zuschauern, die sich davon eine Weile unterhalten lassen.«

10 Wohin führt das Wahljahr?
Triumph, Tragik oder beides

Die Erste, die verglüht, ist Michele Bachmann. Bei den republikanischen Vorwahlen in Iowa landet sie nur auf Rang sechs, mit gerade mal fünf Prozent der Stimmen. Und das in ihrem Heimatstaat. »Das Volk hat mit sehr klarer Stimme gesprochen«, sagt sie danach. »Deshalb habe ich mich entschlossen, beiseitezutreten.«

So endet der Höhenflug der ersten Tea-Party-Thronfolgerin Sarah Palins. Pizza-Mogul Herman Cain hat das rechte Dschungelcamp schon nach seinem Ehebruch-Skandal verlassen. Mit dem Favoritentitel der Parteirechten schmücken sich von da an zuerst der Texaner Rick Perry, dann der Haudegen Newt Gingrich und zuletzt der ultrareligiöse Exsenator Rick Santorum, der Sex allein zu Fortpflanzungszwecken statthaft findet, Abtreibung auch nach Vergewaltigungen ablehnt, den Klimawandel »Blödsinn« nennt und den Afghanistan-Krieg ohne Zeitlimit fortsetzen will.

Zum Auf- und Abstieg der Obama-Herausforderer trägt letztlich sogar ihr Haussender Fox News bei, dessen eigene Unzufriedenheit in Interviews durchscheint. Und auch in der Partei selbst herrscht zunehmend die Sorge, dass keiner ihrer Bewerber dem Präsidenten auch nur annähernd das Wasser reichen könne.

»Obama hat die beste Wahlkampforganisation, die es

je gegeben hat. Schon deshalb dürfte er gewinnen«, sagt uns deren Stratege Ford O'Connell, der zuletzt in John McCains Wahlkampfstab mitwirkte, ein jugendlicher, leicht schlacksiger Typ mit Bürstenhaarschnitt und heiserer Stimme. »Es wird am Ende auf sieben oder acht Bundesstaaten ankommen, egal wer gegen Obama antritt. Die anderen 42 stehen absehbar entweder als demokratisch oder als republikanisch fest. Viele bei uns wollen das nicht wahrhaben. Aber wo immer es knapp wird, ist entscheidend, wer besser organisiert ist. Und das ist Obama.«

Dennoch ist der Mann nicht unzufrieden. Es gehe im Wahljahr nicht nur um die Macht im Weißen Haus. Was das Repräsentantenhaus angehe, rechne er zwar mit Sitzverlusten der Republikaner, erklärt er mir, aber erneut mit einer rechten Mehrheit. Und im Senat sehe er die große Chance, vier neue Mandate zu gewinnen. »Das würde die Macht des Präsidenten weiter schmälern«, sagt er. Behielte er recht, könnte die politische Lähmung Washingtons nicht nur bis zum Wahltag, sondern sogar noch weitere vier Jahre anhalten. Statt eines Triumphs von Amtsinhaber oder Opposition also nur die Fortsetzung des Dauerkrampfs? Für Amerikas Politik wäre das eine Tragödie, zumal der Kongress schon jetzt so unbeliebt ist wie noch nie.

»Sicher wäre das kein Wunschergebnis, aber ich habe auch noch keine Vorwahlzeit erlebt, die verrückter war als diese«, antwortet O'Connell in seinem spärlich eingerichteten Büro. »Die Republikaner suchen jemanden, der gegen Obama gewinnen kann. Aber wir wissen nicht einmal, ob es diesen Kandidaten überhaupt gibt. Gäbe es ihn, er stünde längst fest. So aber kann ständig ein anderer auf- und wieder absteigen.«

»Warum«, so frage ich, »hat die Partei keinen solchen Politiker zu bieten?«

»Wir Amerikaner geben zwar gerne vor, dass wir mehr Wert auf Lebensleistung legen als auf Eloquenz«, sagt O'Connell. »Trotzdem mussten sich die Kandidaten noch nie so viele Fernsehdebatten liefern. Das bringt inzwischen mit sich, dass wir nicht mehr nach dem besten Kandidaten suchen, sondern nur noch nach dem letzten Überlebenden.«

Dann überrascht er mich mit einer zweiten These, die Obama ebenfalls im Vorteil sieht. »Auch wenn die Zustimmungsraten zu seiner Politik oft niedrig sind«, erklärt O'Connell, »gilt Obama als Person vielen doch weiter als sympathisch. Deshalb müssten wir einen Gegner finden, der auch bei diesen Werten nicht nur gut ist, sondern besser. Das ist sehr schwer gegen einen Amtsinhaber, den sowohl die meisten Medien als auch die Amerikaner mögen, auch wenn seine Politik bisher nicht den gewünschten Erfolg gezeigt hat.«

Ungläubig erinnere ich O'Connell an den Aufruhr gegen Obamas Gesundheitsreform, die Wahlschlappe von 2010, den Einfluss von Fox News. Glaubte man den rechten Wortführern, hätte doch nichts leichter fallen dürfen, als Obama nach vier Jahren abwählen zu lassen. Nun sollen ausgerechnet sie vor seiner Beliebtheit zittern?

»Der Grund ist, dass es da draußen zwei Obamas gibt«, antwortet er, »Obama, der Präsident, und Obama, der Wahlkämpfer. Viele sind zwar mit dem Präsidenten unzufrieden, aber sie mögen ihn als Menschen, als Charakter, als Kämpfer. Denn er symbolisiert ja tatsächlich mehr als jeder andere die Einzigartigkeit Amerikas. Bei den Midterm-Wahlen stand er selbst nicht auf dem Wahlzettel. Bei der Präsidentschaftswahl wird es jedoch vielen schwerfallen, den einen Obama vom anderen zu trennen. Auch das macht es schwer, gegen ihn zu gewinnen.«

Viel spreche dafür, dass die Aussichten der Republikaner nur dann passabel seien, wenn die Wirtschaft eher auf Talfahrt bleibe. Es sei zwar schrecklich, so zu denken, aber nur dann, sagt er, sei die Präsidentschaftswahl weniger ein Duell zwischen Herausforderer und Amtsinhaber als ein Referendum über Obamas politische Bilanz. Nur dann überwiege womöglich die Enttäuschung vieler, die sich mehr von ihm erhofft hätten. »Wenn sowohl die Arbeitslosigkeit als auch die Schuldenlast auf hohem Niveau bleiben, dürfte es ihm schwerfallen, noch mit einer glaubwürdigen Botschaft zu punkten.«

Dennoch habe Obama erreicht, dass die Blockade im Kongress eher John Boehner angelastet werde. Der müsse seiner Fraktion endlich den Unterschied zwischen Prinzipienreiterei und pragmatischer Bundespolitik klarmachen. »Zurzeit helfen die Grabenkriege im Kongress eher dem Präsidenten, der daneben allmählich wie der einzige Erwachsene erscheint.«

Trendwende für Obama?

Nach John Boehners Blamage im Steuerstreit vor Weihnachten rechnet die US-Presse mit umso rachsüchtigeren Kongress-Republikanern, sobald die nächste Frist für Arbeitnehmer-Steuernachlässe verhandelt wird. Doch wer hoffte, Obama würde die schäumenden Widersacher im Abgeordnetenhaus besänftigen, lag falsch. Stattdessen sucht er gleich die nächste Konfrontation mit Boehner, als er trotz dessen Protest seinen Wunschkandidaten als Chef der neuen Verbraucherschutzbehörde benennt, die er mit der Bankenreform durchgesetzt hatte. Schon das Amt als solches lehnen die Konservativen als marktfeindliche Regulierung ab, obwohl jeder weiß, mit wie viel Werbetricks Amerikas Verbraucher nicht nur von Banken ausgenommen werden. Nun erzürnt sie neben der Personalie auch noch das Verfahren, denn Obama verkündet die Entscheidung während der Parlamentsferien, in denen er ohne Zustimmung des Senats agieren darf.

»Ich weigere mich, länger die Antwort der Neinsager im Kongress hinzunehmen«, drischt er bei einer Kundgebung in Ohio gleich weiter auf die Opposition ein. »Ich werde nicht an der Seite stehen und zusehen, wie dort eine Minderheit ihre Ideologie wichtiger nimmt als die Aufgaben, für die wir gewählt wurden.« Verbraucherschutz diene dem Durchschnittsbürger, sagt er – wohl wissend, dass er Kritiker von rechts zugleich als willfährige Wall-Street-Lobbyisten vorführt.

Kontrahenten wie Mitt Romney bleibt denn auch als Vorwurf nur, dass Obama nun offenbar versuche, »am Kongress vorbei« zu regieren.

»Das war genau die Reaktion, die sich das Weiße Haus erhofft hat«, mutmaßt daraufhin die *New York Times*. Denn kaum etwas im Land werde inzwischen mehr beklagt, als die Handlungsfähigkeit des Parlaments. Auch die Online-Zeitung *Huffington Post* unterscheidet nun zwei Rollen Obamas, die er zunehmend nutze. »Obama, der Problemlöser«, schreibt sie, »wandelt sich zu Obama, dem Krieger. Genau das könnte ihn retten.«

Als der Januar anbricht, setzt sich zudem – gut für Obama, schlecht für seine Gegner – der positive Trend der Wirtschaftsdaten fort: Die Arbeitslosenquote ist weiter gesunken, auf nunmehr 8,5 Prozent, den niedrigsten

Stand seit fast drei Jahren. Der private Sektor, einschließlich der Autoindustrie, meldet 220 000 neue Stellen, deutlich mehr als von Fachleuten erwartet. Eine Entwicklung, die sich in den Folgemonaten zunächst fortsetzt, wenn auch weniger schwungvoll als von Obama erhofft.

Dem Favoriten unter den Gegenkandidaten, Mitt Romney, der als Geschäftsmann vor allem auf seine Wirtschaftskompetenz pocht, bricht damit sein Thema weg. Zuletzt hatte er den Präsidenten als »Jobkiller« verspottet. Nun korrigiert er sich auf der Vorwahlbühne im Neuenglandstaat New Hampshire. »So wichtig Arbeitsplätze und die Wirtschaftsentwicklung auch sind, wir müssen begreifen, dass es auch um Amerikas Seele geht«, windet er sich, »also um etwas irgendwie Höheres.«

Doch schon im Juni schockt ein Rückschlag das Obama-Lager: Statt endlich wieder unter acht Prozent zu fallen, steigt die Arbeitslosenrate plötzlich wieder an.

»Europa oder Demokratie«

Die blonde Frau, die ihre Hände zur Decke streckt und mit geschlossenen Augen leise betet, dürfte Ende 20 sein. Vorne im Saal schickt ein Gitarrist sanfte Klangfolgen in Umlauf, in denen die Gläubigen sich wiegen. Kurz öffnet sich der Blick der Blonden, dann faltet sie die schlanken, üppig beringten Hände zum nächsten Gebet. Andere knien derweil am Boden, mit scheinbar schmerzverzerrtem Gesicht, oder umarmen sich zitternd in Kleingruppen, als müssten sie Krämpfen standhalten. Wir sind im Städtchen Greenville, einer Hochburg der evangelikalen Kirche, im Bundesstaat South Carolina.

Nur ein paar Tage noch, bis hier der erste Südstaat mit seiner Vorwahl an der Reihe ist und die Basis der Republikanischen Partei auch hier denjenigen kürt, der Obama heldenhaft besiegen soll. Die Szenen, die sich in den Köpfen der Betenden abspielen, müssen dem Kampf eines Kreuzritters gegen einen Drachen ähneln. »Ich kann sehen, wie das Böse uns mehr und mehr umgibt«, schildert uns die junge Blonde später, »es ist direkt vor uns, viele verbergen es nicht einmal mehr.«

Ein Ehepaar im Rentenalter, das ihr zustimmt, wird konkreter. »Es scheint, als würde Amerika sozialistisch, nachdem wir all die Jahre so viele Freiheiten genießen konnten«, klagt die Frau. Dann meldet sich ihr rundlicher Mann zu Wort. »20 Jahre, nachdem Ronald Reagan die Sowjets in die Knie gezwungen hat«, schimpft er, »werden wir von Leuten regiert, die hier den Kommunismus einführen wollen.«

Einen weiteren Kampfbegriff hat Kandidat Mitt Romney eingeführt, der die erste Abstimmung in Iowa fast gleichauf mit seinem Parteifreund Rick Santorum abschloss und die zweite Vorwahl in New Hampshire klar gewann. »Europa funktioniert nicht einmal in Europa«, polemisierte er dort gegen Soziale Marktwirtschaft und gegen »Wohlfahrtsstaaten«. Unter Konservativen gilt »europäisch« längst als Synonym für »sozialistisch«. Ganz nebenbei nutzen sie so Europas Währungskrise, um neue Angst vor Obamas Reformagenda zu schüren.

Die meisten Amerikaner hätten wenig Ahnung von Europa, erklärt uns Parteiinsider Ford O'Connell. Die Wirklichkeit spiele ohnehin keine Rolle, es gehe allein um Wahrnehmung. Und unter Konservativen gelte Europa nun mal als sozialistischer als der eigene Kapitalismus. Zwar belustigt es einige Kommentatoren, dass Amerikas Rechte in ihrem beharrlichen Bemühen, Obama als »unamerikanisch« zu brandmarken, mit immer neuen Varianten aufwarte. Nachdem sie ihm zuerst seine kenianischen Vorfahren vorgehalten hätten, dann seine Schulzeit in Indonesien, kämen die Kritiker des Präsidenten der Wahrheit immerhin schrittweise näher.

Dennoch ist erstaunlich, wie bereitwillig konservative Wähler die Anti-Europa-Parole übernehmen. Selten wurde mir von erwachsenen Menschen voller Überzeugung dargelegt, dass Deutschland weder eine Demokratie noch eine Republik sei. Zumindest an jenem Abend male ich mir mit Sorge aus, wohin jene Mischung aus Selbstgefälligkeit, Ignoranz und Unkenntnis womöglich führt, wenn sie sich im Land, wie unter George W. Bush, erst wieder Vorherrschaft erobert.

»Wir sind in einer moralischen Krise«, sagen uns die Versammelten von Greenville, »aber Gott wird uns zeigen, wie wir Amerika vom Irrweg abbringen.« Selbst für den Fall, dass Obama Präsident bleibt, haben sie sich ihre Antwort schon zurechtgelegt. »Manchmal lässt der Herr die Dinge erst noch schlimmer kommen«, weiß eine Gläubige, »bevor er sie wieder besser macht.«

Geheimwaffe Gingrich

Doch zunächst ist es weder Mitt Romney noch sein kruder Konkurrent Santorum, der die Angst der Ultrareligiösen vor einem drohenden Systemwechsel für sich zu nutzen weiß, sondern ausgerechnet der skandalumwitterte frühere Vorsitzende des Repräsentantenhauses, Newt Gingrich. Eigentlich müsste er schon wegen zweier Scheidungen bei South Carolinas bibeltreuen Republikanern durchfallen. Als kurz vor der Abstimmung der Fernsehsender ABC zudem ein Exklusivinterview ausstrahlt, in dem seine zweite Frau schildert, wie schamlos Gingrich sie seinerzeit betrogen und sogar zu einer

»offenen Ehe« gedrängt habe, rechnen alle damit, dass er strauchelt.

Doch auf die Einstiegsfrage in der wichtigsten Fernsehrunde, was er zu den Vorwürfen zu sagen habe, dreht Gingrich den Spieß um – und geißelt in einem flammenden Statement die »elitären Medien«, die auf »ekelhafte« Weise eine Präsidentschaftsdebatte mit einer falschen Schmutz-Story eröffneten und damit Obama in die Hände spielten. Noch während er so CNN-Gastgeber John King maßregelt, erhebt sich das Publikum zu Beifallsstürmen, und King steht da wie ein stutziger Schuljunge.

Gingrich wusste, dass die Frage kommen würde. Er hatte sich vorbereitet, um die einzige Chance zu ergreifen, die ihm blieb. Abgebrüht schloss er mit den Tea-Party-nahen Zuhörern im Saal innerhalb von Sekunden einen Pakt gegen das, was ihnen mit Sicherheit noch mehr verhasst ist als seine Fehltritte: die nationalen Medien jenseits ihres Lieblingssenders Fox News – und Obama.

Dabei hat zuletzt keiner die US-Medien so sehr für eigene Schmutzkampagnen genutzt wie Gingrich. In einem millionenteuren Film, finanziert von einem Hotelmogul aus Las Vegas, ließ er die Erfolgsfestung des Rivalen Romney schon vor Wochen sturmreif schießen. Darin wird Romney als gieriger Finanzhai porträtiert – ein wahres Husarenstück unter Parteikollegen, die gewöhnlich nichts mehr preisen als zügellosen Kapitalismus, und ein Modell für spätere Vorwürfe der Demokraten. Auch diese Attacke konnte Gingrich nur deshalb Punkte bringen, weil der politisch gemäßigtere Romney der rechten Basis noch viel zu konturlos ist und sie ihm den Sieg gegen Obama nicht zutraut. Andere TV-Clips klagten, Romney unterstütze Abtreibungen, und warnten mit dramatischer Stimme: »Man darf ihm nicht trauen.«

Als wir am Stadtrand von Columbia Frauen im Friseursalon und Männer im Heimwerkermarkt befragen, spiegeln sie das Meinungsbild, das auch die Umfragen messen.

»Romney fehlt der moralische Kompass, er ist ein Umfaller, der immer nur für das ist, was ihm gerade Stimmen bringt«, hören wir. So habe er in Massachusetts die gleiche Gesundheitsreform durchgeführt, die er nun als Wahlkämpfer gegen Obama ablehne. Er sei nicht zuverlässig gegen die Schwulenehe, und wie ein Gralshüter des Waffenrechts trete er auch nicht auf.

Ob er ihnen schlicht zu reich sei, fragen wir.

»Nein, das nicht«, meint eine Kundin, »aber er teilt nicht wirklich unsere Lebenswelt.«

Tatsächlich fehlt dem Mormonen Romney viel vom Stallgeruch der Südstaatler. Aber auch nichtreligiöse Konservative klagen, er wirke wie eine Baukastenfigur. Oder – wie Talkshow-Spötter Jay Leno formulierte – als habe ihn die Barbie-Firma Mattel hergestellt. Auch Columbias Wochenzeitung *Free Times*, die in den Läden ausliegt, zeigt Romney auf dem Titelblatt nur mit der Frage, ob er als Kandidat wohl »noch vermeidbar« sei.

Doch manche schimpfen an diesem Morgen auch auf die anonymen Großspender, die den teuren Negativ-Wahlkampf auf die Spitze trieben, und auf den Obersten Gerichtshof, der dafür die Schleusen öffnete, indem er alle Limits aufhob.

»Man darf es kaum laut sagen«, klagt ein Mann zwischen Schraubenschlüsselsets und Blechbriefkästen, »aber es scheint fast so zu sein, dass man sich bei uns ins Präsidentenamt einkaufen muss. Das steht so nicht in der Verfassung.« Der Verkäufer sieht das ähnlich. »Es stimmt«, sagt er, »die Art, wie wir inzwischen Wahlkampf machen, ist ziemlich kaputt.«

Die sogenannten Super-PACs, die als angeblich neutrale »politische Aktionskomitees« im Auftrag ihrer Kandidaten die Großspender-Millionen sammeln, um sie in Fernsehclips zu gießen, dominieren da längst den Wahlkampf. »Wir haben die gesamte Debatte verändert«, freut sich ein Helfer Gingrichs in der *Washington Post*. »Unsere Spots sind dicht gebucht. Verdrängt werden sie nur noch von uns selbst, sobald wir neue vorlegen.«

Wochen später vollzieht freilich auch Obama eine glatte Wende. Obwohl einer der heftigsten Kritiker sowohl des Gerichtsurteils als auch eines vom Großkapital finanzierten Superwahlkampfs, lässt er ebenfalls ein Super-PAC einrichten, das Großspenden einsammeln soll. Die Situation sei leider nicht so, erklärt sein Kampagnensprecher, dass das Präsidentenlager »einseitig abrüsten« könne.

Blutige Schlachten, langer Krieg?

Dass sich die konservativen Herausforderer derart beschädigen wie zuletzt, versucht die Partei eigentlich durch ihr sogenanntes elftes Gebot zu unterbinden. Demnach dürfen Attacken allein auf den gemeinsamen Gegner zielen. Nur darin sollten sie sich überbieten. Auch geben fast alle Amerikaner in Umfragen an, dass sie Negativ-Kampagnen ablehnen. »Das ist ein wenig paradox«, findet Experte Ford O'Connell, »denn zugleich glauben sie erstaunlich viel davon.«

Anders als John McCain, der seinen Wahlkampf gegen Obama mit einigem moralischen Augenmaß anführte, ist Newt Gingrich nicht eben für Beißhemmungen bekannt. Schon als er im Kongress fast blindwütig gegen den damaligen Präsidenten Bill Clinton zu Felde zog, wandte sich seine Partei am Ende gegen ihn, weil ihr der Flurschaden zu groß wurde. Nicht nur, dass seine Haushaltsblockade politisch eher der eigenen Partei schadete. Ausgerechnet Gingrich, der das Amtsenthebungsverfahren gegen Clinton wegen dessen Sexaffäre mit der Praktikantin Monica Lewinsky vorangetrieben hatte, musste später zudem einräumen, dass er zeitgleich selbst eine Geliebte hatte. Am Ende verlor er sein Amt als Chef des Repräsentantenhauses und wurde wegen Verstößen gegen die Parlamentsethik ermahnt. Danach diente er sich ausgerechnet dem halbstaatlichen Immobilienfinanzierer Freddie Mac an, den die Konservativen regelmäßig als Korruptionsgeflecht der Demokraten orten, und kassierte Beraterhonorare in Millionenhöhe.

All das bündeln Gingrichs Gegner, um wiederum auf ihn zu feuern. In TV-Spots steht er von Koffern überhäuft vor einem Gepäckband. »Der Mann«, heißt es dazu süffisant, »schleppt mehr Ballast mit sich als jede Fluglinie.«

Dennoch katapultiert sich Gingrich mit seinem geschickten Debattensolo in South Carolina zu seinem ersten Vorwahlsieg. Schon in der Siegerrede probt er danach den nächsten Schritt: Er gibt sich präsidial. Plötzlich lobt er die Kontrahenten als ehrenwerte Mitstreiter, die bei allen Unterschieden nur die Großartigkeit der Republikanischen Partei bewiesen. Fast väterlich preist er Romney als tüchtigen Patrioten. Die Botschaft ist klar: Jetzt sollen sich die anderen hinter ihm einreihen, um gemeinsam mit der rechten Basis die wahren Feinde ins Visier zu nehmen – Obama, Europa und den Sozialismus.

»Dies wird die wichtigste Wahl unseres Lebens«, gibt er als Parole aus, »entweder wir bleiben ein freies Land, oder wir werden zu einem säkularen, bürokratischen, sozialistischen System europäischen Stils.« Wenn Obama schon jetzt so weit gekommen sei, könne sich jeder Amerikaner selbst ausmalen, »wie radikal er erst in einer zweiten Amtszeit würde«.

Auf den gedemütigten Romney, der auf der konservativen Anti-Europa-Welle selbst hatte surfen wollen, warten derweil Hausaufgaben. Denn auch ihn hat ABC durch eine Exklusivstory unter Druck gesetzt. Darin zeichnet der Reporter die »Spur von Romneys Reichtum«, wie er sagt, bis ins Steuerparadies der karibischen Cayman-Inseln nach, wo sich Briefkastenfirmen wie die von Romney üblicherweise nur ansiedeln, um dem heimischen Fiskus zu entgehen. Zudem muss Romney öffentlich einräumen, dass er auch im Inland nur einen Ministeuersatz von etwa 15 Prozent abführe. Da seine Steuererklärung aber nur unfaire Attacken der Demokraten auslösen würde, kokettiert er, wolle er sie vorerst unter Verschluss halten. Die Abwehrposition hält keine Woche lang. Dann erfährt Amerikas Öffentlichkeit, dass Romneys Investoren-Steuersatz im Jahr 2010 sogar unter 14 Prozent gelegen hat – bei über 20 Millionen Dollar Jahreseinkommen.

»Die Republikanische Partei dämonisiert niemanden, nur weil er erfolgreich ist«, versucht er seine Anhänger zu beruhigen. »Wenn meine Gegner mich deswegen angreifen, greifen sie jeden an, der von einem besseren Leben träumt. Das heißt, sie greifen euch mit an.«

In der Tat ist die Kritik, zumal von rechts, grotesk. Romneys Niedrigststeuersatz entspricht amerikanischen Gesetzen, die Kapitalerträge nur halb so hoch belasten wie sonstiges Einkommen. Im Gegensatz zu Obama, der die wachsende soziale Ungerechtigkeit im Land klar zum Wahlkampfthema macht, lehnen die Republikaner jede Mehrbelastung Wohlhabender ab.

Gingrich habe hier eine Schlacht gewonnen, berichte ich in der Nacht, nicht aber den Krieg, zu dem gerade er die Vorwahlen gemacht habe. Seine Gegner hofften nun, dass er im Erfolgsrausch Fehler mache, denn auch dafür sei Gingrich bislang bekannt gewesen.

Es dauert keine Woche, dann ist es so weit. In der nächsten Fernsehrunde will Gingrich die Wähler in Florida mit kühnen Weltraumplänen zu sich locken. Den Bau einer Kolonie auf dem Mond dürfe man nicht Russen und Chinesen überlassen, sagt er und hofft, das mache auf jene Eindruck, deren Job an Aufträgen der Raumfahrtindustrie hängt. Romney reagiert dankbar auf die Vorlage: »Wenn mir als Firmenchef jemand in der jetzigen Lage so einen Vorschlag machte«, grinst er und weiß die Mehrheit hinter sich, »ich würde ihn feuern.«

Auch der Gastgebersender CNN ist dieses Mal besser vorbereitet. Als Gingrich seine öffentliche Kritik an Romneys Steuergebaren erläutern soll, versucht er zwar erneut, den Moderator für die »unsinnige« Frage abzukanzeln. Doch Profi Wolf Blitzer insistiert gelassen, bis der übergroße, hochfliegende Gingrich, auf Normalmaß gestutzt, wieder auf dem Boden landet. Als Romney die Vorwahl klar gewinnt, patzt Gingrich erneut – denn er weigert sich, Romney zu gratulieren. Damit hat er die Palin'sche Regel von Hass und Heiterkeit missachtet. Vielen gilt er fortan als griesgrämig und verbittert.

Die Tiraden der Wahlkämpfer gegen Europas angeblichen Sozialismus sind später unser Kommentarthema. »Das ist kein Wahlprogramm«, merke ich an, »das ist Verblödung.« Mein Korrespondenten-Kollege Martin Klingst, der für die *Zeit* berichtet, reagiert ähnlich. In einem Meinungsbeitrag für die *Washington Post* schreibt er, die Kandidaten der Konservativen sollten wissen, dass die Erde keine Scheibe sei.

»Wir kehren nicht um«

Als der Präsident wenige Tage später den Kongress betritt, um seine dritte Rede zur Lage der Nation zu halten, wartet im dicht gedrängten Saal eine zierliche Frau im roten Kostüm auf ihn. Auf dem Weg zum Rednerpult verharrt er bei ihr, wechselt ein paar Worte und umarmt sie. Es ist seine Parteifreundin Gabrielle Giffords aus Arizona, die ein Attentäter ein Jahr zuvor mit einem Kopfschuss fast getötet hat. Sie wird am nächsten Tag ihr Mandat niederlegen, da sie noch immer kaum sprechen kann. »Ich habe nie den Charakter derer angezweifelt, mit denen ich nicht einer Meinung war«, schreibt sie als Abschiedsgrußwort auf. »Ich werde genesen und zurückkommen, dann arbeiten wir zusammen.« Es wird einer der bewegendsten Momente in der Geschichte des Kongresses, der ihr zuliebe einmal all seine Grabenkriege vergisst. Nicht nur Parlamentschef Boehner wischt sich Tränen ab. Selbst der unterkühlte Eric Cantor spricht von der Würde, Hingabe und Inspiration, die Giffords verkörpere.

In seiner Rede, die alle großen Networks übertragen, beschreibt der Präsident weitere Anlässe, die im zurückliegenden Jahr Parteigrenzen vergessen ließen.

Der Irak-Krieg sei beendet, beginnt er seine Bilanz und bedankt sich bei den Soldaten, für deren Mission es egal gewesen sei, welcher Partei oder Religion sie naheständen. Wichtig sei allein gewesen, dass sie einander vertraut hätten. »Stellt euch vor, was wir erreichen könnten«, mahnt er die Abgeordneten, »folgten wir ihrem Beispiel.«

Zum ersten Mal sei Osama bin Laden keine Bedrohung mehr, hält er fest. Auch dies sei ein Erfolg gewesen, den Differenzen nie behindert hätten. »Im Lagezentrum saß ich Schulter an Schulter mit meinem Verteidigungsminister Robert Gates, der den Republikanern angehört, und mit Hillary Clinton, die gegen mich um die Präsidentschaft kämpfte.« All das sei in jener Nacht nicht wichtig gewesen. »Warum«, so fragt er die Abgeordneten, »sollten wir im Kongress dem Land nicht ebenso erfolgreich dienen können?«

Seine Rede ist nicht kämpferischer als die letzte, in der er die Republikaner noch stakkatoartig aufforderte, »sein Job-Gesetz zu verabschieden«. Doch sie ist detailliert, entschieden und geschickt. Das Vorbild des Militärs, mit dem er sie einrahmt, kann kein Konservativer kritisieren. Und auch sonst sucht er jede Schneise zu schließen, durch die Boehner, Romney und Gingrich zuletzt ihre Attacken ritten.

Amerika im Würgegriff des Sozialismus? »Wir bekämpfen finanziellen Erfolg nicht, wir bewundern ihn«, kontert er. Aber die Amerikaner wüssten, wenn Millionäre Steuergeschenke erhielten, die sie gar nicht brauchten und die sich das Land nicht leisten könne, dann erhöhe das entweder die Schuldenlast oder andere müssten dafür bezahlen.

Er tue zu wenig gegen die Rekordschulden und nicht genug gegen die Arbeitslosigkeit? »Nehmt die 200 Milliarden, die wir in den nächsten Jahren nicht mehr für Kriege ausgeben«, fordert er, »zahlt mit der Hälfte davon Schulden ab und repariert mit der anderen Hälfte unsere kaputte Infrastruktur.« Ein solches Gesetz unterschreibe er sofort.

Zu lasche Iran-Politik? Das Regime dort sei isolierter denn je, dank seiner Diplomatie. Eine friedliche Lösung sei noch immer möglich. Dennoch lasse er »alle Optionen auf dem Tisch«, um Teherans Bombe zu verhindern.

Klassenkampf im Innern? Jeder im Land solle eine faire Chance haben, aber auch jeder nach den gleichen Regeln spielen. »Wir sind zu weit gekommen, um jetzt wieder umzudrehen«, mahnt er und verweist auf seine Finanzreform, die neue Bank-Bailouts verhindere und besseren Verbraucherschutz gewährleiste, als Lehre aus der Krise. Auch er wolle nicht etwa mehr Regulierung, sondern klügere. »Wir werden jedenfalls nicht zurückkehren«, verspricht er, »zu faulen Krediten und zu erschwindelten Finanzprofiten.«

Seine Abkehr von Versöhnungsangeboten an die Republikaner ist durchkalkuliert. Erstmals messen Obamas Strategen, dass seine Botschaft von der wachsenden Wohlstandslücke nicht nur die eigene Basis motiviert, sondern auch bei Unabhängigen verfängt. Das war nicht immer so. Als Obama zuletzt eine Sondersteuer auf Jahreseinkommen über 250 000 Dollar vorschlug, erntete er auch bei Normalverdienern kaum Applaus dafür. Offenbar hofften zu viele, die Summe liege noch in ihrer Reichweite. Stillschweigend hat Obama sie nun erhöht und zieht die Reichtumsgrenze erst bei einer Million pro Jahr. Jenseits derer solle künftig jeder einen Mindeststeuersatz von 30 Prozent entrichten. Gingrich erfüllt dies, Romney nicht. Doch es ist kein Geheimnis, dass dem Weißen Haus Gingrich als Gegner lieber wäre.

Das konservative *Wall Street Journal* macht da schon keinen Hehl mehr daraus, dass es die Hoffnung auf die Republikaner aufgegeben hat. »Dieses Kandidatenfeld ist wie Medizin, die einem nicht hilft«, schreibt es in einem Leitartikel und spricht schon von »Gaius Gingrich« als eine Art Cäsar, dessen Kandidatur zwar ein unterhaltsames Finale verspreche, nicht aber die Rückkehr der Republikaner an die Macht. Über Romney richtet das Blatt noch vernichtender. Er sei wie ein Roboter – und im Grunde ein »hohler Mann«, der für nichts stehe. Die Partei verdiene es, gegen Obama zu verlieren.

Auch Beobachter Stephen Hess sieht Obama weiter im Vorteil – und die Republikaner vor einem inneren Desaster. Normalerweise sei eine Partei dafür da, Wahlen zu gewinnen. »Die Ultrarechten treibt stattdessen offenbar eine Art politische Todessehnsucht«, sagt er uns. »Sie ideologisieren die Partei, auch um den Preis, dass sie verliert. Zuletzt erreichte das Barry Goldwater 1964. Auch er verprellte die Gemäßigten in der Partei und stärkte damit letztlich die Demokraten Lyndon Johnsons.«

Der Partei bleibe tatsächlich nur Mitt Romney. Er debattiere geschickt, sei erfahren, habe viel Geld und ein eingespieltes Wahlkampfteam. Alle wüssten, dass er der aussichtsreichste Kandidat sei. Aber er sei kein Ideologe. »Die Frage ist also: Wollen die Republikaner gewinnen oder wollen sie etwas anderes?«

»Konservatismus statt Kleinmut«

Newt Gingrichs Hoffnung, mit dem Rückhalt der Parteirechten Romney früh zu überflügeln, erfüllt sich nicht. Vielmehr macht ihm der bisherige Außenseiter Rick Santorum unerwartet Konkurrenz. Als dieser überraschend die Bundesstaaten Colorado, Minnesota und Missouri gewinnt, reklamiert er kühn für sich, nicht nur die konservative Alternative zu Mitt Romney zu sein, sondern auch die zu Barack Obama.

Prompt vollzieht beim darauffolgenden jährlichen »Wertekongress« der Konservativen der bedrängte Romney eine aufsehenerregende Wende. Aus Sorge, seine gemäßigte Vergangenheit als Gouverneur von Massachusetts – wo er in der Tat eine Gesundheitsreform im Stil Obamas eingeführt, sich für das Recht auf Abtreibung, die Schwulenehe, mehr Umweltschutz und stärkere Waffenkontrolle eingesetzt hatte – könnte ihm hier zum Verhängnis werden, bekennt er sich klar zu den Kernpunkten der Ultrareligiösen. Seine Regierungszeit als Gouverneur verklärt er zum Akt des Widerstands »im liberalsten Bundesstaat Amerikas«. Ohne jeden Zweifel werde er ein »Pro-Life«-Präsident sein und medizinischen Organisationen die staatlichen Zuschüsse streichen, sobald sie auch Abtreibungen durchführten. Er werde das Land in einen »neuen Konservativismus« führen – und zurück zu militärischer Dominanz: »Wenn ihr nicht mehr wollt, dass Amerika die stärkste Macht der Welt ist«, sagt er, »dann werde ich nicht euer Präsident sein.« Einen Präsidenten, der so kleinmütig denke, habe das Land schon.

Im Weißen Haus verfolgt man Romneys Rechtsruck aufmerksam. Denn die Chance ist groß, dass sich der Frontmann der Republikaner damit in eine Sackgasse begibt, aus der er mit einfachen Fahrmanövern nicht mehr herauskommt. Fast scheint es, als hätte Obama selbst ihn dort hineingelotst. Denn Romney reagierte auf einen Streit zwischen den Ultrareligiösen seiner Partei mit der Regierung um die Kosten von Verhütungsmitteln.

Obamas Gesundheitsreform sah vor, dass Arbeitgeber über die Krankenversicherung für ihre Mitarbeiter auch Kontrazeptiva mitbezahlen sollten. Vor allem katholische Einrichtungen wehrten sich dagegen. Die Rechten warfen Obama lautstark vor, er wolle die Religionsfreiheit abschaffen. Bald darauf verständigte sich dieser mit den Kirchen auf einen Kompromiss, der die strittigen Kosten nunmehr allein den Versicherern zuordnet. Romney und seine Mitstreiter stürmten dagegen weiter in die alte Richtung. Dabei belegten Umfragen, dass die klare Mehrheit der Amerikaner, einschließlich der katholischen Wählergruppe, sogar Obamas ursprünglichen Entwurf befürwortet. Allein die Ultrarechten lehnen ihn überwiegend ab.

Damit hat sich Romney doppelt verrechnet. Denn diese stützen inzwischen ihr Original – Rick Santorum.

Kein Sieger am Superdienstag

»Wenn ihr Rick gleich die Hand auf die Schulter legen könntet, wäre das schön«, sagt der Kirchensprecher, als Santorum von seinem Redepodest steigt und gesenkten Hauptes in die Raummitte schreitet.

Kurz darauf beten seine Anhänger im Stillen für seinen Sieg, ein jeder mit der Hand auf der Schulter seines Vordermanns – bis sich die Linien im Zentrum bei Santorum treffen. So führt er seinen Wahlkampf: besinnlich, bibeltreu, stets auf Gott und die Verfassung verweisend. »Auch ich bin in solchen Orten aufgewachsen«, sagt er Anfang März im ländlichen Ohio. »Wenn wir als Kinder den Fahneneid sprachen, waren wir stolz. Und wenn die Stelle kam, an der von Gott die Rede war, sprachen wir sie lauter.«

Der Sieg im Wechselwählerstaat Ohio, der am wichtigen Superdienstag die Wende für ihn hätte bringen können, bleibt ihm dennoch verwehrt. Die Verhütungsdebatte, die er vorantrieb, hat zwar das radikale Lager motiviert, aber auch Frauen verprellt. Als der ultrarechte Radiomoderator Rush Limbaugh, normalerweise ein verlässliches Sprachrohr rechter Wähler, ohne Scheu verbreitet, Frauen, die Kontrazeptiva benutzten, seien »Nutten«, ist die Front nicht mehr zu halten. Santorum drückt sich in Interviews um eine Distanzierung, während John Boehner den Radiomann öffentlich rüffelt. In Ohios Hauptstadt Columbus, von wo aus ich am Vorwahltag berichte, hören wir in den Wahllokalen drei Arten von Antworten. Die Romney-Wähler pochen darauf, er sei der

Einzige, der Obama schlagen könne. Santorums Gefolge reklamiert, allein der Parteirechte sei der wahre Konservative. Und wieder andere geben offen zu, dass sie mit keinem der Kandidaten zufrieden sind. »Begeistert mich auch nur einer von ihnen? Keineswegs«, klagt einer, der zähneknirschend bei Romney sein Kreuz machte.

Auch Newt Gingrich schadet Santorum, weil er das Anti-Romney-Lager teilt, solange er im Rennen bleibt. Doch weil er seinen Heimatstaat Georgia gewinnt, lässt auch er sich noch als »künftiger Präsident Amerikas« bejubeln. Und verbreitet an diesem Abend Lügen wie kein anderer: Obama habe gerade gesagt, steigende Benzinpreise seien deshalb schlecht, weil sie seine Chancen auf den Wahlsieg minderten, wettert er. Ein weiterer Beleg dafür, wie dieser Präsident das Leiden der Bevölkerung nur aus persönlichem Kalkül betrachte.

»Ich habe das nicht erfunden«, beteuert er. Doch in Wahrheit hatte Obama in seiner Pressekonferenz nichts dergleichen geantwortet – sondern das, was jeder Präsident gesagt hätte: Dass die Spritpreise der Wirtschaft schadeten, weil sie Produkte teurer machten, und den Familien, weil sie auf deren Hauhaltskasse lasteten.

Auch Romney formuliert kühn. Als hätte es Obamas Billionen-Sparangebot an die Republikaner nie gegeben und als verstoße jeder Dollar Steuern gegen die Verfassung, malt er erneut das Ende der Freiheit Amerikas an die Wand: »Obama will eine größere, einflussreichere Regierung, die uns sagt, wie wir uns krankenversichern sollen und wie viel Einkommen wir behalten dürfen. Wir aber wollen, dass Amerika so bleibt, wie es die Gründerväter wollten. Ich glaube an Amerika.«

Wie Jahre zuvor Hardliner Steve King Angst vor Obama schürte, indem er für den Fall seines Wahlsieges weltweit tanzende Terroristen ankündigte, verbreitet Romney auch außenpolitisch in diesen Tagen Düsteres: Bleibe Obama Präsident, verfüge der Iran bald über eine Atombombe.

Aus seinem Publikum meldet sich in Ohio ein Mann zu Wort, dessen Hauptsorge etwas anderem gilt. »Werden Sie mir als Präsident erlauben, mich und meine Familie mit einer Waffe zu beschützen«, fragt er ihn aufgeregt, »auch gegen eine tyrannische Regierung, der wir bereits sehr nahe sind?«

Romney widerspricht nicht. Und versichert, er werde das Waffenrecht schützen.

Hoffnung bei Hoovers

Die Kleinstadt North Canton in Ohio, zu Deutsch: Nordbezirk, hieß einmal Neu-Berlin. »Doch schon wegen des Ersten Weltkrieges schämten die Deutschstämmigen sich so sehr, dass sie den Ort umbenannten«, sagt Bürgermeister David Held. Noch immer überragt ein Wahrzeichen die Dächer, das sechs Großbuchstaben übereinander trägt: der Fabrikschornstein der Hoover-Werke. 1908 begannen sie hier mit der Serienproduktion, 100 Jahre später machten sie dicht. Dazwischen waren sie der weltgrößte Hersteller von Staubsaugern. Wie vielerorts im Stahlgürtel Amerikas standen zuletzt die Werkshallen leer, wartete man auf die Rückkehr der Blütezeit, auf den Investor, der alles wieder richten würde. Präsidentschaftskandidaten, die hier auftraten, hatten kaum mehr zu sagen, als dass die Jobs nicht mehr zurückkämen.

Hinter Helds Schreibtisch hängen zwei gerahmte Bilder. Eines in schwarz-weiß bezeugt die Tristesse einer geräumten Produktionshalle. Doch daneben beweist ihm eine Farbaufnahme von Hoovers neuem Innenleben, dass es nun erstmals wieder aufwärts geht. Die Kleinstadt hat einen Heizlüfter-Hersteller angelockt, mit Steuererleichterungen und geschenktem Großparkplatz. »Wir können uns hier keinen Parteienstreit leisten«, sagt Republikaner Held, »wir brauchen Gewerbeeinnahmen.« Natürlich sei der Staat kein Feind der Wirtschaft, widerspricht er dem Wahlkampfgetöse seiner Partei. Er müsse Bedingungen schaffen und hilfreiche Regeln vorgeben. In North Canton lautet sie, dass jeder Profit, der hier verdient wird, in die Fabrik zurückfließen muss.

Als wir durch den Betrieb laufen, donnern Hydraulikstanzen im Takt, am Fließband stehen Hunderte von Arbeitern, die Teile montieren und verschrauben, als hätte hier nie eine Maschine stillgestanden. Auch ihre Einkommen mussten dafür allerdings erst auf frühere Niveaus absinken – die meisten kommen lediglich auf acht Dollar pro Stunde. Zudem arbeiten sie nur im Winter, wenn der Absatz anzieht. Für den Sommer müssen sie einen anderen Job finden. »Damit sind wir aber wettbewerbsfähiger als China«, erklärt uns der Werkssprecher. »Deshalb haben wir Jobs von dort zurückgeholt. Wir hoffen, dass wir aus den Winterarbeitsplätzen bald Vollzeitstellen machen können.«

Barack Obama wirbt mit dem neuen Trend, denn die Heizgebläse »made in USA« sind kein Einzelfall. Da in China Löhne steigen und Transportkosten zu Buche schlagen, verlegt das produzierende US-Gewerbe vielerorts die Fertigung zurück ins Kernland. Mal sind es Haushaltsmixer, mal Sportgeräte, deren Hersteller sich umorientieren. Selbst Autobauer Ford will 1400 Jobs heimholen – aus Mexiko. Die Zuwächse am Arbeitsmarkt könnten sich so fortsetzen, gerade für Ungelernte. Der Staat müsse dies fördern, drängt Obama den Kongress, ganz im Sinne Bürgermeister Helds, statt weiter jenen Firmen Steuergeschenke nachzuwerfen, die Jobs wegexportierten.

Wird ihm ein anhaltender Aufschwung die nötigen Stimmen bringen?

»Ich bin nicht sicher, ob er oder ein Republikaner besser für unser Land ist«, sagt uns ein Mann am Fließband. »Ich beobachte das noch.«

Seine Kollegen, darunter viele Latinos, sehen es genauso. Doch die meisten räumen ein, dass sie die Tagespolitik nicht eben interessiert.

Das Netzwerk wächst

»Gewiss, unsere Wirtschaft ist noch nicht robust genug«, sagt uns Obamas Wahlkampfstratege Terry McAuliffe, als er im Bundesstaat Virginia mal wieder ein neues Kampagnenbüro eröffnet.

»Aber es bleibt wahr, dass Obama die schlimmste Krise geerbt hat seit der Großen Depression der Dreißigerjahre. Das verstehen auch die Wähler, ebenso wie sie erkannt haben, wie der Kongress ihn all die Jahre über blockiert hat. Dennoch hat er Millionen Jobs geschaffen, allein im privaten Sektor. Wir haben noch einen langen Weg zu gehen, aber der Trend spricht klar für uns.«

Die mächtige Kampagnenzentrale in Chicago wird bald alles dafür tun, um diese Wahrnehmung im Land zu stärken. Kampagnenmanager Jim Messina schart allein hier 300 Mitarbeiter um sich, darunter Verbraucherforscher, Datenanalysten und Spezialisten für neue soziale Medien, die dafür sorgen, dass ihre Websites passgenau auf allen marktüblichen Smartphones erscheinen. Das sei nicht unwichtig, sagen sie, wenn Nutzer spontan Geld spenden wollen. 750 Millionen Dollar hatte Obama im letzten Wahlkampf zur Verfügung. Dieses Mal will die Kampagne noch weit mehr einsammeln. Allein auf

Facebook folgen ihr 25 Millionen Anhänger. Mitt Romney kommt da lediglich auf 1,5 Millionen. Mag sein, dass dies den Wahlausgang nur marginal beeinflusst, doch auch das könnte entscheidend sein. »Wir machen uns keine Illusionen«, sagt Messina, während die konservativen Kandidaten einander noch bekriegen, »wir bereiten uns auf ein knappes Rennen vor. Das haben wir immer getan.« Zwar werde man auch für diesen Wahlkampf das Rad nicht neu erfinden. Aber dieses Rad werde bis Ende 2012 größer sein als je zuvor – und sich zudem schneller drehen.

Auch McAuliffe und seine Helfer im Außenbüro Virginias sehen das so: »Ein Drittel der Wähler neigt traditionell den Republikanern zu, ebenso wie ein Drittel auf unserer Seite steht«, zieht er Linien auf ein Blatt Papier, als wäre es ein Football-Spielfeld. »Dazwischen ist die breite, unabhängige Mitte, die sich erst ein bis zwei Wochen vor der Wahl entscheidet. Aber ich bin sicher, dass man dort nicht mit einer derart rechtslastigen Programmatik punkten kann wie unser Gegner, gegen Frauenrechte, gegen Schwule, gegen soziale Gerechtigkeit. Das mag deren rechte Basis attraktiv finden, aber Amerika ist so längst nicht mehr.«

Die Freiwilligen, die sich für Obamas Wahlkampfnetzwerk melden, sind noch motivierter als vor vier Jahren. Frauen und Männer jeden Alters, die McAuliffe nicht mehr überzeugen muss. Sie sind es schon lange leid, draußen die Tea-Party-Parolen gegen ihren Präsidenten anzuhören. Nun endlich wollen sie gegenhalten, termingerecht und durchorganisiert.

Tatsächlich tobt in Virginia der Richtungsstreit gerade noch heftiger als im Rest des Landes, seit konservative Hardliner das Abtreibungsgesetz verschärfen wollen. Zudem kippten sie die letzte, lächerliche Einschränkung für

Waffenkäufer – wonach jeder pro Monat nur eine Handfeuerwaffe erwerben durfte.

»Die Republikaner sind so sehr von Hass getrieben«, sagt ein Mann, »und es geht ihnen immer nur ums Geld. Wir denken nicht so. Wir helfen einander und achten auch ein wenig auf Gerechtigkeit. Wenn du Kinder hast, die noch aufs College gehen oder eine Ausbildung machen, sind sie jetzt bei dir mitversichert. Will deine Krankenversicherung dir den Vertrag kündigen, weil Behandlungskosten angeblich von einem alten Leiden kommen, geht das nicht mehr. Studentendarlehen werden billiger, die Verbrauchswerte der Autos niedriger. All das verdanken wir Obama.«

»Amerika brauchte ihn«, findet ein Student, »um die Soldaten aus dem Irak heimzuholen und um bin Laden unschädlich zu machen. Schon dafür verdient er seine Wiederwahl.« Es koste Zeit, Kriege zu beenden und eine Wirtschaftskrise zu überwinden. Aber die Leute würdigten das mehr und mehr. Viele der Freiwilligen halfen Obama schon in seinem ersten Wahlkampf. Nun gehen sie erneut von Tür zu Tür, telefonieren Anruflisten ab, verschicken Mails und verlinken ihre Online-Werbung – alles für den Mann im Weißen Haus, dessen Zeit sie noch lange nicht für abgelaufen halten. »Als Obama anfing, stand der Autosektor vor dem Kollaps, nun ist er wieder Weltspitze, was für eine Bilanz«, schwärmt ein stämmiger Senior. »Wir sind optimistischer denn je. Es wird ein wunderbares Jahr.«

Zuletzt winkt uns eine 76-jährige Schwarze zu sich. »Ich bin im Washington der Rassentrennung aufgewachsen«, sagt sie mit voller Stimme. »Die Lehrer erklärten uns damals: Ihr müsst doppelt so gut sein wie andere, um nur halb so viel Anerkennung dafür zu bekommen. Genau so ergeht es Obama auch.«

Antworten aus Amerika: »On Top of the Game!«

Sowohl Newt Gingrich als auch Rick Santorum steigen im Lauf des Frühjahrs als Bewerber um die Präsidentschaft aus. Zu groß wurde der Rückstand. Für ihre Geldgeber lohnte sich die Investition nicht mehr. Großverdiener Romney wird weiter Steuersenkungen versprechen und Europas Soziale Marktwirtschaft verteufeln, wenngleich man ihm entgegenrufen möchte: »Was macht Sie nach dem US-Finanzkollaps eigentlich so sicher, dass Amerikas Kapitalismus funktioniert?«

Wenn dieses Buch erscheint, werden wohl gerade die Bühnenbilder für die Parteitage entworfen, Reden geschrieben, Pointen getestet. Zugleich fahren dann vor unserem Haus in Washington die Möbelpacker vor. Was nehmen wir wohl außer dem Umzugsgut noch mit aus Amerika? Schnappschüsse von den Kindern, die morgens in den gelben Schulbus steigen, werden wir bald als Erinnerungsfotos an neue Wände hängen. Andere zeigen die Familie vor der New Yorker Freiheitsstatue oder am Aussichtspunkt über der Golden-Gate-Brücke und San Franciscos Skyline, im beschaulichen Neuengland, in den Sanddünen North Carolinas oder im Winter von Colorado. Unzählige Menschen, denen wir begegnet sind, haben Wurzeln in den verschiedensten Ländern der Welt. Umso mehr hatte ich den Eindruck, ich beobachtete hier keinen Nationalstaat, sondern noch immer das amerikanische Projekt.

So zogen Jahre vorüber wie Wochen. Eben erst haben wir uns daran gewöhnt, dass funktionsfähige Laufrädchen in Spülmaschinen nicht zum Mindeststandard von US-Marktführern gehören. Oder dass unsere Tischnachbarn im Restaurant stets in Schräglage essen, in einer Hand die Gabel, die andere auf dem Knie. Als ich davon gehört hatte, dass Amerikaner zwar beidhändig speisen könnten, nur eben nicht gleichzeitig, hatte ich es noch für eine mäßige Pointe gehalten. Wenn ich neben Restaurant-Toiletten lese, das Personal sei verpflichtet, sich die Hände zu waschen, frage ich nicht mehr, was wohl die Mahnung nötig macht – und warum lediglich fürs Personal. Dass die First Lady bei Bürgern nicht nur dafür werben muss, gesünder zu kochen, sondern überhaupt zu kochen, werfe ich ihnen nicht mehr vor. Nur dass sich in der Weltkapitale Washington noch nicht herumgesprochen hat, wie man Kanaldeckel der Asphalthöhe anpasst, nahm ich dem angeblichen Autoland mit jedem Beinahe-Achsbruch übel.

Als ich in Hamburg zuletzt meine Transamerika-Reportage vorstellte, fragte mich ein Printkollege, was ich an Amerika am meisten schätze. »Mir imponieren die Weite, die Natur und die erfrischende Art, wie viele dort mitten im Leben etwas Neues beginnen«, sagte ich, »dazu die Alltagsherzlichkeit der Amerikaner, ob sie einen nun gleich Sweety nennen oder nicht.«

Tatsächlich fällt mir das bis heute auf: dass auf der Straße Menschen zurücklachen, wenn sich Blicke treffen; dass sie ein nettes Wort verlieren, sobald es geboten scheint; kurz, dass sie in aller Regel freundlich und gelassen sind. Wie sehr uns Mitteleuropäern das entgegenkommt, formulierte keiner trefflicher als der Romanautor Jörg Thadeusz – der nach etlichen USA-Reisen notierte, wir Deutschen seien mit einem Lächeln gegenüber Fremden vergleichsweise so freigiebig, als müssten wir dazu noch eine Niere spenden.

Anders oder unfair?

Sicher, es gibt wenig Trostloseres auf Reisen als Drei-Sterne-Unterkünfte, die Porzellanteller nur noch als Wanddekor kennen und einem Mahlzeiten anbieten, als sei man zum Picknick verabredet. Als ich in solcher Umgebung zuletzt um »Silverware« bat, also um Messer und Gabel, brachte mir der »Manager« – das ist der Herr, der alle zehn Minuten schwarze Müllsäcke mit Tischabfall füllt – wohlmeinend ein neues, silberfarbenes Besteck, ebenfalls aus Plastik. Dann gab ich auf.

So viel Umweltschützer-Unmut der neu gewählte Parlamentspräsident John Boehner in Washington auch auf sich zog, als er vor seiner johlenden Fraktion verkündete, mit ihm kehre ins hohe Hause auch wieder das verbannte Kantinengeschirr aus Styropor zurück – draußen im Land gewänne er damit vermutlich jede Abstimmung.

Das mag alles nicht viel bedeuten. Zudem lässt es sich verrechnen mit jenen Misslichkeiten, die uns Korrespondenten auch in Deutschland auffallen, wenn wir nach Jahren zurückkehren und auch dort nur die zutreffende Begründung erhalten: »Ich weiß auch nicht, warum das so ist. Aber es war schon immer so.« Als mich zu meiner Zeit in Tokio die Japaner fragten, warum es in deutschen Städten, wo man auf so bewundernswerte Weise seinen Müll sortiere, denn so viele Hundehaufen gebe, da war ich derjenige, der ihnen diese Antwort gab. Während in Japan – wie auch in den USA – jeder Hundehalter ganz selbstverständlich auch ein Tütchen-Halter ist. Oder, ernsthafter: Wie soll man der Welt erklären, dass es in Deutschland noch immer Nazis gibt?

Aber lässt sich so jede Kritik verrechnen? Manche Fürsprecher verweisen zu Recht darauf, dass die amerikanische Gesellschaft etwa auf andere Weise solidarisch sei als unsere. Statt des reflexartigen Rufs nach der alles regelnden Regierung gebe es mehr Nachbarschaftshilfe, mehr private Spenden, mehr Eigeninitiative. Ein guter Teil der Denktradition gehe hier schließlich auf Siedler zurück, die gerade vor zu viel Regierungs- und Monarchenmacht aus Europa ausgewandert seien. Mag sein, wir würdigen dies zu wenig. Tatsächlich ist das Engagement von Einzelnen in den USA beeindruckend, nicht nur in Armenküchen und Kleiderkammern. Der Elternverein der öffentlichen Schule, die unsere Kinder besuchten, erwirtschaftete jedes Jahr weit über 100 000 Dollar durch Auktionen, was dem Schuletat zugutekam. Andererseits vergrößert eben das den Unterschied zwischen reichen Stadtbezirken, deren Eltern große Summen spenden können, und ärmeren, deren Schulen entsprechend schlechter ausgestattet sind.

Zudem sind derlei Schattenpreise auch für Gutverdiener hoch. Selbst der Kinderchor, der schon über 1000 Dollar Jahresgebühr kostet, bittet da vor Weihnachten schon mal um Sachspenden für die Versteigerung – und verlinkt die Mail gleich zu den Wunschprodukten aus dem Online-Handel, vom neuesten Computer-Tablet bis zum Flachbildfernseher.

So sehr ich in diesen Jahren das Engagement etwa von Ärzten schätzte, die unversicherten Patienten honorarfrei Zähne ziehen: Als funktionierendes, postkoloniales Sozialwesen konnte ich das nicht begreifen. Eher schien mir, dass mit der These des »anderen« Systems auch

Klüfte zwischen Arm und Reich beschönigt werden, die sich sonst nur in Entwicklungsländern finden.

Klug oder Altklug?

Weil Barack Obama vor vier Jahren den Eindruck machte, er könne sein Land reformieren, wurde er auch von vielen Deutschen geschätzt. Weil er es nicht so schnell und umfassend wie erwartet schaffte, waren ebenso viele enttäuscht. Aber ist das fair? Gemessen an den Brocken, die er, wie man hier sagt, auf dem Teller hat, erscheint er mir noch immer als einer der fähigsten Politiker, die die Welt derzeit zur Verfügung hat. Nicht nur weil er von Anfang an das Möglichste von seinen Wahlversprechen umsetzte. So authentisch und detailliert sein Wahlprogramm war, so erkennbar war sein Bemühen, in brillanten Reden sowohl das Erreichte als auch das bisher Verpasste zu erläutern. Das auf der Skala zwischen Volksnähe und Abgehobenheit als zu intellektuell anzusiedeln, halte ich für falsch. Das vorauseilende Lob Zbigniew Brzezinskis, dass einem demokratischen Politiker nicht mehr bleibt, als mit Worten für seine Politik zu werben, habe ich von keinem Politiker konsequenter umgesetzt gesehen als von Obama: im Erfolg, wie auf dem Weg zu seinem Triumph 2008; im Scheitern, wie bei seinem Eingeständnis, dass er Guantanamo nicht wie geplant schließen konnte; und im Graubereich dazwischen, wie bei der Verleihung des Friedensnobelpreises – an einen Präsidenten, der zwei Kriege führte.

Viel von der Kritik, die ihn aus Europa traf, aber auch in Amerika selbst, scheint mir selbstgerecht. Was wäre denn passiert, hätte Obama tatsächlich seine Gesundheitsreform ausgesetzt, wie es ihm im Nachhinein so viele geraten haben? Man hätte ihn eben dafür noch viel mehr gescholten, allen voran wir Journalisten: als einen, der, kaum gewählt, sein wichtigstes Projekt verrate, der selbst erkämpfte, historische Mehrheiten verkenne. Als Held leerer Worte. Als Wendehals.

Zu jedem Vorwurf, der ihm gemacht wird, passt ein zweiter, der erhoben würde, hätte er den ersten gescheut. Als er letztlich die Gesundheitsreform durchdrückte, hieß es, er sei zu wenig auf die Opposition zugegangen, und wir zitierten seine alten Wahlaussagen, wonach er das Land doch habe versöhnen wollen. Als zu Beginn des Schuldenstreits sein Kompromiss mit Boehner scheiterte, warf man ihm wiederum mangelnde Führungskraft vor. Und wann immer er Konflikte zeitweise Verhandlungspartnern überließ, um Lösungen eher zu moderieren, klagte die Presse prompt, der Präsident sei abgetaucht. Bei allem Verständnis für unsere Aufgabe als kritische Chronisten – das ist nicht klug, das ist altklug.

Die Versöhner-Falle

Welcher Wahlkämpfer, welcher Wahlsieger verspricht das nicht: der Präsident, der Premierminister oder die Kanzlerin aller zu sein. Keinem wurde der Satz jemals so nachgetragen wie Obama. Welcher Vorkämpfer einer Sache geht nicht mit Maximalforderungen an den Verhandlungstisch – sei er Gewerkschaftsführer, Arbeitgeber oder Beauftragter seiner Partei? Keinem wurde von Kritikern derart beharrlich vorgeworfen, er sei gescheitert, weil er nicht alles erreicht hat. Wie seinerzeit Lyndon B. Johnson könnte Obama beklagen: »Selbst wenn ich übers Wasser liefe, stünde später in der Zeitung, der Präsident kann nicht mal schwimmen.«

Woher kam diese Maßlosigkeit? Einen Teil hat er sicherlich dazu beigetragen, indem er stets hoch zielte: historisches Wirtschaftspaket, historische Gesundheitsreform, weltweite Atomabrüstung, Klimawende, Neuausrichtung der Außenpolitik, Entspannung in Nahost. Aber diese Ziele waren gerechtfertigt oder sind es noch immer. Hätten kleinere Schritte weiter geführt? Wohl kaum.

Altpräsident Bill Clinton kritisierte zuletzt, die Demokraten hätten versäumt, zu Zeiten ihrer stabilen Kongress-Mehrheiten das Schuldenlimit hochzusetzen und nicht erst, als sie dafür die Republikaner brauchten. Das Weiße Haus antwortete, die Loyalität der Abgeordneten hätte dafür nicht gereicht. Auch deren Erscheinungsbild vor den Midterm-Wahlen bemängelte Clinton. Sie hätten zu wenig die eigenen Erfolge reklamiert und sich stattdessen von der Tea Party in die Defensive drängen lassen. Dass die Republikaner Obama aus dem Weißen Haus verdrängen, glaubt Clinton dennoch nicht, selbst wenn die Arbeitslosigkeit relativ hoch bliebe: »Die Amerikaner rechnen auf eigene Weise«, sagt er. »Wenn sie erkennen, dass die Lage deshalb schlechter ist, weil der Kongress sich weigerte, mit dem Präsidenten zusammenzuarbeiten, dann gewinnt er so oder so.«

Was man Obama vorhalten kann, ist die Zeit, die er benötigt hat, um zu erkennen, dass nach der Wahl nicht beides ging: die historische Mehrheit zu großen Reformen zu nutzen und zugleich auch noch der Freund einer Opposition zu sein, der nach ihrer Niederlage nicht mehr einfiel, als sich auf den Boykott des neuen Präsidenten einzuschwören. Dass die ihm keinerlei Erfolg durchgehen lassen würde, zeigte sich gerade in der Autokrise. Man stelle sich vor, in Deutschland – das schon wegen des drohenden Opel-Verkaufs die Nerven verlor – stünden der Volkswagen-Konzern und Daimler vor der Pleite. Lenkte sie ein

Regierungschef erfolgreich durch eine solche Katastrophenkulisse, das Land läge ihm zu Füßen. Obama sanierte sowohl den wankenden Weltmarktführer General Motors als auch den Autoriesen Chrysler, und dennoch ließ sich halb Amerika fortan erzählen, in Washington wüte ein Sozialist. Und wir Journalisten schrieben mit.

Manche mutmaßen, dass sich hinter den Anti-Stalinismus-Bannern und Obama-Hitler-Postern nur jene einreihten, die in Wahrheit allein die Hautfarbe des Präsidenten störe. Ich halte das für unbegründet. Den Geschichtstest, einen Schwarzen ins höchste Staatsamt zu wählen, hat Amerika bestanden. Die Angstrezepte aber, die sich bald in den Strategiepapieren der Konservativen fanden, um »negative Emotionen« gegen Obama anzurühren – diese Rezepte wirken erstaunlich lange. Auch wenn inzwischen viel dafür spricht, dass die rechte Revolte, statt den Demokraten zu schaden, langfristig auch die eigene Partei schwächt. Immerhin ließ die »Todessehnsucht« der Tea Party, wie Stephen Hess es nannte, nach den Kurzzeit-Galionsfiguren Bachmann, Cain und Perry auch den erfahrenen Newt Gingrich und den religiösen Rick Santorum noch verbrennen, weil sie nicht geeignet scheinen, Obama aus dem Stand zu schlagen. So tief sitzt der Groll der Rechten gegen den Präsidenten. Mitt Romney kann da nur hoffen, dass sie ihn strategisch stützen. Inhaltlich gewinnt er vermutlich ebensowenig ihr Grundvertrauen wie zuletzt John McCain.

Als der Präsident am Todestag des Bürgerrechtlers Martin Luther King dessen Monument einweiht, wirkt seine Rede mitunter, als spräche er von sich selbst. »Erinnern wir uns, dass der Fortschritt, für den er warb, nicht allein durch Worte erwirkt wurde«, sagt er. »Immer gab es Rückschläge und Niederlagen. King wurde nicht immer als jemand gesehen, der Amerika vereinen würde. Selbst als er den Friedensnobelpreis erhalten hatte, verspotteten ihn viele als Aufrührer und Agitator, als Radikalen und als Kommunisten.«

Neue Kriege, neue Moral?

Andere Versprechen, die Obama angeblich gebrochen hat, gab er in Wahrheit nie. So werfen ihm manche vor, er habe zwar den Krieg im Irak beendet, aber in Afghanistan stattdessen hochgerüstet. Genau das hatte er jedoch angekündigt. Dass der Irak-Krieg töricht gewesen sei, sagte er schon als Präsidentschaftskandidat. Diesen zu beginnen habe Aufmerksamkeit und Truppen weg vom Afghanistan-Einsatz gelenkt – und damit den Kampf gegen al-Qaida nur verlängert. Man mag auch diesen Krieg inzwischen unnütz nennen. Ein Kurswechsel Obamas im Vergleich zum Wahlprogramm aber lässt sich nicht finden.

Selbst den völkerrechtlich zweifelhaften Blitzeinsatz in Pakistan, der zum Tod des Terrorchefs Osama bin Laden führte, hatte der Wahlkämpfer Obama nie ausgeschlossen. Im Gegenteil: Wenn sich Hinweise auf Top-Terroristen in Pakistan fänden und die Regierung dort nicht handle, werde er es tun, sagte er bereits als Kandidat – und erntete heftige Kritik der Konservativen, er zweifle am Verbündeten Amerikas. Heute wissen auch sie, wie begründet Obamas Vorbehalte gegenüber Pakistans Militär- und Geheimdienstcliquen waren.

Doch so konsequent seine Sicherheitspolitik auch sein mag: Das Völkerrecht hat auch er stets hochgehalten. Deshalb muss einen der Wandel sorgen, den die Supermacht im vage definierten Krieg gegen den Terror derzeit vollzieht, auch und gerade unter Obama. Nach Berichten der *Washington Post* weitet dessen Administration das

Geflecht geheimer Drohnenbasen auf exzessive Weise aus – nach Äthiopien, auf die Seychellen, auf die Arabische Halbinsel. Schon jetzt sei belegt, dass das US-Militär Ziele nicht nur in Afghanistan und im Irak mit Drohnen attackiere, sondern auch in Pakistan, Libyen, Somalia und dem Jemen. Obama betreibe, so das Blatt, eine »Expansion unerklärter Kriege«.

Später bittet die CIA sogar darum, im Jemen schon bei ersten Anzeichen mutmaßlich terroristischer Aktivitäten Attacken ausführen zu dürfen. Als die Kritik zunimmt, vor allem wegen der zivilen Opfer, wirbt Obamas Anti-Terror-Chef John O. Brennan erstmals offen für die Drohnen-Einsätze. »Lassen Sie es mich möglichst einfach sagen«, legt er dar, »sie sind legal und verhindern Anschläge auf die Vereinigten Staaten.« Genau so hatte die Bush-Regierung auch Folter gerechtfertigt. »Andere Oberste Befehlshaber mögen Kriege mit weitaus mehr Opfern geführt haben«, heißt es in der Analyse, »aber kein Präsident hat jemals aus US-Sicherheitsinteressen so sehr auf das gezielte Töten Verdächtiger gesetzt wie dieser.«

Auch die Grenze zwischen Geheimdienst und Militär werde so aufgeweicht. Das Weiße Haus bestelle Killerattacken inzwischen »a la carte«, mit Personal von hier und Equipment von dort, ohne dass der Kongress seine Kontrollfunktion noch hinreichend wahrnehmen könne. Zwar seien Erfolge unverkennbar, nachdem bin Laden tot und der al-Qaida-Kern nahezu ausgeschaltet sei. Dennoch verwundere es, dass die Öffentlichkeit so viel weniger über die Drohnenaufrüstung debattiere als zuletzt über Bushs geheime Internierungslager und Verhörprogramme.

Nimmt Obama das alles nur in Kauf, weil es ihm, den Amerikanern und vermutlich sogar den attackierten Ländern weniger Kriegstote beschert als bisherige Waffengänge? Oder richtet auch er sich bereits ein in der

Welt der Worthülsen, der angeblichen Sachzwänge, der Macht? Und was wird, wenn bald alle Staatschefs – als Kläger, Richter und Henker zugleich – »Terroristen« nach eigener Definition weltweit mit Raketen beschießen?

Doch auch das melden Ende Januar die Nachrichtenagenturen: Eine US-Spezialeinheit der Navy SEALs, die seinerzeit auch in bin Ladens Wohnfestung eindrangen, habe in Somalia eine 32-jährige Amerikanerin und einen 60-jährigen Dänen, die dort für eine Hilfsorganisation arbeiteten, in einer Blitzaktion aus der Gewalt von Geiselnehmern befreit und ausgeflogen. Zwei Meilen entfernt waren die Soldaten gelandet, acht Kidnapper kamen bei den Kämpfen um. Die Obama-Administration nennt die Mission »wegweisend« für die Zukunft. Den Familien der Geiseln dürften in dieser Nacht Völkerrechtsdebatten nicht so wichtig gewesen sein.

Der Hauptgrund, der Amerikas Drohnenarsenal weiter wachsen lässt, könnte indes viel banaler sein: Es senkt die Kosten. »Die USA wollen weg von teuren Kriegen«, berichten Pentagon-Korrespondenten über die Sparzwänge im Wehretat. Zwei intensive Bodenkriege wie in Afghanistan und im Irak werde Washington künftig nicht mehr führen können. Der Präsident wolle hin zu kleineren Operationen, ausgeführt mit modernen Waffensystemen.

Als Obama den neuen Kurs vorgibt, erwähnt er von solchen Details nichts. »Wir haben das bestausgerüstete Militär der Welt«, sagt er nur. »Aber wir müssen unsere Fähigkeit verbessern, an Orten zu operieren, deren Zugang uns Gegner verweigern.« Und sein Verteidigungsminister Leon Panetta warnt schon mal: »Wir werden immer in der Lage sein, gegen mehr als einen Gegner zu kämpfen und zu siegen.«

Der Kurzeinsatz gegen Libyens Machthaber Gaddafi ließ zuletzt ahnen, wie Kriege künftig ablaufen: mit geheimen militärischen Beratern, die einheimische Kämpfer mit Waffen und Geld versorgen, ferngesteuerten Kampfdrohnen, die Zielkoordinaten folgen, und Cyberattacken auf die Infrastruktur des Gegners. Allein von Letzteren hat das Pentagon dort abgesehen, wie zuvor schon in Afghanistan und im Irak. Zwar gab es Pläne, die Firewalls von Gaddafis Regierungscomputern zu knacken und so Frühwarnsysteme und Flugabwehr lahmzulegen, schreibt die *New York Times*. Doch Spezialisten hätten Obama davon abgeraten. Man habe keinen Präzedenzfall schaffen wollen, auf den China und Russland künftig vor eigenen, ähnlichen Angriffen verweisen könnten. »Cyberstrategien sind immer noch wie der Ferrari, den man in der Garage lässt«, zitiert die Zeitung einen Regierungsbeamten, dessen Vergleich Bände spricht. »Man holt ihn eben nicht für eine kurze Stadtfahrt raus, sondern erst für das große Rennen.«

»Fürchterliche Perspektive«

Wer aber soll hier je neue moralische und rechtliche Grenzen der Kriegsführung festlegen, wenn noch nicht einmal die bisherigen hinreichend eingehalten werden? Die Schande von Guantanamo, wo die USA auch nach zehn Jahren Dutzende von Menschen festhalten, die selbst der Geheimdienst für unschuldig erklärt hat, vermochte auch Obama nicht zu beenden. Und seine Rivalen teilen nicht einmal das Anliegen.

Auch die berüchtigte Wasserfolter sahen die republikanischen Herausforderer in Fernsehdebatten fast durchweg – wie schon die Bush-Regierung – als legitime »Verhörmethode« an. Und als wir Bushs früheren Starjuristen Viet Dinh, der dessen noch immer umstrittene Sicherheitsgesetze verfasste und heute an der Georgetown-Universität lehrt, rückblickend nach seiner Meinung zum Waterboarding fragen, ist ihm die Antwort nicht zu peinlich, er habe sich »damit nicht genügend befasst«.

Es ist bezeichnend, dass im konservativen Kandidatenlager allein der als schrullig und altmodisch geltende, chancenlose Senior Ron Paul aufrecht darauf pochte, dass Waterboarding Folter sei und damit illegal. Und dass Amerika im Übrigen keine Staaten attackieren dürfe, ohne ihnen zuvor den Krieg zu erklären.

Gerne warnen Obamas Widersacher die Amerikaner davor, dass der Präsident in einer zweiten Amtszeit »noch radikaler« würde als bisher schon. In Wahrheit stellt sich die Frage umgekehrt: Wohin triebe wohl die verunsicherte Weltmacht erst, wenn die Republikaner einschließlich der Tea Party den Kurs vorgäben?

Nobelpreisträger Paul Krugman graut schon jetzt vor deren »aggressiver Antiwissenschafts-, ja sogar Antiwissenspartei«, wie er schreibt. Nicht nur ihr zeitweiliger Kandidat Rick Perry wies zuletzt die Evolutionslehre als »bloße Theorie« zurück und behauptete, dass »täglich mehr Wissenschaftler anzweifeln, der Klimawandel sei von Menschen verursacht«. Tatsächlich sei das Gegenteil richtig, so Krugman. Doch auch Romney, der sich einmal offen wegen des Klimawandels sorgte, beugt sich dem ultrarechten Glaubensdiktat, wenn er als Kandidat nun lieber vorgibt – wie Dinh zur Folter –, er wisse nicht genug darüber. »Nur 21 Prozent der republikanischen Wähler in Iowa«, klagt Krugman zu Beginn der Vorwahlen, »glauben, dass es einen Klimawandel gibt.« Und nur ein Drittel der Parteibasis dort halte die Evolutionslehre für schlüssig. »In einer Zeit weltweiter ernster Herausforderungen, nicht nur wirtschaftlicher und ökologischer Art«, so Krugman, »ist das eine fürchterliche Perspektive.«

Nach Obamas ersten Monaten im Amt zitierte ein Kinderbuch Briefe, die Schüler dem neuen Präsidenten schrieben. In einem davon stand die Bitte, er möge ein Gesetz erlassen, dass Schokolade ein Gemüse sei. Als ich darüber lachte, wusste ich noch nicht, mit wie viel Erfolg Washingtons Lobbyisten tatsächlich eher die Sprache und damit die Wahrnehmung verändern als die Wirklichkeit. Tiefkühl-Konzerne haben es so geschafft, Pizza auf dem lukrativen Markt für Schulessen in der Gemüserubrik anzusiedeln – wegen ihres Anteils an Tomatensoße. Obamas Versuch, den Schwindel zu stoppen, scheiterte kläglich. Die Lobbyisten argumentierten gemeinsam mit den Schulen, echtes Gemüse käme zu teuer.

In all den Jahren deprimierte mich das in der Tat am meisten: In der freien Marktwirtschaft hatte ich erwartet, dass sich Qualität durchsetze. Viel öfter aber traf ich auf das Gegenteil. Handwerker können ihr Handwerk nicht mehr. Hormonverseuchtes Billigfleisch lässt auch dessen Konsumenten, vor allem Mädchen, in die Breite wachsen. Eine Jahresgarantie, etwa auf Unterhaltungselektronik, gibt es nur gegen groteske Preisaufschläge. Wenn Banken genug Kunden in den billigeren Online-Sektor gelotst haben, erheben sie dort die gleichen Gebühren wie zuvor. Wer Fragen hat, erwischt niemanden mehr am Telefon. Sobald sich Unternehmen ihre Position am Markt gesichert haben, scheint es, sind ihre Kunden nicht mehr Könige, sondern nur noch artige Konsumenten oder Störfaktoren.

So also geht es auf der Endstufe der westlichen Entwicklung zu, dachte ich oft – zumal ich bei Heimatbesuchen in Deutschland bereits den gleichen Trends begegnete. Als ich dort zuletzt ein Mietauto am Flughafen abholte, an einem verschneiten Tag im Januar, erklärte mir der Herr am Kundenschalter, für Winterreifen müsse ich extra bezahlen. Die seien zwar gesetzlich vorgeschrieben, aber im Preis noch nicht enthalten. Mein Einwand, dass er nach dieser Logik auch für Scheinwerfer und Bremsen Zuschläge verlangen könne, beeindruckte ihn nicht. Ob ich den Wagen nun wolle oder nicht, fragte er lässig. Meine Kritik notierte er zwar, eine Antwort aber erhielt ich nie.

»Ich habe oft das Gefühl«, gab ich in Hamburg einmal zu Protokoll, »als schaue ich in Amerika ein wenig in unsere Zukunft. Nehmen Sie die groteske Kluft zwischen Arm und Reich, die wird auch bei uns größer. Oder die Art, wie hier die Medien berichten, wie strohfeurig und allein auf Dramatik gebürstet, bis in die Nachrichten hinein.«

Tatsächlich haben die professionellen Wortakrobaten in den USA den deutschen noch immer viel voraus. Nicht nur der millionenteure Wahlkampf zeugt davon. Als die US-Umweltbehörde den Energiesektor unter Druck setzte und Kohlekraftwerke wegen ihrer Schadstoffmengen in Verruf gerieten, startete die Branche eine PR-Offensive, in der nur noch von »clean coal« die Rede war – »sauberer Kohle«. Dabei fielen deren Kohleminen in den letzten Jahren vor allem durch Verstöße gegen Naturschutz- und Sicherheitsauflagen auf, die zu Dutzenden von Todesfällen führten.

Warum auch sollte sich der kommerzielle Markt anders verhalten als die Politik, die verbotene Foltermethoden flugs in erlaubte »Verhörtechniken« umtaufte und das Solidarprinzip europäischer Krankenkassen in einen Sündenfall ins Höllenreich des Kommunismus? Selbst die obersten Richter Amerikas erwiesen sich schon als Deutungskünstler, indem sie auch milliardenschwere Konzerne als Wahlkampfspender mit gewöhnlichen »Personen« gleichsetzten.

»Dass ein Konzern eine Person ist«, spottete im Internet ein Zyniker, »glaube ich erst, wenn Texas eine Firma hingerichtet hat.«

Wer prägt wen mehr?

Die Neigung nicht nur konservativer Amerikaner, stets den »American Exceptionalism« für sich zu reklamieren, also ihr Land quasi per Definition als das weltbeste zu betrachten, macht sie für derlei Sprachkosmetik nicht eben aufmerksamer. Man mag sich streiten, wie alternde Industriegesellschaften künftig am besten ihre Renten- und Gesundheitskosten stemmen sollen. Die Selbstverständlichkeit aber, mit der Amerikas Konservative noch immer gebetsmühlenartig ein Gesundheitssystem rühmen, das Millionen von Landsleuten den Zugang zu Krankenschutz verwehrt – und das die Weltgesundheitsorganisation als das schlechteste unter den Industrieländern ansieht –, ließ mich immer wieder staunen.

Im Selbstbild vieler Amerikaner ist für derlei Mängel offenbar wenig Platz, zumal wenn sie von Kindesbeinen an mit den üblichen Superlativen aufwachsen. Kein Lokalpolitiker, der nach gelöschtem Buschbrand seine Feuerwehr nicht als die tapferste der Welt lobt. Kein Präsident, der Amerikas Arbeiter nicht als die produktivsten des Planeten preist und seine Soldaten als die mutigsten. Kein Wahlkämpfer, dessen Wähler nicht die besten unter allen sind. Kein Schlusssatz ohne die Patriotenformel: »Gott schütze Amerika!«

So sehr ich nach den Anschlägen vom 11. September

2001 den Wunsch der Amerikaner verstand, dass Gott ihr Land behüten möge – gelegentlich hatte ich hier den Eindruck, manche verbanden mit der Formel Exklusivität. Der Politologe Manfred Henningsen, der an der Universität von Hawaii lehrt, geht so weit, das Gehabe um die »Auserwähltheit Amerikas« auf den stillen Wunsch zurückzuführen, mit diesem Mythos die moralischen Verfehlungen zu kompensieren, die mit der Gründung und dem Aufstieg der USA einhergingen: den Völkermord an den Indianern und die Sklaverei.

Als Barack Obama als erster Afroamerikaner ins Weiße Haus einzog, stellten sich viele die Frage, ob er das Präsidentenamt verändern würde – oder eher das Amt ihn. Heute scheint mir, es ist beides geschehen. Amerikas Außenpolitik ist weltoffener, bündnisfreundlicher und diplomatischer geworden, aber mit den Einsätzen von Geheimdienst- und Elitekommandos auch härter und zwielichtiger, als es zu einem Politiker passt, der für die Menschenrechte wirbt. Und selbst das kriegsmüde Amerika könnte sich in den Spannungsfeldern um Iran und Syrien in neue Militäreinsätze gedrängt sehen, die es eigentlich vermeiden wollte.

Sein Versuch, Amerikas Innenpolitik zu befrieden, ist ihm erkennbar nicht geglückt, sondern gescheitert. Und wenig spricht dagegen, dass die Republikaner den finalen Wahlkampf gegen ihn weit negativer und schmutziger gestalten als zuletzt – zumal ihr interner Vorwahlkampf gezeigt hat, wie unmittelbar sich aggressive Anzeigen und TV-Spots auf Umfragen auswirken. Um in einer zweiten Amtszeit seine Politik fortsetzen zu können, muss Obama dem standhalten. Dass er es kann, hat er damals bewiesen. Zudem ist auch seine Wahlkampfkasse voll. Bereits ein Jahr vor dem Wahltag hatten ihm Landsleute fast 100 Millionen Dollar Wahlkampfhilfe überwiesen, wie zuletzt vor allem als Kleinspenden – mehr als all seinen Herausforderern zusammen. Eine Lücke, die konservative Geldgeber jedoch bald schließen.

Man mag sich kaum ausmalen, was alles mit diesen Summen machbar wäre, würden sie in die Realität gesteckt und nicht in ihre Deutung. Der republikanische Wortführer Mitch McConnell spricht sich – gegen den Rat erfahrener Parteifreunde – derweil weiter dafür aus, auf eigene Programminhalte zu verzichten und die Wahl ganz zur Volksabstimmung über »Obamas Bilanz« zu erklären.

Was wie ein kluger Schachzug klingen soll, könnte allerdings nach Jahren der Politikverweigerung der Konservativen vielen auch als blanke Not erscheinen. Denn sie haben die Oppositionszeit bis dahin weder zu einer Modernisierung ihrer Inhalte genutzt noch dazu, Lehren aus der Jahrhundert-Finanzkrise zu ziehen. Stattdessen reduziert sogar ihr Vordenker McConnell die Strategie allein darauf, von Anfang an gegen Obamas Wiederwahl zu wettern. Gut möglich, dass das der Mehrheit der Amerikaner als Antwort auf die Probleme ihres Landes zu wenig ist.

Je knapper der Wettlauf zwischen Amtsinhaber Obama und Herausforderer Romney auf der Zielgeraden zu werden droht, desto mehr dürfte das strategische Geschick der Kontrahenten und ihrer Kampagnen-Manager über den Wahlsieg entscheiden. Obamas Erfahrung aus seinen letzten Zweikämpfen, zunächst innerparteilich gegen Hillary Clinton und schließlich gegen das Republikaner-Duo John McCain und Sarah Palin, könnten ihm da noch sehr nützlich sein. Wir erinnern uns: Es gehe nicht darum, nur Washingtons »politisches Spiel« besser zu betreiben als andere, sondern darum, es zu beenden, hatte Obama damals für sich geworben. Vier Jahre später wäre die Schlüsselszene zwischen dem Amtsinhaber und seinem entschiedensten Widersacher den Fernsehkameras fast entgangen. Sie trug sich just an jenem Tag zu, an dem Obama die mühsame Suche nach Kompromissen aufgab und auch selbst wieder auf Wahlkampfkurs umschwenkte – dem Tag, an dem er dem Kongress sein Job-Gesetz vorstellte und erstmals auf eine konstante Erholung des US-Arbeitsmarktes hoffen konnte. Als er danach das Rednerpult verließ, beglückwünscht und umringt von schulterklopfenden Parteifreunden, die erleichtert schienen, ihren Hoffnungsträger wieder kämpferisch zu sehen, stand kurz jener Mitch McConnell in Obamas Weg und fragte halb keck, halb verlegen, wie es ihm gehe: »How are you today, Mr. President?«

»On top of the game«, antwortete Obama im Vorbeigehen, ohne ihn auch nur einen Moment lang anzusehen: »Auf der Höhe des Spiels.«

Der wahre Gegner des Präsidenten bleibt jedoch der Arbeitsmarkt. Und die Weltlage: Gleich mehrmals setzte die US-Wirtschaft zuletzt zum Aufschwung an, stets bremsten sie Hemmnisse, auf die Obama keinen Einfluss hatte – vom Atom-Schock im japanischen Fukushima über die Euro-Dauerkrise bis zum Ölpreis-Anstieg wegen der Spannungen um den Iran.

Wem ein Job fehlt, hilft das nicht. Er hofft im Zweifel, ob zu Recht oder nicht, auf einen neuen Präsidenten. Auch das gehört zu den Spielregeln, nirgendwo mehr als in Amerika. Obama wusste das von Anfang an. »Gemessen werde ich letztlich daran«, sagte er zu Beginn der Amtszeit, »ob ich die Amerikaner wieder in Arbeit bringe.«

Er hätte hinzufügen können: Und wie schnell.

Dank

Dieses Buch wäre nicht geschrieben worden ohne das Vertrauen der Entscheidungsträger von NDR und ARD, die mich nach Amerika entsandten. Zudem danke ich allen Kolleginnen und Kollegen des Studios in Washington für die gute Zusammenarbeit, allen voran den Producerinnen Herta Borniger, Annette Brieger, Hillery Gallasch und Gabriela Eaglesome, sowie den Kolleginnen Audrey Stimson in Los Angeles und Angela Andersen in Boston. Jürgen Welter hat mir als Fotograf geholfen, Dirk Keuper als technische Feuerwehr und Jackson Janes als Erstleser.

Ich danke dem Verlag und seinem Team in München, besonders Ulrich Wank, Marie Trakies und Lektorin Dunja Reulein für beste Betreuung und Wegbereiter Thomas Montasser dafür, dass er uns zusammenführte. Ebenso Claus Kleber vom ZDF für seinen kollegialen Rat zur rechten Zeit.

Für Beistand in den Schreibpausen bleibe ich meinem Radiokollegen Rüdiger Paulert und Sportsfreund Konrad Braunöhler verbunden. Nicht wirklich zuletzt danke ich meiner Familie für das gemeinsame Abenteuer Amerika, das uns reichhaltige Jahre beschert hat – und das sie, inklusive aller Fahrkilometer, so ausdauernd mitmachte. Und meinen Eltern für ihre Geduld und ihre Besuchsreisen, die wir unsagbar schätzten, solange sie möglich waren.